Les
RÈGLEMEN...
des jeu...

Troisième édition française

INTERNATIONAL PLAYING CARD COMPANY LIMITED
Windsor, Ontario

Avec la permission des détenteurs du copyright
THE UNITED STATES PLAYING CARD COMPANY
Cincinnati, Ohio, U.S.A.

INDEX

Règles Générales

COMMUNES À TOUS LES JEUX DE CARTES

Aux cartes, certaines coutumes sont tellement bien établies qu'il n'est pas nécessaire de les répéter toutes les fois que l'on donne les règles d'un jeu. Les règles suivantes s'appliquent à tous les jeux à moins que des lois explicites viennent y apporter des changements.

Le Paquet — Le paquet standard de 52 cartes se divise en quatre couleurs, chacune se reconnaissant à son symbole — pique (♠), cœur (♥), carreau (♦), trèfle (♣). Chaque couleur comporte 13 cartes s'échelonnant comme suit dans l'ordre descendant As (A), Roi (K), Dame (Q), Valet (J), 10, 9, 8, 7, 6, 5, 4, 3, 2. Lorsqu'il est question d'un jeu et qu'on en dit qu'il est un jeu de 52 cartes, il est entendu qu'il s'agit en l'occurrence d'un paquet standard.

Les paquets de moins de 52 cartes sont des paquets standard dont on a retiré des cartes. Les premières cartes retirées sont les 2 et les 3 et ainsi en remontant. On identifie les différents paquets réduits par le nombre de cartes restant: v.g.

36 cartes (la carte demeurant la plus basse est le 6)
32 cartes (—   —   —   —   7)
24 cartes (—   —   —   —   9)

Une 53e carte, le Joker ou Diable, et une 54e, la Blanche sont habituellement empaquetées avec le jeu standard de 52 cartes et viennent s'y ajouter si les règles d'un jeu le demandent.

Le paquet double est composé de deux jeux. Le jeu de 48 cartes pour le Pinochle consiste en deux jeux de 24 cartes combinés ensemble, c'est-à-dire des As aux neufs de chaque couleur de deux jeux. Il y a aussi le jeu de 64 cartes pour le Pinochle composé de deux jeux de 32 cartes. En combinant ainsi des jeux, il est habituellement souhaitable que le revers des cartes soit de même couleur et porte le même dessin.

On peut se procurer des paquets de 63 cartes qui sont nécessaires pour certains jeux. En plus des 52 cartes ordinaires et du joker, ces paquets comprennent un 11 pour chaque couleur, un 12 pour chaque couleur et un 13 pour chacune des deux couleurs.

Le tirage — Il existe plusieurs méthodes de déterminer les partenaires, les places à table, celui qui doit mêler le premier, etc. La méthode la plus courante est de battre les cartes, de les étendre se chevauchant face contre table. Chaque joueur tire une carte en se rappelant que les 4 cartes de chaque extrémité sont interdites. La valeur des cartes tirées détermine les partenaires, etc. On emploie cette méthode dans tous les jeux où une autre méthode n'est pas spécifiquement indiquée.

Rotation — Le droit de mêler, de déclarer, de jouer passe toujours du joueur à son voisin de gauche, c'est-à-dire toujours dans le même sens que les aiguilles de la montre.

La mêlée — Chaque joueur à table a le droit de mêler les cartes. De fait on reconnaît communément ce droit à tous les joueurs même dans les jeux où les règles désignent un joueur à cette fonction.

Dans la plupart des jeux, le donneur conserve le droit de mêler en dernier et ce règlement prévaut quand il n'y a pas d'indication contraire.

La coupe — La coupe consiste à diviser le paquet en deux parties et en plaçant la partie du dessus en dessous. La coutume veut qu'après avoir mêlé le mêleur présente le paquet à son voisin de droite qui coupe en posant sur la table la partie supérieure du paquet à côté de la partie inférieure. Le mêleur complète la coupe en posant la partie inférieure sur la partie supérieure. « Chaque partie de la coupe doit contenir un minimum de cartes qui varie dans les différents jeux, mais en général est de quatre ou cinq ».

L'aîné — On indique par ce terme le joueur se trouvant à la gauche du mêleur. Bien que ce terme ne se trouve pas dans tous les jeux et qu'il existe des termes équivalents — âgé, senior, majeur —, dans presque tous les jeux, le joueur à cette position déclare et joue le premier. On emploiera donc le terme aîné dans toutes les règles pour ajouter à la clarté.

La donne — Dans la plupart des jeux on donne la première carte à l'aîné et on distribue les cartes dans le sens des aiguilles d'une montre. Le nombre de cartes données à la fois varie selon qu'il est expressément indiqué pour chaque jeu. Les règles peuvent exiger une à la fois ou deux ou davantage mais un nombre égal de cartes doit être donné à chaque joueur à chaque tour. Parfois le nombre varie d'un tour à l'autre. Par exemple quand les règles exigent de donner 3-2, cela signifie de donner un tour de trois cartes à la fois à chacun des joueurs et un tour de deux cartes.

A moins d'instructions contraires, toutes cartes doivent être données face contre table de façon qu'aucun joueur ne puisse voir les cartes données à un autre joueur. Une carte retournée dans le jeu suffit pour autoriser une déclaration de maldonne.

Maldonne — Une règle universelle exige qu'à la demande de n'importe quel joueur une nouvelle mêlée par le même mêleur soit faite s'il y a eu accroc aux règles habituelles ou prescrites de mêlée, de coupe ou de donne. Habituellement une telle demande ne peut être faite après qu'un joueur ait vu l'une des cartes qui lui ont été données ou après que la donne a été complétée.

Paquet imparfait — Un paquet est imparfait lorsqu'il ne comprend pas exactement la quantité de cartes requises par un jeu ou que des cartes manquent quant à la valeur ou à la couleur. Un paquet peut être imparfait parce que des cartes peuvent être tombées par terre ou qu'elles soient mêlées à un autre paquet ou que des cartes d'un autre paquet soient mêlées à celui que l'on emploie. Le terme *imparfait* est employé dans un sens plus précis pour indiquer un paquet imparfait qui ne peut être corrigé par le simple fait d'enlever les cartes étrangères ou en remplaçant les cartes manquantes. Les cartes usées ou brisées pouvant être reconnues à l'envers sont la seule imperfection fréquente.

Quand on s'aperçoit qu'un paquet est imparfait — et qu'il l'était probablement au début de la présente donne — on abandonne immédiatement la présente donne quel que soit le point où l'on soit rendu dans le jeu ou la déclaration. Tous les points faits avant cette donne restent cependant acquis. Si on découvre qu'un paquet est imparfait, mais seulement parce qu'une carte peut être identifiée, la présente donne se continue si la donne est complétée mais le jeu est ensuite remplacé.

Excuse d'une irrégularité — Les lois des différents jeux diffèrent beaucoup quant aux pénalités imposées pour les irrégularités et aux mesures adoptées pour permettre au jeu de continuer. Mais dans tous les cas il existe une limite de temps pour alléguer une erreur et réclamer validement une pénalité. Par la suite, le fait de ne pas avoir souligné l'erreur équivaut à l'avoir excusée et à l'avoir acceptée comme jeu régulier.

L'usage a consacré le statut des limites suivant:

Erreur de mêlée, de coupe ou de donne (n'ayant pas comme résultat un nombre de cartes erroné dans une main): est oubliée quand tous les joueurs ont regardé leur main.

Erreur d'enchère, de déclaration, d'appel d'atout, etc.: est considérée comme régulière quand la première carte a été jouée.

Erreur en jouant les mains: est annulée après qu'on a compté les points de la main.

Erreur dans la consignation des points ou dans le comptage: ne compte plus après que le paiement a été offert et accepté pour le règlement du pointage.

Plusieurs jeux allouent une plus grande limite de temps pour la pénalisation — ou la rectification — d'une irrégularité. Mais aucun ne prolonge le temps plus loin que ce "statut naturel" qui peut donc être considéré comme acceptable toutes les fois que les règles d'un jeu ne donnent pas d'instructions précises.

L'ÉTIQUETTE AUX CARTES

L'habileté à jouer au Bridge, à la Canasta, au Poker ou à d'autres jeux de cartes populaires est certainement un avantage social. Pour tirer le plus grand parti de cet avantage, on doit se rendre populaire à la table à cartes et cette popularité dépendra plus des bonnes manières du joueur que de son adresse au jeu.

L'observance des principes suivants augmentera la popularité du joueur de cartes:

1. — Assoyez-vous droit à table, gardez un maintien calme et évitez les tics nerveux. Quand quelqu'un donne, restez bien adossé à votre chaise et attendez que la donne soit complétée avant de prendre votre main.

2. — Apprenez à bien manipuler les cartes. La gaucherie en mêlant ou en donnant créera une mauvaise impression quant à votre habileté à jouer. Les gens associent la maladresse dans une chose à la maladresse ou à l'inaptitude dans d'autres.

Comment battre les cartes — Apprenez à couper les cartes, complétez la coupe et battez-les à la manière des meilleurs joueurs. Voici comment battre les cartes en soufflet (riffle-shuffle):

Divisez le jeu en deux paquets à peu près de même grosseur, face contre table. Joignez les coins seulement. Tenez avec les doigts les deux paquets contre la table, retroussez les coins avec les pouces. Glissez les deux paquets l'un vers l'autre afin qu'ils s'entremêlent. Laissez glisser les cartes sur le bout de vos pouces. Elles s'engrènent et les cartes sont battues. Relâchez la pression des doigts sur les cartes et glissez les deux paquets l'un dans l'autre.

Il faut ainsi mêler les cartes trois fois pour bien les battre. La manière de battre les cartes dite "Poker", qui se fait en tenant une partie du jeu lâche dans la main et en y laissant retomber ce qui reste dans l'autre main, n'est pas acceptée dans la plupart des jeux tandis que la manière décrite en premier lieu "en soufflet" (riffle-shuffle) est acceptée même au Poker.

En donnant les cartes, tenez le jeu dans une main et de l'autre glissez les cartes une à une, en avançant les deux mains de quelques pouces vers le joueur à qui vous destinez les cartes. On ne doit pas prendre chaque carte entre le pouce et l'index, la faire claquer ou la coucher sur la table.

Ne regardez pas la carte du dessous ni avant ni pendant la donne.

3. — Un joueur inexpérimenté ou un joueur affrontant de meilleurs joueurs est porté à être nerveux ou incertain. Cachez ce sentiment autant que vous le pouvez. Les autres joueurs préféreront qu'une déclaration soit faite ou qu'une carte soit jouée sans tarder même au prix d'une erreur plutôt que de rester assis à attendre interminablement que vous surmontiez votre indécision due à la peur. Il n'est rien qui indispose plus les autres joueurs que d'entendre murmurer: "Bon sang, je ne sais vraiment pas quoi faire".

4. — Evitez durant la partie toutes conversations qui n'y ont pas rapport.

5. — Ne retardez pas la partie en discutant de ce qui aurait pu ou dû arriver au cours de la main précédente. Mais surtout:

Ne vous apitoyez pas sur un perdant, vous y compris quand vous perdez.

Quand une main n'a pas été très heureuse pour vous, n'en parlez à personne.

Ne signalez pas leurs fautes à vos adversaires pas plus que ses erreurs à votre partenaire.

6. — Quand vous regardez les autres jouer ne faites pas de commentaires et ne posez pas de questions. Si possible, assoyez-vous derrière un joueur et ne regardez que sa main. Après avoir vu la main d'un joueur, n'allez pas regarder la main d'un autre. Cela pourrait être interprété comme si la première main n'était pas très bonne ou très intéressante et pourrait renseigner un autre joueur.

Bridge Contrat

et autres jeux de la famille du « Whist »

Plus de millions de personnes ont pour passe-temps favori le Bridge dans les pays anglophones et à travers le monde que tout autre jeu de cartes. C'est le jeu préféré des milieux ultra-fashionables de Palm Beach, Newport et autres centres marqués au coin de la distinction. Il est également populaire dans toutes les classes de la société à travers les Etats-Unis parmi tous ceux qui s'adonnent aux cartes, que ce soit dans les clubs, les tournois ou tout simplement dans l'intimité du foyer.

"La famille du Whist" — C'est en Angleterre, il y a plus de 400 ans qu'on retrouve le principe du Bridge contrat. A ses origines, le jeu comportait quatre joueurs qui jouaient deux contre deux. Il y avait une suite d'atout qui l'emportait sur toutes les autres et le jeu consistait à emporter des levées en jouant une carte plus forte que n'importe laquelle des autres joueurs.

Au 17e siècle, le jeu était arrivé à être appelé Whist. Il se répandit peu à peu dans tous les pays. Il devint le sujet de centaines de livres et des milliers de personnes participaient à des tournois de Whist et à des parties monstres.

C'est en 1896 qu'une forme de Whist, le Bridge, fit son apparition et supplanta bientôt le Whist dans la faveur des gens. Le Bridge présentait deux innovations: le donneur avait le privilège de désigner l'atout et de jouer, en plus de ses propres cartes, celles de son partenaire alors appelé "mort".

En 1904, le Bridge aux enchères arriva. A ce jeu, les joueurs déclarent pour obtenir le privilège de déterminer la couleur d'atout. Le Bridge aux enchères remplaça encore plus rapidement le Bridge ordinaire que celui-ci l'avait fait pour le Whist. Le plus récent développement dans les jeux de la famille du Whist fut le Bridge contrat qui date de 1925.

Raison de la popularité du Bridge contrat — Le Bridge contrat est un jeu idéal pour divertir les invités, surtout dans le cas de gens mariés. En effet étant donné que c'est un jeu de partenaires l'époux et l'épouse n'ont pas à jouer l'un contre l'autre. C'est un jeu tout indiqué pour les clubs où l'on se réunit chaque semaine par groupe de huit, de douze ou plus, pour de grandes parties de cartes, des tournois, au club, à la maison, partout où se trouvent de véritables amateurs de cartes.

Mais le principal attrait que présente le Bridge contrat est le fait qu'il plaît tout autant au joueur ordinaire qui ne joue que pour son plaisir qu'au joueur scientifique qui désire étudier et maîtriser les complexités du jeu.

Comment apprendre le Bridge contrat — Les pages qui suivent décrivent les principes de base du jeu, de même que les règles, le code d'éthique, les convenances. Il existe des centaines de livres et des milliers de professeurs de carrière à la portée de ceux qui désirent apprendre à bien jouer le Bridge. Il n'en reste pas moins que le meilleur et le plus rapide moyen d'apprendre à jouer est de prendre part à de véritables parties de Bridge le plus souvent possible.

COMMENT JOUER LE BRIDGE CONTRAT

Condensé de "Laws of Contract Bridge", Copyright 1963 par "The American Contract Bridge League".

PRÉLIMINAIRES

Nombre de joueurs — Quatre, deux contre deux, par partenaires. Cinq ou six joueurs peuvent prendre part à la même partie, mais quatre seulement peuvent jouer en même temps.

Le paquet — 52 cartes. Deux jeux aux envers de couleurs ou de dessins différents sont toujours employés. Pendant qu'un joueur donne les cartes d'un jeu, son partenaire mêle l'autre paquet pour la prochaine donne.

Valeur des couleurs — Le pique (le plus fort), le cœur, le carreau, le trèfle.

Valeur des cartes — As (la plus forte), roi, dame, valet, 10, 9, 8, 7, 6, 5, 4, 3, 2.

Le tirage — Un paquet mêlé est étendu face contre table et chaque joueur tire une carte. Les quatre cartes de chaque extrémité ne doivent pas être tirées. Un joueur qui tire plus d'une carte doit tirer à nouveau. Les joueurs ne doivent pas montrer leur carte avant que chaque joueur ait tiré.

Le joueur qui tire la plus haute carte mêle le premier. Il choisit sa place de même que le paquet avec lequel il désire commencer. Le joueur qui tire la deuxième plus haute carte devient son partenaire et s'assoit en face de lui. Les deux autres joueurs prennent les places libres. Si deux joueurs tirent des cartes de même valeur, v.g. le 6 de cœur et le 6 de trèfle, la valeur de la couleur détermine la valeur de la carte.

Précédence — Quand cinq joueurs désirent jouer, le tirage établit l'ordre de précédence. Par exemple: le nord tire un as de trèfle; le sud tire un roi de cœur; l'est, un cinq de trèfle; l'ouest, le deux de cœur; un cinquième joueur, le deux de carreau. Nord et sud jouent ensemble contre est et ouest tandis que le cinquième joueur se retire. Après le premier robre, le cinquième joueur joue tandis que ouest se retire; au robre suivant ouest revient dans la partie, remplaçant est et ainsi de suite jusqu'à ce que nord se soit retiré pour un robre après quoi le cinquième joueur se retire de la partie.

La mêlée — Le joueur à la gauche du donneur mêle les cartes et les place à la gauche du donneur. Le donneur — après les avoir mêlées à nouveau s'il le désire — dépose les cartes à sa droite pour qu'elles soient coupées.

La coupe — Le joueur à la droite du donneur doit soulever une partie du paquet — pas moins de quatre cartes et pas plus de quarante-huit — et la déposer près du donneur. Le donneur complète la coupe.

La donne — Le donneur distribue treize cartes à chaque joueur, une carte à la fois, face contre table, dans le sens des aiguilles d'une montre en commençant par le joueur à sa gauche.

Rotation — Le tour de donner, de déclarer et de jouer passe toujours d'un joueur à l'autre, à la suite vers la gauche.

L'ENCHÈRE

Déclarations — Après avoir regardé ses cartes, chaque joueur à tour de rôle, à commencer par le donneur doit faire une déclaration — passer, déclarer, contrer ou surcontrer. Si les quatre joueurs passent à la première tournée, la donne est annulée et la donne passe au joueur suivant. Si l'un des joueurs fait une déclaration à la première tournée, les enchères sont ouvertes.

La passe — Quand un joueur ne désire pas déclarer, contrer ou surcontrer, il: "Passe".

Déclaration — Chaque déclaration doit comporter un certain nombre de levées en surplus de six — appelées surlevées — que le déclarant s'accorde à remporter et une couleur qui deviendra atout si la déclaration n'est pas contestée. Ainsi un pique est une enchère de remporter sept levées — 6 plus 1 — avec les piques comme atout.

Une déclaration peut être en "sans atout" ce qui signifie qu'il n'y aura pas de couleur d'atout. La déclaration la plus basse possible est de un et la déclaration la plus haute est de sept.

Chaque déclaration doit comprendre un plus grand nombre de levées que la déclaration précédente ou un même nombre mais dans une couleur ayant plus de valeur. Le sans atout déclasse toutes les couleurs y compris le pique, la plus forte des couleurs. Ainsi une déclaration de deux sans atout l'emportera sur une déclaration de deux cœurs et une déclaration de quatre carreaux est nécessaire pour l'emporter sur une déclaration de trois cœurs.

Contrer ou surcontrer — N'importe quel joueur peut contrer la déclaration précédente si elle a été faite par un adversaire. Le fait de contrer augmente la valeur des levées, les levées supplémentaires et des pénalités des levées de chute — voir le tableau du pointage en page 15 si la déclaration contrée devient le contrat.

Tout joueur peut à son tour surcontrer la déclaration précédente si elle a été faite par son partenaire et contrée par l'adversaire. Une déclaration surcontrée augmente à son tour en valeur.

Un contrat contré ou surcontré peut être déclassé par toute déclaration suffisante à le déclasser s'il n'était pas contré ou surcontré. Par exemple une déclaration de deux carreaux contrée et surcontrée peut être déclassée par une déclaration de deux cœurs, deux piques ou sans atout ou par une déclaration de trois trèfles ou toute autre déclaration plus forte.

Renseignements sur les déclarations déjà faites — Tout joueur peut à son tour demander que les enchères faites précédemment soient redéclarées dans l'ordre où elles ont été faites.

Déclaration finale et le déclarant — Quand une déclaration, contrée ou surcontrée, est suivie de trois passes consécutives à tour de rôle, les enchères sont closes. La déclaration finale de l'enchère devient le *contrat*. Le joueur qui a le premier déclaré la couleur reconnue dans le contrat comme atout devient le *déclarant*. Le partenaire du déclarant fait le *mort* et les deux autres joueurs sont les *adversaires* ou *défendeurs*.

LE JEU

L'attaque et le jeu — Une carte jouée est la carte qu'on a prise de sa main et posée retournée au centre de la table. Quatre cartes jouées ainsi, une par joueur à tour de rôle, constituent une levée. La première carte jouée d'une levée est la carte d'attaque.

L'attaquant d'une levée peut jouer n'importe quelle carte. Les trois autres joueurs doivent jouer dans la couleur de la carte d'attaque. S'ils sont incapables de fournir ils peuvent jouer n'importe quelle carte.

Attaque d'ouverture; le jeu du mort — Le défendeur à la gauche du déclarant joue la première carte d'attaque. Le mort étale alors sa main devant lui, ouverte, les cartes groupées par couleur, l'atout à sa droite.

Le gain des levées — Une levée d'atout est remportée par le joueur jouant la plus forte carte d'atout. Dans le cas d'une levée où aucune carte d'atout n'a été jouée, la levée appartient au joueur ayant mis la carte la plus forte de la couleur demandée. Celui qui remporte la levée joue la carte d'attaque suivante.

Le mort — Le déclarant joue à la fois son jeu et celui du mort. Mais chaque jeu à son tour. Le mort peut répondre à une question raisonnable mais ne peut faire de commentaires ni prendre une part active au jeu. Il peut cependant souligner une irrégularité et prévenir le déclarant — ou tout autre joueur — d'une infraction aux règles du jeu. Il peut dire, par exemple: "Ce n'est pas à vous à jouer" ou demander: "Pas de piques?" lorsqu'un joueur ne fournit pas en pique qui est demandé. Voir en page 20. "Les droits du mort".

Les cartes jouées — Un déclarant joue une carte quand il place celle-ci sur la table ou déclare son intention de la jouer. Il joue une carte du mort quand il la touche — sauf pour arranger les cartes — ou qu'il déclare son intention de jouer telle carte. Un défendeur joue une carte quand il la montre avec l'intention apparente de la jouer de façon à ce que son partenaire puisse la voir. Une fois jouée, une carte ne peut être retirée à moins que ce soit pour corriger une renonce ou une irrégularité.

Comment ramasser les levées gagnées — Une levée complétée est ramassée et posée les cartes face contre table. Le déclarant et le partenaire du défenseur remportant la première levée pour son côté doivent garder en face d'eux les levées remportées disposées dans l'ordre où elles ont été remportées et de façon à ce qu'on puisse toujours en voir le nombre.

Revendication ou concession de levées par le déclarant — Dans le cas où le déclarant revendique ou concède une ou davantage des levées qui restent à jouer ou suggère autrement que le jeu soit abrégé, le jeu doit cesser et le déclarant tenant son jeu ouvert devant lui doit immédiatement faire la déclaration nécessaire indiquant la manière dont il a l'intention de jouer. Un adversaire peut regarder sa main et suggérer un jeu à son partenaire. Si les deux adversaires concèdent le jeu, le jeu doit cesser et le déclarant est considéré comme ayant remporté les levées revendiquées. Voir en page 23 dans le cas où un adversaire conteste une revendication du déclarant.

Revendication ou concession de levées par un adversaire (ou défenseur) — Pour pouvoir revendiquer ou concéder une ou plusieurs levées restant à jouer, un défenseur doit montrer sa main ou une partie de sa main au déclarant seulement. La concession d'un défenseur n'est valide que si son partenaire concède aussi.

Levées concédées par erreur — La concession d'une levée qui n'aurait pas pu être perdue par aucune manière de jouer est nulle.

L'examen des levées durant la partie — Le déclarant ou l'un des deux défenseurs peut tant qu'il n'a pas joué pour la prochaine levée examiner une levée et demander qui a joué telle ou telle carte.

LA MARQUE DES POINTS

Lorsque la dernière levée, la treizième a été jouée, les joueurs comptent les levées remportées par leurs côtés respectifs et s'entendent sur leur nombre.

Les points gagnés par chaque côté au cours de cette main sont inscrits au crédit de chaque côté sur la feuille des points. Consultez le tableau des points sur la page 15.

N'importe quel joueur peut marquer les points. Si un seul joueur inscrit les points, les deux côtés sont également responsables de l'exactitude des points inscrits pour chaque donne.

Chaque côté a une colonne de pointage pour les levées et une une autre pour les honneurs.

Colonne des levées — Si le déclarant réussit son contrat les points résultants uniquement des levées qu'il a déclarées sont entrés à son crédit dans la colonne des levées réservée à son côté. Ces deux colonnes figurent sur la partie inférieure des feuilles de marque, voir page 16.

Colonne de primes — Les levées remportées par le déclarant en surplus des levées déclarées sont des levées supplémentaires et sont portées à son crédit dans la colonne des honneurs réservée à son côté sur la partie supérieure des feuilles de marque. Voir l'illustration. Les honneurs tenus dans une main, les primes de chelems déclarés et réussis, de robre gagné et de levées de chute sont inscrits dans la colonne des primes du côté qui les a gagnés.

Levées de chute — Si le déclarant remporte moins de levées qu'il n'en a déclaré, ses adversaires comptent pour eux dans la colonne des primes la prime des levées de chute pour chaque levée qui lui manque pour réussir son contrat.

Chelems — Si un côté déclare et réussit un contrat de douze levées — toutes les levées sauf une seule — il gagne la prime de petit chelem. S'il remporte treize levées soit toutes les levées, il gagne la prime du grand chelem.

La vulnérabilité — Un côté qui a gagné la première manche du robre devient vulnérable. Il est exposé aux pénalités de chute accrues s'il rate son contrat mais reçoit par contre des points additionnels pour les primes de chelems, pour les levées supplémentaires contrées ou surcontrées.

Les honneurs — Les honneurs sont l'As, Roi, Dame, Valet et le 10 dans une couleur d'atout. Si un joueur détient quatre honneurs d'atout dans sa main, son côté reçoit une prime de cent points qu'il soit le déclarant, le mort ou l'un des défenseurs. Cinq honneurs d'atout dans une main ou les quatre As en sans atout valent une prime de 150 points.

La manche — Le côté qui le premier marque 100 points dans la colonne des levées — que ces points soient gagnés dans un coup ou plusieurs — gagne la manche. Les deux côtés repartent alors à zéro dans la colonne des levées.

Le robre — Quand un côté a remporté deux manches, il gagne la prime de robre c'est-à-dire 500 points si l'autre côté a remporté une manche et 700 points si l'autre côté n'a pas remporté de manche. On fait alors le compte des points des deux côtés comprenant les points de la colonne des levées et ceux de la colonne des primes. Le côté qui atteint un plus grand nombre de points gagne le robre. Les joueurs tirent à nouveau pour le choix des partenaires et des places et on commence un nouveau robre.

Les fiches — Après chaque robre on inscrit sur une feuille à part, dite feuille de fiches, les points en moins ou en plus de chaque joueur. Ces points sont inscrits en centaines. 50 points ou plus valent une centaine. Par exemple, si un joueur gagne un robre par 950 points, on inscrit plus 10 à son crédit, s'il gagne par 940, on inscrit plus 9.

TABLEAU DE POINTAGE AU BRIDGE CONTRAT

		Chaque tric suppl. déclaré et fait	non contré	contré
Primes des trics pour les déclarants		Trèfle ou Carreau, chacun	20	40
		Coeur ou Pique, chacun	30	60
	Sans Atout	le premier	40	80
		chaque suivant	30	60

Le surcontre double les points doublés des trics supplémentaires. La vulnérabilité n'affecte pas les points des trics supplémentaires. 100 points de tric constituent une manche.

		Trics supplémentaires	non vulnérables	Vulnérables
Primes pour les adversaires | déclarants		Non contrés, chacun	Valeur du tric	Valeur du tric
		Contrés, chacun	100	200
		Réussite d'un contrat contré ou surcontré	50	100
		Levées de chute		
		Non contrées, chacune	50	100
	Contrées	la première	100	200
		chacune des suivantes	200	300

Le surcontre double les points doublés des levées supplémentaires mais n'affecte pas les points des contrats contrés.

Primes pour les déclarants | détenteurs	Honneurs dans une main	Tous les honneurs	150
		Quatre à la couleur	100
	Chelems décl et faits	Petit, non vulnérable : 500; vuln. :	750
		Grand, non vulnérable : 1000; vuln. :	1500
	Prime de robres	Deux manches	700
		Trois manches	500

Robre non terminé. — Le côté qui a gagné une partie compte 300 points. Si un seul côté a une marque partielle dans une manche non terminée, ce côté compte 50 points. Le contre et le surcontre n'affectent pas les primes d'honneurs, de chelems ou de robres. La vulnérabilité n'affecte pas les points d'honneur.

The National Laws Commission.

COMMENT COMPTER LES POINTS AU
BRIDGE CONTRAT

a) Nous déclarons 2 Cœurs et nous faisons neuf levées, comptant 60 points sous la ligne, c'est-à-dire dans la colonne des levées, pour les 2 surlevées de Cœur valant chacune 30 points, et 30 points au-dessus de la ligne, c'est-à-dire dans la colonne des primes pour la levée supplémentaire de Cœur. Nous avons maintenant gagné 60 points pour cette manche.

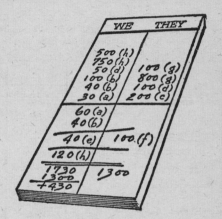

b) Nous déclarons 2 Trèfles et nous faisons huit levées, comptant 40 points sous la ligne pour les deux surlevées déclarées et réussies complétant notre manche de 100 points. Nous traçons donc une ligne à travers les deux colonnes de levées sous les points pour bien marquer la fin de la manche du robre. Nous inscrivons aussi 40 points pour les levées de trèfles supplémentaires, 20 points chacune, dans la colonne des honneurs et nous inscrivons aussi dans cette colonne 100 points pour 4 honneurs que l'un de nous avait dans sa main (As, Roi, Valet, 10 de Trèfle). Nous sommes maintenant vulnérables.

c) Nous déclarons 4 Cœurs nous sommes contrés et nous perdons quatre levées. Les adversaires comptent 200 points pour avoir fait échec à notre contrat alors que nous étions vulnérables.

d) Ils déclarent 4 Piques mais ne prennent que 9 levées. Il leur manque donc 1 levée pour réussir leur contrat. Nous ne comptons que 50 points en pénalités car ils ne sont pas vulnérables et nous n'avons pas contré. Cependant, l'un d'eux avait dans sa main l'As, la Dame, le Valet et le Dix de Cœur, soit 4 honneurs d'une couleur dans une main, et ils comptent 100 points d'honneurs bien qu'ils n'aient pas réussi leur contrat.

e) Nous déclarons et faisons 1 sans atout. Nous comptons donc 40 points sous la ligne. Il ne nous faut plus que 60 points pour terminer une manche.

f) Ils déclarent et font 3 sans atout, comptant 40 pour la première, 30 pour la deuxième et 30 pour la troisième surlevée — 100 points sous la ligne ou si vous voulez dans la colonne des levées, — soit une manche. Une autre ligne horizontale à travers les deux colonnes de levées pour marquer la fin d'une seconde manche. L'avantage ne joue maintenant plus en notre faveur, les deux côtés sont maintenant vulnérables.

g) Nous déclarons 2 Piques et nous sommes contrés. Nous perdons le contrat par 3 levées et les adversaires avaient 100 points d'honneur. Ils comptent donc 800 points pour nous avoir fait échec et 100 points pour les honneurs.

h) Nous déclarons et faisons 6 Carreaux, un petit chelem, comptant 120 points dans la colonne des levées. Ce qui nous donne la troisième manche du robre et nous accorde une prime de robre de 500 points (un robre de 3 manches). Nous inscrivons aussi la prime de 750 points pour le petit chelem.

Additionnant les points de chaque côté nous avons 1730 points et nos adversaires 1300. Nous gagnons donc le robre par 430. Celà nous donne un robre de 4 points (voir "Les Fiches", page 14).

IRRÉGULARITÉS AU BRIDGE CONTRAT

Fonction des lois — Les lois sont conçues pour définir la marche à suivre et pour fournir un remède adéquat advenant le cas où un joueur, à la suite d'une irrégularité, gagne, bien qu'involontairement, un avantage auquel il n'a pas droit. Les lois ne sont pas conçues pour faire obstacle aux pratiques malhonnêtes. L'ostracisme reste le seul remède pour éliminer la tricherie.

Nouvelles mêlée et coupe — Tout joueur peut demander une nouvelle mêlée et une nouvelle coupe avant que la première carte soit distribuée. On doit procéder à une nouvelle mêlée et une nouvelle coupe si une carte est retournée durant la mêlée ou la coupe.

Changement de paquet — Un paquet contenant une carte endommagée reconnaissable doit être changé. Ce paquet changé doit être remis au côté auquel il appartenait s'il est réclamé.

Redonne — Il doit y avoir redonne s'il y a réclamation due au fait que le donneur a donné les cartes avant son tour ou a donné les cartes sans faire couper. Il faut cependant que la réclamation soit faite avant que la dernière carte soit donnée. Il doit y avoir redonne si les cartes sont données incorrectement, si une carte est retournée dans le paquet, si un joueur ramasse la mauvaise main et la regarde, si on s'aperçoit à n'importe quel moment du jeu que la main d'un joueur a trop ou pas assez de cartes et que cela ne soit pas dû à une erreur du jeu.

Quand il y a redonne, le même donneur donne les cartes, (à moins qu'il ait donné avant son tour). Il recommence donc la donne avec le même jeu après avoir mêlé et fait couper.

Carte manquante — Si une carte manquante est retrouvée, il est considéré qu'elle appartient au joueur ayant une main incomplète qui peut être tenu responsable d'avoir montré la carte et d'avoir fait une renonce dans une levée précédente. Mais si une carte manquante est retrouvée dans une autre main, il doit y avoir une redonne. Si elle est retrouvée dans une levée, la loi des levées défectueuses (page 23) s'applique alors. Il doit y avoir une redonne dans le cas où une carte manquante n'est pas retrouvée.

Une carte de trop — Si un joueur a une carte de trop par suite d'un paquet défectueux ou d'une maldonne, une redonne s'impose. Mais si la carte en trop provient du fait qu'on n'a pas joué à une levée la loi des levées défectueuses s'applique (page 23).

Souligner une irrégularité — Tout joueur — y compris le mort s'il n'a pas perdu ses droits — peut souligner une irrégularité et donner ou obtenir des renseignements sur la loi qui régit le cas spécifique. Le fait qu'un côté souligne une irrégularité dont il se serait rendu coupable n'affecte pas les droits des adversaires.

Application d'une pénalité — L'un des adversaires, mais non le mort, peut choisir ou appliquer une pénalité. La pénalité est annulée si les partenaires se consultent quant au choix ou à l'application de la pénalité.

Remarques ou gestes malencontreux — Si par une remarque ou un geste évident, un joueur autre que le déclarant manifeste ses intentions ou ses désirs, la nature d'une main non découverte, la présence ou l'absence d'une carte d'une main non ouverte, ou s'il suggère abusivement une ouverture, un jeu ou une conduite de jeu, le côté de celui qui commet l'offense est sujet aux pénalités qui suivent. Si l'offense a été commise:

a) Durant l'enchère, l'un des adversaires peut exiger que les joueurs du côté opposé passent chacun à leur tour pour le reste de cette main; advenant le cas où ce côté devient le côté défendeur, le déclarant peut exiger ou défendre l'attaque dans une couleur spécifique par le partenaire du coupable, tant qu'il conserve la main.

b) Durant le jeu, le déclarant ou l'un des défendeurs selon le cas, peut exiger du partenaire du coupable à n'importe laquelle des levées subséquentes qu'il retire une attaque ou un jeu suggéré par la remarque ou le geste malencontreux et y substitue une carte non suggérée.

Carte exposée durant l'enchère — Si un joueur expose durant l'enchère une carte inférieure au dix, il n'y a pas de pénalité. Si un joueur montre un As, un Roi, une Dame, un Valet ou un dix, ou s'il attaque prématurément avec une basse carte, ou s'il montre plus d'une carte, ces cartes doivent rester retournées sur la table et deviennent des cartes de pénalité (voir page 22), si le possesseur devient un défendeur et son partenaire doit passer à son tour de déclarer.

Déclaration fautive renchérie — Si l'adversaire de gauche du coupable déclare avant que la pénalité pour une déclaration illégale ait été imposée, l'enchère se continue comme si la déclaration illégale avait été légale. Elle prend la valeur d'une passe si la déclaration était de plus de sept, une déclaration après la clôture de l'enchère, un contre ou un surcontre quand la seule déclaration valide était une passe ou une enchère.

Changement de déclaration — Un joueur peut changer sans pénalité une déclaration faite par inadvertance pourvu qu'il n'y ait pas de pause entre les deux déclarations. Toute autre tentative de changement de déclaration est nulle. Si la première déclaration était illégale, elle tombe sous la "loi" appropriée. Si elle était légale, le coupable peut ou bien:

a) maintenir sa première déclaration et alors son partenaire doit passer à son tour de parler; ou

b) remplacer sa déclaration par une déclaration qui soit légale et son partenaire dans ce cas doit passer toutes les fois qu'il a à parler pour le reste de la main.

Déclaration insuffisante — Si un joueur fait une déclaration insuffisante, il doit ou lui substituer une déclaration suffisante ou passer. S'il décide en faveur d'une substitution de déclaration:

a) il n'y a pas de pénalité s'il fait la plus basse déclaration requise dans la même couleur;

b) son partenaire doit passer toutes les fois que c'est à son tour de parler au cours de la main s'il fait une autre déclaration suffisante;

c) dans le cas d'une passe (ou contre ou surcontre qui est traité comme une passe) son partenaire doit passer toutes les fois qu'il a à parler au cours de la main et si le côté responsable de l'offense devient défendeur, le déclarant peut exiger une pénalité (voir paragraphe suivant) à l'attaque d'ouverture.

Pénalité d'attaque — Lorsque le déclarant peut imposer une pénalité d'attaque il lui est permis de préciser une couleur et d'exiger ou d'interdire l'attaque dans cette couleur aussi longtemps que l'adversaire garde la main. Dans les pages suivantes lorsqu'une "pénalité d'attaque" seulement est mentionnée le déclarant bénéficie de ces droits. Il y a d'autres cas où le déclarant peut commander l'attaque de l'adversaire, mais dans une moindre mesure. Alors, il devra préciser la pénalité avec exactitude.

Renseignement donné en changeant de déclaration — Nommer une couleur puis l'annuler en faisant ou en corrigeant une déclaration illégale, est passible de pénalité si un adversaire devient le déclarant. Si une couleur a été nommée, le déclarant peut imposer une pénalité d'attaque (voir plus haut); si "sans atout" a été mentionné, le déclarant peut demander une couleur, si c'est au partenaire du coupable d'attaquer; si l'on a annulé un contre ou un sur-contre, il faut appliquer les mêmes pénalités que dans le cas d'une passe substituée à une enchère insuffisante.

Barrage d'un joueur — Un joueur qui est empêché de parler une fois, ou empêché pour un tour, doit passer la prochaine fois que c'est à lui de parler; le joueur qui subit un barrage continuel doit passer chaque fois suivante jusqu'à ce que les enchères de la main en question soient terminées.

Retrait de pénalité — Lorsqu'un joueur fait une déclaration ou joue après que son adversaire de droite ait déclaré ou joué illégalement, il accepte la déclaration ou le jeu illégaux et renonce à une pénalité. Le jeu se poursuit comme s'il n'y avait pas eu d'irrégularité de commise.

Maintien du droit de parler — Un joueur ne peut pas perdre sa seule occasion de parler du seul fait qu'une passe illégale de son partenaire a été acceptée par un adversaire. L'enchère doit continuer jusqu'à ce que ce joueur ait eu au moins une occasion de parler.

Déclaration hors de rotation — Une déclaration avant son tour est annulée dès qu'elle est portée à l'attention et l'enchère revient au joueur dont c'était le tour. La correction et la pénalité dépendent des faits suivants: était-ce une passe, une enchère, un contre ou un surcontre? Ainsi, une déclaration n'est pas jugée faite avant son tour si elle a été faite avant que l'adversaire de droite ait eu le temps de passer alors que justement il était légalement obligé de passer; elle n'est pas non plus jugée en défaut de rotation si elle n'a été faite avant son tour que parce que l'adversaire de gauche a déclaré avant son tour. Une déclaration faite simultanément avec une déclaration faite à son tour par un autre joueur est considérée comme lui étant subséquente.

Passer hors de rotation — Si cela se produit (a) avant qu'aucun joueur n'ait déclaré ou lorsque c'était le tour de l'adversaire de droite du coupable, ce dernier devra passer lorsque viendra son tour de parler; (b) après une enchère ou lorsque c'était le tour du partenaire du coupable, le fautif doit passer à chaque tour; le partenaire du coupable ne peut ni contrer ni sur-contrer à ce tour; et si le partenaire du coupable passe et que les adversaires jouent la main en question, le déclarant peut imposer une pénalité d'attaque (page 19).

Enchère hors de rotation — Si cela se produit (a) avant qu'aucun autre joueur ait déclaré, le partenaire du coupable doit passer à chaque tour; (b) après qu'un joueur quelconque ait parlé et lorsque c'était le tour du partenaire du coupable, le partenaire du coupable doit passer à chaque tour subséquent et est passible d'une pénalité d'attaque (page 19) si c'est à son tour d'attaquer; (c) après qu'un joueur quelconque ait parlé et lorsque c'était le tour de l'adversaire de droite du coupable, le coupable doit répéter sa déclaration sans pénalité si cet adversaire passe, mais, si l'adversaire déclare, le coupable peut faire n'importe quelle déclaration et son partenaire devra passer une fois.

Contre ou sur-contre hors de rotation — Si cela se produit (a) lorsque c'était le tour du partenaire du coupable, ce partenaire devra passer à chaque tour et est passible d'une pénalité d'attaque (p. 19) si c'est à lui d'attaquer, et, à son tour, le coupable ne peut contrer ni surcontrer la même déclaration; (b) lorsque c'était le tour de l'adversaire de droite du coupable, le coupable doit répéter son contre ou sur-contre sans pénalité si cet adversaire passe, mais il peut faire n'importe quelle déclaration légale si l'adversaire parle, et, dans ce cas, le partenaire du coupable doit passer une fois.

Contre et sur-contre impossibles — Si un joueur contre ou sur-contre une déclaration que son côté a déjà contrée ou sur-contrée, on annule sa déclaration. Il doit y substituer (a) une déclaration légale, et, dans ce cas, son partenaire doit passer à chaque tour, et si c'est à lui d'attaquer le déclarant peut interdire l'attaque dans la couleur contrée; ou (b) passer, et alors l'un ou l'autre des adversaires peut annuler tous les contre ou sur-contre précédents, le partenaire du coupable doit passer à chaque tour, et si l'attaque lui revient il est passible d'une pénalité d'attaque (p. 19).

Si un joueur contre la déclaration de son partenaire, sur-contre une déclaration non contrée, ou s'il contre ou sur-contre alors qu'il n'y a pas eu de déclaration, il doit substituer une déclaration convenable et son partenaire devra passer une fois.

Autres déclarations inadmissibles — Si un joueur annonce plus de sept, ou s'il déclare alors qu'il devrait légalement passer, il est considéré comme ayant passé et le côté du coupable doit passer à chaque tour subséquent; s'il devient le côté défendeur, le déclarant peut imposer une pénalité d'attaque (p. 19) au joueur d'attaque.

Déclaration après la clôture des enchères — Une déclaration faite après la clôture des enchères est annulée. Si c'est une passe faite par un défendeur ou toute déclaration par le déclarant ou le mort, cela ne comporte pas de pénalité. S'il s'agit d'une enchère contrée ou surcontrée par un défendeur, le déclarant peut imposer une pénalité d'attaque la première fois que ce sera au partenaire du coupable d'attaquer.

Les droits du "mort" — Le mort peut donner ou obtenir des renseignements quant à un cas ou une loi, demander si tel jeu donne lieu à une renonce, attirer l'attention sur une irrégularité en prévenant tout autre joueur d'une infraction à la loi. Le mort perd ses droits s'il regarde une carte dans la main d'un autre joueur. Si le mort a concédé ses droits et qu'ensuite:

a) il est le premier à attirer l'attention sur une faute commise par un défendeur, le déclarant peut ne pas imposer la pénalité prévue pour l'offense;

b) il prévient le déclarant de ne pas attaquer de la mauvaise main, l'un ou l'autre défendeur peut choisir la main avec laquelle le déclarant doit attaquer;

c) il est le premier à demander au déclarant si une carte jouée par le déclarant est une renonce, alors le déclarant doit corriger la renonce s'il le peut, mais la pénalité de renonce tient toujours.

Cartes exposées — Le déclarant n'est jamais passible de pénalité pour avoir exposé une carte, mais l'exposition intentionnelle de la main du déclarant est considérée comme une réclamation ou une concession de trics (levées).

Une carte du défendeur est exposée si elle est posée face en l'air sur la table ou si elle est tenue de manière à ce que l'autre défendeur puisse la voir avant d'avoir le droit de le faire. On laissera cette carte face en l'air sur la table, jusqu'à ce qu'elle soit jouée et elle devient alors une carte de pénalité.

Cartes de pénalité — On doit jouer une carte de pénalité à la première occasion légale de le faire en conformité avec l'obligation de fournir à la couleur ou de se conformer à une autre pénalité.

Si un défenseur a deux cartes ou plus de pénalité qu'il peut légalement jouer, le déclarant peut désigner celle qu'il devra jouer.

Le déclarant peut exiger ou interdire que le défenseur attaque en une couleur dans laquelle son partenaire a une carte de pénalité, mais, si le déclarant le fait, la carte de pénalité cesse de l'être et on peut la ramasser.

Celui qui ne joue pas une carte de pénalité n'encoure pas une autre pénalité, mais le déclarant peut exiger que la carte de pénalité soit jouée et toute carte du défenseur qui aurait été exposée en ce faisant, devient à son tour carte de pénalité.

Entame avant son tour — Si un défenseur* oblige un déclarant à retirer une entame faite d'une mauvaise main, il doit se reprendre et entamer avec une carte de la bonne main en jouant une carte de la même couleur si c'est possible. Si c'était le tour d'un défenseur à entamer, ou s'il n'y a pas de carte de cette couleur dans la bonne main, il n'y a pas de pénalité.

Si on oblige un défenseur à reprendre sa carte parce qu'il a entamé avant son tour, le déclarant peut traiter la carte ainsi jouée comme une carte de pénalité, ou imposer une pénalité d'attaque au partenaire du coupable, la prochaine fois qu'il devra attaquer après l'offense.

Jeu prématuré — Si un défenseur entame la levée suivante avant que son partenaire ait eu le temps de jouer sur la présente levée, s'il joue avant son tour avant que son partenaire ait eu le temps de jouer, le déclarant peut exiger du partenaire du coupable qu'il joue la carte la plus haute ou la plus basse de la couleur d'entame, ou une carte d'une couleur spécifique.

Le déclarant doit choisir une de ces solutions et si le défenseur ne peut pas s'y conformer, il peut jouer n'importe quelle carte. Si le déclarant a joué et sa carte et celle du mort, le défenseur n'est pas sujet à pénalité pour avoir joué avant son partenaire.

Incapacité de jouer tel qu'exigé — Si un joueur est incapable d'entamer ou de jouer pour satisfaire aux exigences d'une pénalité par suite du manque de carte dans la couleur indiquée ou par suite de son obligation à fournir, il peut jouer n'importe quelle carte. On considère qu'il a satisfait à la pénalité, cela à l'exception du cas d'une carte de pénalité.

La renonce — La renonce est le fait de jouer une carte dans une couleur autre que celle demandée quand on a une carte pour fournir. Tout joueur y compris le mort peut poser une question sur un jeu qui pourrait constituer une renonce possible et demander à un adversaire de corriger une renonce Une allégation de renonce ne donne pas droit d'inspection des levées déjà jouées avant la fin de la main sauf avec le consentement des deux côtés.

---

* Le fait, pour un défenseur, d'attirer l'attention sur une attaque faite de la mauvaise main par le déclarant, équivaut à en demander le retrait.

Pour corriger une renonce — Un joueur doit corriger une renonce s'il s'en aperçoit avant qu'elle n'ait été signalée. Une carte de renonce retirée par un défendeur devient une carte de pénalité. Le côté non responsable de la renonce peut retirer toute carte jouée après la renonce mais avant qu'elle n'ait été signalée.

Renonce reconnue — Une renonce devient reconnue lorsqu'un joueur du côté responsable de l'offense entame ou joue une carte d'une levée subséquente ou met fin au jeu par une réclamation ou une concession.

Lorsqu'une renonce devient reconnue, la levée qui comporte la renonce demeure comme jouée (à moins que ce ne soit la douzième levée — voir plus bas).

Pénalité de renonce — La pénalité pour une renonce reconnue est de deux levées — s'il y en a pour répondre — transférées à la fin de la main du côté responsable de la renonce, aux adversaires. Cette pénalité ne peut être prélevée que sur les levées faites après la première renonce et comprend la levée comportant la renonce. S'il n'y a qu'une levée pour répondre on se contente de transférer cette levée et s'il n'y a pas de levée pour répondre, la pénalité est annulée.

Il n'y a pas de pénalité pour une renonce reconnue subséquente dans la même couleur par le même joueur.

Une levée transférée ne vaut à toute fin pratique pour les points que pour une levée par le côté qui la reçoit. Elle n'affecte jamais le contrat.*

Renonces non sujettes aux pénalités — Une renonce faite durant la douzième levée doit être corrigée sans pénalité si elle est découverte avant que les cartes soient mêlées. Le côté non responsable de la renonce peut exiger que le partenaire du coupable joue l'une de deux cartes qu'il pourrait jouer légalement. Une renonce non découverte avant que les cartes soient mêlées n'est pas sujette aux pénalités pas plus qu'une renonce faite par une main découverte — celle du mort ou celle d'un défendeur dont la main serait découverte par suite d'une contestation du déclarant. Une renonce par manquement à jouer une carte de pénalité n'est pas sujet à la pénalité amenée par une renonce reconnue.

Levée défectueuse — Une levée défectueuse ne peut pas être corrigée après qu'un joueur de chaque côté a joué sur la prochaine levée. Si un joueur n'a pas joué sur une levée, il doit corriger son erreur sitôt découverte, en ajoutant une carte à la levée, (si possible, une carte qu'il aurait pu légalement y jouer.) Si un joueur joue plus d'une carte sur une levée, il ne joue pas sur la dernière levée ou les dernières levées, et s'il remporte une levée avec sa dernière carte, c'est au joueur à sa gauche de jouer.

Le déclarant revendiquant ou concédant des levées — Si le déclarant réclame ou concède une ou plusieurs des levées qui restent (verbalement ou en étalant son jeu), il doit laisser son jeu face en

---

* Par exemple, si le contrat est de 2 Cœurs et que le déclarant remporte 8 levées, plus (2) levées comme pénalité de renonce, un total de 10 levées, il ne peut compter que 60 points sous la ligne et les autres 60 points vont au-dessus de la ligne.

l'air sur la table et dire immédiatment de quelle manière il entend jouer.

Si un défendeur conteste ce que prétend le déclarant, ce dernier doit jouer la main en se conformant à ce qu'il vient de dire. S'il n'a pas énoncé de manière de jouer particulière, il ne peut pas "exercer une liberté de choix en jouant d'une manière dont le succès dépend de la présence ou de l'absence d'une certaine carte non encore jouée dans la main de l'adversaire."

Quand le déclarant a mis fin au jeu, il est permis à un défendeur d'exposer sa main et de suggérer un jeu à son partenaire.

Un défendeur réclamant ou concédant des levées — Un défendeur peut montrer n'importe laquelle ou toutes ses cartes au déclarant pour faire reconnaître une réclamation ou une concession. Il ne peut pas montrer sa main à son partenaire, et s'il le fait, le déclarant peut traiter les cartes de son partenaire comme autant de cartes de pénalité.

Correction du pointage — Une erreur prouvée ou admise dans tout pointage peut être corrigée en tout temps avant le calcul définitif des points pour le robre. Il y a exception dans les cas suivants: une erreur faite dans la marque des points ou des points non inscrits, l'omission ou l'attribution erronée d'une manche ne peuvent être corrigées après que la dernière carte de la deuxième main correcte suivant l'erreur a été donnée — à moins que la majorité des joueurs n'y consentent.

Effet d'un paquet défectueux — Les points faits avec des mains venant d'un paquet défectueux ne sont pas affectés par la découverte de l'imperfection après que les cartes ont été mélangées ensemble.

Concession d'une levée qui ne peut être perdue — La concession d'une levée qui ne pourrait être perdue quelle que soit la carte jouée est nulle si l'erreur a été signalée avant que les cartes soient mélangées ensemble. Si un joueur concède une levée qu'il a de fait remportée — par exemple s'il réclame neuf levées alors que son côté en a remporté dix, la concession est nulle et si les points ont été inscrits la correction peut être apportée comme il est indiqué plus haut.

MODÈLES
des plus fréquentes pénalités et irrégularités

Dans tous les exemples qui suivent les quatre joueurs à la table de bridge s'identifient comme suit: SUD, déclarant; NORD, mort; OUEST et EST, défendeurs. Leur position relative se situe comme suit:

NORD: mort

OUEST   EST

SUD: déclarant

L'entame avant son tour — Ouest devait entamer mais Est entame du 7 de Carreau. Sud peut dire à Ouest: "Entame avec n'importe quoi excepté un Carreau." Ouest peut attaquer avec n'importe quelle carte de Pique, Cœur ou Trèfle; et Est ramasse le 7 de Carreau et le met dans sa main. Ou Sud peut dire à Ouest: "Attaquez en Carreau". Ouest peut alors attaquer avec n'importe quel Carreau et Est peut ramasser le 7 de Carreau et le jouer, ou tout autre Carreau qu'il a en main. Ou Sud peut permettre à Ouest d'entamer comme bon lui semblera mais dans ce cas le 7 de Carreau devient une carte de pénalité. Est doit la placer retournée sur la table en face de lui et la laisser là. La première fois qu'il peut légalement entamer ou jouer, il doit la jouer, sujet uniquement à son obligation de fournir. Ou Sud peut accepter le 7 de Carreau comme une bonne entame. En ce cas, le mort étale son jeu et Sud fournit à la levée. Ouest joue ensuite puis le mort. Si, après l'entame avant son tour de l'Est, Sud avait montré sa main par inadvertance, l'entame aurait été reconnue, Sud serait devenu le mort et Nord le déclarant.

Dans un autre cas, Nord entame pensant que Ouest a gagné le contrat. Mais Sud est le véritable déclarant et Nord doit reprendre sa carte. Il n'y a pas de pénalité pour le côté déclarant pour avoir montré ses cartes puisque les renseignements ainsi donnés ne peuvent servir qu'aux adversaires.

Le déclarant joue de la mauvaise main — Nord — le mort — remporte la dernière levée, mais Sud — le déclarant — joue le Roi de Pique. Ouest dit: "La main est au mort". Sud replace le Roi de Pique dans sa propre main et doit jouer un Pique du mort. Quand Sud joue à cette levée, il n'est pas obligé de jouer le Roi de Pique s'il a un autre Pique qu'il préfère jouer — si le mort n'avait pas eu de Pique, Sud aurait pu jouer n'importe quelle carte du mort.

Ouest aurait pu accepter l'entame hors de rotation du Roi de Pique s'il l'avait désiré en jouant immédiatement avant que lui ou Est puisse souligner son irrégularité.

Renonce corrigée — Sud joue le 6 de Carreau. Ouest peut fournir en Carreau mais il joue le 9 de Trèfle. Le mort joue le Roi de Carreau et Est joue le 3 de Carreau. A ce moment Ouest dit: "Attendez, j'ai un Carreau."

Il est encore temps pour Ouest de corriger sa renonce parce qu'elle n'est pas encore reconnue. Ni Ouest, ni Est n'ont entamé ou joué à la levée suivante. Ouest doit laisser le 9 de Trèfle découvert sur la table comme carte de pénalité. Il peut jouer n'importe quel Carreau qu'il désire et il choisit de jouer l'As. Le déclarant peut reprendre le Roi de Carreau et le remettre dans le jeu du mort et lui substituer un petit Carreau. Mais Est ne peut pas changer sa carte.

En un autre cas, Sud — le déclarant — renonce et s'aperçoit de son erreur en temps pour la corriger. Il replace la carte de renonce dans son jeu sans pénalité et fournit avec une carte de son choix.

Renonce établie — Sud joue le Roi de Pique. Ouest a un Pique mais joue le 7 de Cœur. Est remporte la levée avec l'As de Pique et joue un Cœur.

Il est maintenant trop tard pour Ouest de corriger sa renonce. Est, qui est du côté responsable de l'offense, a entamé la levée suivante et la renonce est consommée. Le jeu se continue normalement et supposons que Est-Ouest remportent une autre levée.

Le contrat de Sud était de 2 piques et la main terminée il a remporté 8 levées. Mais alors, comme pénalité de renonce, il peut prendre 2 levées de Est-Ouest et les transférer à ses levées. Cela lui donne 10 levées en tout. Il marque 60 sous la ligne pour avoir réussi 2 Piques et 60 au-dessus pour 2 levées supplémentaires. Remarquez que Sud ne gagne pas la manche pour avoir fait dix levées en Pique. Il a déclaré 2 Piques et c'est tout ce qu'il peut marquer dans la colonne des levées. Les levées transférées par suite d'une pénalité de renonce sont marquées exactement comme si elles avaient été remportées au jeu. Si Sud ayant déclaré 2 Piques avait remporté 10 levées sans la renonce il n'aurait pas non plus remporté la manche; il ne peut donc pas terminer la manche avec la pénalité de renonce.

Prenons finalement un cas où Ouest renonce et Est qui remporte la levée établit la renonce en jouant à la prochaine levée. Le jeu continue mais Est-Ouest ne gagne pas d'autre levée.

Après la main jouée, Sud ne peut prendre qu'une levée comme pénalité de renonce, celle qui comportait la renonce. Il ne peut réclamer les levées déjà remportées avant celle de la renonce parce qu'évidemment la renonce n'a pu influencer leur gain.

LES CONVENANCES DU BRIDGE

Le donneur doit s'abstenir de regarder la carte de dessous le paquet avant d'avoir fini de les donner.

Les autres joueurs doivent s'abstenir de toucher ou de regarder leurs cartes avant que la donne soit terminée.

Un joueur devrait s'abstenir — De déclarer avec une emphase, une inflexion ou une intonation particulières; de déclarer avec réticence ou un retard de nature à donner une indication voilée à son partenaire; de manifester son approbation ou sa désapprobation de la déclaration de son partenaire; de faire une remarque ou un geste ou de poser une question dont on pourrait tirer une conclusion; d'attirer l'attention sur le pointage si ce n'est pour sa propre information; d'attirer l'attention sur le nombre de levées nécessaires pour réussir ou défaire un contrat; de se préparer à ramasser une levée avant que les quatre joueurs aient joué; de détacher une carte de sa main avant que ce soit son tour de jouer ou d'attaquer; de surveiller de quel endroit dans sa main un joueur prendra sa carte pour la jouer.

Ne permettez pas que l'hésitation ou le comportement de votre partenaire influencent votre déclaration, votre entame ou votre jeu. Il est admis mais à ses propres risques de tirer des conclusions de gestes injustifiés de ses adversaires.

S'il est admis de garder le silence sur une irrégularité commise par son côté, il est inconvenant d'enfreindre délibérément toute loi du jeu.

Il est aussi inconvenant d'avoir recours à des conventions familières au partenaire mais inconnues des adversaires.

LES GRANDES LIGNES DU SYSTÈME DE DÉCLARATION GOREN (Système Goren)*

Le Bridge-Contrat se divise en deux phases: la déclaration ou enchère et le jeu proprement parlé. Pour déclarer avec exactitude un joueur doit d'abord évaluer sa main et déclarer en accord avec la valeur des cartes qui la composent. Il existe plusieurs systèmes d'évaluer une main. Le système surtout employé en Amérique est celui de Charles H. Goren, *"Point Count System"* qui consiste à compter les points que représentent les cartes. Suit une esquisse autorisée du Système Goren approuvée par M. Goren. Elle comprend la méthode de comptage de points pour l'évaluation d'une main et les conditions requises pour les déclarations.

Voir aussi "les entames" en page 36.

TABLEAU GOREN DES POINTS D'HONNEURS

Valeur des figures	*Levées rapides*
As = 4 points	As et Roi = 2
Roi = 3 points	As et Dame = 1½
Dame = 2 points	As ou Roi et Dame = 1
Valet = 1 point	Roi et x = ½

On compte pour presque chaque déclaration les points des cartes d'honneur. Habituellement on les appelle tout simplement points. On leur ajoute souvent les "points de distribution" décrits plus bas. Les levées rapides ne sont comptées que pour les déclarations d'ouverture dans le cas des ouvertures douteuses et, parfois, lorsqu'on a l'intention de contrer la déclaration de l'adversaire.

Points requis pour la manche et le chelem — Normalement 26 points font la manche, 33 un petit chelem et 37 un grand chelem.

TABLEAU DES VALEURS DE DISTRIBUTION
en plus des points d'honneurs

Celui qui ouvre les enchères compte une déclaration initiale :

Chicane — 3 points
Singleton — 2 points
Doubleton — 1 point
Ajouter 1 point pour les 4 as
Soustraire 1 point pour une main qui ne compte pas d'As.
Soustraire 1 point pour chaque figure qui n'est pas gardée.
Exemple : Dame et x, Valet et x, singleton Roi, Dame ou Valet.

Le partenaire compte quand il relance dans la couleur de son partenaire :

Chicane — 5 points
Singleton — 3 points
Doubleton — 1 point
Accorder 1 point par figure de la couleur annoncée par le partenaire déclarant — à moins que ces honneurs totalisent déjà 4 points.
Soustraire 1 point de la valeur de longueur si la main ne contient que 3 atouts ou si elle a une distribution de 4-3-3-3.

---

* N.B. — Synthèse autorisée du système de déclaration Goren, condensée d'après *Contract Bridge Complete*, *Contract Bridge in a Nutshell*, et *Point Count Bidding Made Easy; A Self-Teacher*, tous publiés par Doubleday & Co., New York, et d'après *Point Count Bidding* et *Contract Bridge for Beginners*, tous deux publiés par Simon & Schuster, New York. Charles H. Goren est l'auteur de tous ces ouvrages.

Pour une redéclaration — Après que le partenaire a soutenu la déclaration d'atout de l'ouvreur:

Ajouter 1 point additionnel pour la 5e carte d'atout.

Ajouter 2 points additionnels pour la 6e et chacune des autres cartes d'atout.

COULEURS DÉCLARABLES MINIMA

Enchère d'ouverture:

Couleurs de 4 cartes (doit renfermer 4 points de figures)

Exemple: Roi - Valet - x - x,
As - x - x -x

Couleurs de 5 cartes (N'importe quelle couleur de 5 cartes: x - x - x - x - x

Réponse ou redéclaration:

Dame - 10 - x - x ou mieux.

Exemple: Dame - 10 - x - x
Roi - x - x - x
As - x - x - x

N'importe quelle couleur de 5 cartes: x - x - x - x - x

COULEURS REDÉCLARABLES

Couleurs de 4 cartes: On ne redéclare pas des couleurs de 4 cartes.

Couleurs de 5 cartes: Doit être Dame - Valet - 9 - x - x ou mieux.

Couleurs de 6 cartes: On peut redéclarer toute couleur de 6 cartes (x - x - x - x - x - x).

CONDITIONS REQUISES POUR UNE DÉCLARATION D'OUVERTURE

Un en couleur

a) Les mains de 14 points doivent être ouvertes.

b) Les mains de 13 points peuvent être ouvertes à condition de comporter une chance de redéclarer — une couleur redéclarable ou une couleur secondaire redéclarable.

c) Toutes ouvertures doivent comporter deux levées d'honneur.

d) Une ouverture de troisième position est permise avec onze points si on a en main une belle suite de couleur.

Deux en couleur
(pour forcer la manche)

a) 25 points avec cinq bonnes cartes de couleur (1 point de moins avec une seconde couleur de cinq bonnes cartes.)

b) 23 points avec une couleur de six bonnes cartes.

c) 21 points avec une couleur de sept bonnes cartes.

Trois, quatre ou cinq en couleur (*ouvertures préventives*)	Les ouvertures préventives montrent moins de dix points en cartes d'honneur et la possibilité de gagner en deçà de deux trics du contrat vulnérable ou de trois du contrat non vulnérable. Elles sont conditionnées par une bonne couleur de sept cartes ou plus longue.
Un sans atout	16 à 18 points (dans une déclaration sans atout, seuls les points de cartes d'honneur comptent et une distribution de 4-3-3-3, 4-4-3-2 ou 5-3-3-2 avec Dame - x ou mieux de n'importe quel doubleton.)
Deux sans atout	22 à 24 points et toutes couleurs gardées (Valet - x - x - x); Dame - x - x; Roi - x ou mieux).
Trois sans atout	25 à 27 points et toutes couleurs gardées.

CHOIX DE COULEURS

Choix de couleurs — Il est généralement préférable de déclarer votre couleur la plus longue la première. Si vous avez deux couleurs de cinq cartes, déclarez d'abord celle qui a le plus de valeur. Si vous avez deux couleurs ou plus de 4 cartes, déclarez celle qui a le moins de valeur - à part le doubleton, le singleton ou la chicane.

RÉPONSES

Principes généraux — Toute déclaration en une autre couleur par le répondant force celui qui a fait la déclaration d'ouverture à redéclarer. Ainsi, chaque fois que le répondant déclare dans une autre couleur que la sienne, l'ouvreur doit redéclarer. En sautant les enchères le répondant force la manche par le fait même.

Avec moins de 10 points en main, le répondant devrait se contenter de relancer le partenaire dans la couleur déclarée si celui-ci a déclaré dans une couleur majeure et de déclarer dans une autre couleur mais pour un même nombre de levées plutôt que de relancer une déclaration d'ouverture dans une couleur mineure. Avec 11 ou 12 points on peut aller jusqu'à deux déclarations mais ne pas forcer le jeu. Avec 13 points il faut voir à ce que les déclarations ne tombent pas avant que l'enchère soit allée jusqu'au contrat de manche. Avec 19 points il doit s'efforcer d'aller jusqu'au chelem.

Réponses aux déclarations de « un » en couleur — *Relance*: Pour relancer la déclaration en couleur de son partenaire, le relançant doit avoir un nombre suffisant d'atouts. Cela comporte Valet - x - x, Dame - x - x, x - x - x - x, ou mieux dans une couleur non redéclarable et Dame - x, Roi - x, As - x, ou x - x - x pour une couleur redéclarée.

Relancer le partenaire à 2 de sa couleur avec de 7 à 10 points et un apport suffisant de cartes d'atout.

Relancer à 3 avec de 13 à 16 points et au moins 4 cartes d'atout.

Neuf (9) points de cartes d'honneur avec au moins 5 cartes d'atout et une couleur courte — singleton ou chicane — permettent de relancer à 4.

Déclaration d'une nouvelle couleur — Au niveau d'un, cela demande 6 points ou plus. Tout peut justifier cette réponse depuis le désir de garder les enchères ouvertes malgré une main faible jusqu'à une main très forte dont l'opportunité n'est pas assurée. Au niveau de deux il faut 10 points ou plus.

Une surenchère dans une nouvelle couleur demande au moins 19 points. Il faut envisager un chelem dans sa main pour envisager un tel saut. Il faut que le répondant ait une main très forte en couleur ou très forte à l'appui de la couleur de l'ouvreur.

Réponses en sans atout — (permises par des mains bien réparties). Un sans atout demande de 6 à 9 points. Cette déclaration est souvent faite avec une main comportant des faiblesses si les cartes de couleur du répondant sont plus basses que celles de l'ouvreur et s'il manque au répondant les dix points nécessaires pour enchérir au niveau de 2.

Deux sans atout — Demandant de 13 à 15 points en cartes d'honneur, toutes les couleurs non déclarées gardées et une distribution de 4-3-3-3.

3 sans atout — Demandant 16 à 18 points en cartes d'honneur. Toutes couleurs gardées et une distribution de 4-3-3-3.

Réponses aux déclarations de deux en couleur — Une enchère d'ouverture de 2 en couleur ne laisse pas le choix et force la manche de sorte que le répondant ne peut passer avant que la manche ne soit atteinte. Sans tenir compte de sa main, avec 6 points ou moins, il déclare 2 sans atout. Avec 7 points et une levée sûre il peut déclarer dans une autre couleur ou relancer dans la couleur de l'ouvreur. Avec 8 ou 9 points de cartes d'honneur et une main bien répartie le répondant déclare trois sans atout.

Réponses aux déclarations préventives — Etant donné que l'ouvreur a surévalué son jeu de 2 ou 3 levées, les As, les Rois, et les opportunités de couper sont des facteurs clés que le répondant doit considérer en envisageant la relance. Un ou deux atouts constituent un support suffisant.

Réponses à une déclaration de 1 sans atout — *Une main bien répartie :* Relance à 2 sans atout avec 8 ou 9 points ou avec 7 points et une bonne couleur de 5 cartes. Relance à 3 sans atout avec 10 à 14 points.

Relance à 4 sans atout avec 15 ou 16 points. Relance à 6 sans atout avec 17 ou 18 points. Relance à 7 sans atout avec 21 points.

Une main mal répartie — Avec moins de 8 points et une bonne couleur de 5 cartes, déclarer 2 Carreaux, 2 Cœurs ou 2 Piques. Ne pas déclarer 2 Trèfles avec une couleur de 5 cartes. Avec 8 points ou plus et une couleur de 4 cartes majeures, déclarer 2 Trèfles. C'est une déclaration artificielle demandant à l'ouvreur de montrer une couleur de 4 cartes majeures s'il en a une. Voyez la section des redéclarations où il est question de relancer un ouvreur qui a déclaré un sans atout. Avec 10 points et une bonne couleur, déclarer 3 dans cette couleur. Avec 6 cartes majeures dans une couleur et moins de 10 points en cartes d'honneur relancer à la manche dans cette couleur.

Réponses à une ouverture de 2 sans atout — *Une main bien répartie* — Relancer à 3 sans atout avec de 4 à 8 points. Relancer à 4 sans atout avec de 9 ou 10 points. Relancer à 6 sans atout avec 11 ou 12 points. Relancer à 7 sans atout avec 15 points.

Une main mal répartie — Avec 5 cartes majeures d'une couleur menée par une carte d'honneur, plus 4 points, déclarez 3 en cette couleur. Annoncez toute couleur majeure de 6 cartes.

Réponses à une ouverture de 3 sans atout — Annoncez toute couleur de 5 cartes si la main comporte 5 points en cartes d'honneur. Relancez à 4 sans atout avec 7 points. Avec 8 ou 9 points, relancez à 6 sans atout. Relancez à 7 sans atout avec 12 points.

REDÉCLARATIONS

Redéclarations par l'ouvreur — La redéclaration de l'ouvreur est souvent la déclaration la plus importante de l'enchère puisqu'elle lui fournit l'opportunité de révéler la force exacte de sa déclaration d'ouverture et d'indiquer s'il envisage de jouer pour la manche ou le chelem. Son ouverture est évaluée d'après le tableau suivant:

13 à 16 points	main médiocre
16 à 19 points	une bonne main
19 à 21 points	une très bonne main

13 à 16 points: Main médiocre — Si le partenaire fait une réponse limitée — 1 sans atout ou 1 de plus dans la couleur d'ouverture — l'ouvreur doit passer puisqu'il lui est impossible de réussir une manche. Si le partenaire a déclaré un dans une autre couleur que celle d'ouverture, l'ouvreur peut relancer dans la couleur de son partenaire s'il est bien pourvu en atouts, redéclarer 1 sans atout s'il a une main bien répartie, ou s'il a une main mal répartie redéclarer dans sa couleur ou dans une autre couleur sans toutefois dépasser le deuxième palier dans la couleur de l'ouverture.

16 à 19 points. Une bonne main — Si le partenaire a répondu par une déclaration limitée — un sans atout ou une déclaration d'un palier — l'ouvreur devrait redéclarer puisque la réussite de la manche est possible si le répondant détient la valeur maximum signalée par sa déclaration. Si le répondant a annoncé une nouvelle couleur, l'ouvreur peut redéclarer dans un nouveau palier avec 4 atouts ou dans sa propre couleur s'il a une couleur de 6 cartes ou bien il peut déclarer dans une nouvelle couleur.

19 à 21 points. Une très bonne main — Si le partenaire a répondu par une déclaration limitée — un sans atout ou une déclaration d'un palier — l'ouvreur peut redéclarer de façon à ce que l'enchère lui reste en sans atout ou en couleur selon sa main. Si le répondant a annoncé une nouvelle couleur, l'ouvreur peut monter l'enchère à la manche avec 4 atouts ou déclarer pour que l'enchère lui reste dans sa couleur si elle est solide. Avec une main bien répartie de 19 à 20 points, l'ouvreur devrait sauter à 2 sans atout. Avec 21 points il devrait sauter à 3 sans atout. Avec 22 points ou plus il devrait sauter dans une nouvelle couleur en jouant pour la manche et suggérant le chelem.

Redéclarations par l'ouvreur en sans atout — *La convention de 2 Trèfles* (habituellement appelée la Convention Stayman). Due à M. Samuel M. Stayman, de New-York. Le nom de « Convention de 2 Trèfles » est aussi, plus souvent appliqué à l'usage de la déclaration d'ouverture de 2 Trèfles comme déclaration artificielle pour forcer l'enchère. Voir page 35.

Quand le répondant déclare 2 Trèfles l'ouvreur doit annoncer une couleur annonçable de 4 cartes de couleur majeure s'il en a une:

Avec 4 Piques, il annonce 2 Piques;

Avec 4 Cœurs, il annonce 2 Cœurs;

Avec 4 cartes dans chaque majeure il annonce 2 Piques;

Sans couleur majeure il annonce 2 Carreaux.

L'ouvreur ayant déclaré sans atout doit passer: Quand le répondant relance à 2 sans atout et que l'ouvreur a le minimum (16 points); quand le répondant relance de 2 Carreaux, 2 Cœurs ou 2 Piques et que l'ouvreur n'a que 16 ou 17 points et que son jeu ne correspond pas à la couleur du répondant; quand le répondant relance avec 3 sans atout, 4 Piques ou 4 Cœurs.

ENCHÈRES DÉFENSIVES

Surenchères — La surenchère est une déclaration défensive — faite après que le côté adverse a ouvert l'enchère. Les perspectives du jeu sont en faveur de l'ouvreur étant données les forces annoncées et la prudence devient la considération première. La surenchère repose donc plus sur une couleur forte que sur un nombre spécifique de points. Généralement parlant le surenchérisseur devrait employer les mêmes standards que pour les déclarations préventives. Il doit donc avoir dans sa main de quoi gagner son contrat à trois levées près s'il n'est pas vulnérable et à 2 levées près s'il est vulnérable.

Surenchère de 1 sans atout — Une surenchère de 1 sans atout est similaire à une déclaration d'ouverture de 1 sans atout et montre 16 à 18 points avec une main bien répartie et de quoi faire échec à la couleur de la déclaration d'ouverture.

Saut à la surenchère — Tout saut à la surenchère, qu'il soit d'un, deux ou trois paliers est par nature de barrage et démontre une main faible en cartes d'honneur mais comportant une bonne couleur qui permettra de gagner le contrat à 3 levées près si non vulnérable et à 2 levées près si vulnérable.

Contres d'appel demandant le changement de couleur — (appelés aussi contres négatifs d'appel ou d'information). Quand un défenseur contre et que toutes les conditions suivantes existent: *a)* son partenaire n'a rien annoncé; *b*) le contreur a contré à la première chance qu'il a eu de le faire; *c*) le contre est de 1, 2 ou 3 dans une couleur et prévoit un changement de couleur et demande au partenaire d'annoncer sa meilleure couleur (sa plus longue). On emploie cette déclaration défensive avec l'un ou l'autre de deux genres de mains: (1) une main assez bonne pour une déclaration d'ouverture dans laquelle le contreur n'a pas de couleur bonne ou longue mais a de bonnes cartes pour aider dans les couleurs non annoncées; et (2) où le contreur a une bonne couleur et une telle force de cartes d'honneur qu'il craint qu'une simple surenchère soit ignorée de son partenaire et qu'une manche possible soit perdue.

Une surenchère dans la couleur de l'adversaire (déclaration indicatrice) — La déclaration indicatrice immédiate (exemple: l'adversaire ouvre d'un Cœur; le défendeur déclare 2 Cœurs) est la plus forte des relances défensives. Elle force sans réserve le partenaire à parler pour prendre la manche et équivaut à peu près à une déclaration d'ouverture du même genre. Elle marque aussi le contrôle du premier tour de la couleur de la déclaration d'ouverture et est habituellement conditionnée par une chicane et un très beau support dans toutes les couleurs non déclarées.

L'action du partenaire du surenchérisseur — La déclaration du surenchérisseur est conditionnée par une bonne couleur; on peut donc relancer avec un support d'atout moins fort qu'il ne le faudrait normalement (Dame - x, ou x - x - x). Le partenaire devrait préférer la relance à une déclaration de sa couleur spécialement si le surenchérisseur a déclaré une couleur majeure. Le partenaire du surenchérisseur ne devrait pas déclarer dans le seul but de garder les enchères ouvertes. Une simple relance de 1 sans atout ne devrait être faite que dans un effort d'atteindre la manche. Si on a en main les points nécessaires un effort pour atteindre la manche est dans l'ordre étant donné qu'une relance avec un saut dans un palier supérieur n'oblige pas le partenaire à parler.

Action du partenaire du contreur en une autre couleur — Dans cette situation, plus la main est faible plus il est important de déclarer. La seule chose qui pourrait empêcher de déclarer serait d'avoir en main 4 levées défensives dont trois en atout. La réponse devrait être en la couleur la plus longue bien que la préférence devrait être donnée à une couleur majeure sur une mineure.

Etant donné que le partenaire d'un contreur peut répondre avec rien dans les mains, il est de bonne politique pour le contreur d'appeler en dessous de ses moyens tandis que le partenaire du contreur doit lui, annoncer au-dessus de ses moyens. Si le partenaire du contreur possède une main au-dessus de la moyenne la manche est très probable et le partenaire du contreur devrait l'indiquer en sautant dans sa meilleure couleur même si elle n'est longue que de quatre cartes.

Action du partenaire de l'ouvreur — (quand la déclaration d'ouverture a été renchérie ou contrée). Quand la déclaration de l'ouvreur a été renchérie, le répondant n'est plus dans l'obligation de garder l'enchère ouverte. De cette façon une déclaration de 1 sans atout ou une relance devrait être basée sur une main d'au moins de force moyenne. Sur un contre d'appel, le répondant n'a qu'un moyen d'annoncer une bonne main, le surcontre. Cette déclaration n'est pas une promesse de supporter la déclaration de l'ouvreur mais simplement l'annonce d'une main meilleure que la normale. Toute autre déclaration bien que n'étant pas un signe de faiblesse annonce une main médiocre en cartes d'honneur.

DÉCLARATION DE CHELEM

Quand les deux partenaires envisagent un chelem — 33 points dans leurs mains combinées plus une couleur d'atout convenable — il ne reste plus qu'à s'assurer que les adversaires sont dans l'impossibilité de remporter deux levées rapides. On a employé à travers les années plusieurs conventions de demande et d'annonce mais trois seulement ont résisté à l'épreuve du temps: les conventions Blackwood, Gerber et les déclarations indicatrices (annonces individuelles d'As).

Convention Blackwood (conçue en 1934 par Easley Blackwood d'Indianapolis, Indiana). Quand on s'est entendu sur une couleur d'atout, une déclaration de 4 sans atout est une demande au partenaire d'indiquer le nombre total d'As qu'il a en main. Une réponse de 5 Trèfles indique qu'il n'a pas d'As ou qu'il les a tous les quatre; 5 Carreaux, un As; 5 Cœurs, 2 As; 5 Piques, 3 As. Après que les As ont été annoncés celui qui a déclaré 4 sans atout peut demander les Rois en déclarant 5 sans atout. Le répondant à la déclaration 5 sans atout peut annoncer ses Rois de la même façon qu'il a annoncé ses As à la déclaration de 4 sans atout en déclarant 6 Trèfles s'il n'a pas de Roi; 6 Carreaux, 1 Roi; etc. Il déclarera 6 sans atout s'il a les 4 Rois.

La convention Gerber — Cette convention est semblable à celle de Blackwood en ce qu'elle demande le nombre d'As que possède le partenaire. Son avantage repose dans le fait que le répondant peut annoncer à un palier plus bas. Une déclaration soudaine de 4 Trèfles qui normalement n'aurait pas sa raison d'être (exemple: ouverture: 1 sans atout; répondant: 4 Trèfles) est le propre de la convention Gerber et demande au partenaire d'indiquer ses As. S'il déclare 4 Carreaux, il annonce qu'il n'a aucun As; 4 Cœurs, il annonce 1 As, etc. Si la main qui demande veut savoir si son partenaire a des Rois, elle déclare dans la couleur plus haute suivante du répondant qui a annoncé ses As, une déclaration de 4 Piques lui demanderait d'annoncer ses Rois et il répondrait maintenant 4 sans atout, pour annoncer qu'il n'a pas de Roi; 5 Trèfles pour annoncer 1 Roi; etc.

Déclaration indicatrice — (annonce individuelle d'As). Les conventions de Blackwood et Gerber ne sont conçues que pour comprendre un potentiel limité de chelems. Plusieurs chelems ne dépendent que de la possession d'un As déterminé plutôt que celle de plusieurs As. L'annonce individuelle des As est employée en de tels cas. Par exemple: l'ouvreur déclare 2 Piques, le répondant annonce 3 Piques; l'ouvreur déclare maintenant 4 Trèfles. Ce 4 Trèfles annonce l'As de Trèfle et invite le répondant à annoncer un As s'il en a un. Fréquemment avec cette méthode de déclaration en vue du chelem, on annoncera sa maîtrise de toutes les couleurs de non atout sauf une. Alors si l'un des partenaires donne le « signal d'arrêt » (en déclarant dans la couleur agréée d'atout), l'autre partenaire pourra demander le chelem s'il est sûr de ne perdre qu'une levée dans la couleur non-mentionnée (S'il a le contrôle du second tour, un roi ou un singleton, dans cette couleur).

AUTRES CONVENTIONS DU BRIDGE CONTRAT

Convention de Club — Cette méthode d'enchères a été conçue par Harold S. Vanderbilt qui inventa le Bridge Contrat moderne. C'est pour cette raison qu'on l'appelle souvent « le Club Vanderbilt ». Elle est très populaire en Europe. Une déclaration d'ouverture de 1 Trèfle est artificielle, c'est-à-dire qu'elle n'annonce pas nécessairement le Trèfle mais plutôt une main forte avec 3½ levées d'honneur ou plus. Le partenaire de l'ouvreur doit annoncer 1 Carreau s'il a moins de 2 levées d'honneur. Après la déclaration d'ouverture et la réponse les partenaires doivent annoncer leur main naturellement.

Convention de 2 Trèfles — Cette convention employée par plusieurs experts se combine actuellement avec les ouvertures à 2 faibles. Une ouverture de 2 Trèfles est artificielle en ce qu'elle n'annonce pas nécessairement une couleur de Trèfles mais plutôt une main très forte. Elle force à la manche. Le partenaire doit alors conventionnellement répondre 2 Carreaux si sa main est faible. Toute autre réponse signale une force, habituellement au moins 1½ levée d'honneur. Une déclaration d'ouverture de 2 Carreaux, 2 Cœurs ou 2 Piques est une déclaration préventive faite avec une main plutôt faible qui comporte une bonne couleur de 5 ou 6 cartes mais qui manque les 13 points ou plus nécessaires pour une ouverture.

ATTAQUES CONVENTIONNELLES
(Bridge-Contrat ou aux enchères)

Cartes de couleur en main	Entame en couleur	Entame en sans atout
As, Roi, Dame, seuls ou avec d'autres	Roi, D ensuite	Roi, D ensuite
As, Roi, Valet, x-x-x-x	Roi, A ensuite	As*, R ensuite
As, Roi, Valet, x-x ou As, Roi, x-x(x)	Roi, A ensuite	4e meilleure
As, Dame, Valet-x-x	As**	Dame
As, Dame-10-9	As**	10***
As, Dame-x-x-(x)	As	4e meilleure
As, Valet, 10-x	As**	Valet

As, 10-9-x	As	10
As, x-x-x(-x)	As	4e meilleure
As, Roi, x	Roi	Roi
As, Roi seuls	As	Roi**
Roi, Dame, Valet seuls ou avec d'autres	Roi, V ensuite	R, D ensuite
Roi, Dame, 10 seuls ou avec d'autres	Roi	Roi
Roi, Dame, x-x(x-x)	Roi	4e meilleure
Roi, Dame seuls	Roi	Roi
Roi, Valet, 10, seuls ou avec d'autres	Valet	Valet
Roi, 10-9-x	10	10
Dame, Valet, 10 ou Dame, Valet-9- seuls ou avec d'autres	Dame	Dame
Dame, Valet, x ou Dame-Valet	Dame	Dame
Dame, Valet, 8-x (4 ou plus)	Dame	4e meilleure
Dame, 10-9 seuls ou avec d'autres	10	10
Valet-10-9 ou Valet-10-8 seuls ou avec d'autres	Valet	Valet
Valet-10-x ou Valet-10	Valet	Valet
Valet-10-x-x ou plus	Valet	4e meilleure
10-9-8 ou 10-9-7, seuls ou avec d'autres	10	10
10-9-x-x(-x)	10	4e meilleure
Roi, Valet-x-x (-x-x)	4e meilleure	4e meilleure
Toute autre série de 4 ou plus non indiquée plus haut	4e meilleure	4e meilleure

* Dans un contrat en « sans atout » l'attaque à l'as d'une couleur non déclarée réclame la plus haute carte du partenaire dans cette couleur, même le roi ou la dame, à moins que le jeu du mort n'indique qu'un tel geste serait dangereux et risquerait de faire perdre une levée.
** Généralement une mauvaise attaque dans ce contrat.
*** Quand il est probable que le « mort » a le Roi, la Dame est une meilleure attaque.

ENTAMES EN COULEUR DÉCLARÉE
PAR LE PARTENAIRE

Cartes de couleur en main	Entame en couleur	Entame en sans atout
As-x, Roi-x, Dame-x, Valet-x, 10-x ou tout autre doubleton	Haute carte	Haute carte
Valet-10-x, ou x-x-x	La plus haute	La plus haute
As-Valet-x ou As-x-x	As	La plus basse
Roi-Valet-x, Roi-x-x, Dame-10-x, Dame-x-x, Valet-x-x	La plus basse	la plus basse
Dame-Valet-x(-x)	Dame	Dame
As-x-x-x ou mieux	As	4e meilleure
Roi-Dame-x(x)	Roi	Roi
Toute série de 4 cartes ou plus	4e meilleure	4e meilleure

Bridge Duplicata

Le Bridge duplicata est la seule forme du jeu qui soit acceptée dans les tournois mais elle est aussi adaptée au jeu à la maison ou aux clubs. Cette forme de jeu est considérée comme le test par excellence d'habileté aux cartes. La description et les lois du jeu que l'on donne ici sont condensées des « Lois du Bridge-Contrat duplicata », publiées en 1949 par la National Laws Commission of the American Contract Bridge League.

Nombre de joueurs — Quatre joueurs en deux équipes peuvent jouer au bridge-réplique ou duplicata. Huit joueurs ou plus peuvent jouer en tournois par équipes de deux, individuellement ou par équipes de quatre.

Matériel requis — Une série double de planchettes et un paquet de cartes pour chacun. Chaque planchette a quatre pochettes correspondant au quatre points cardinaux et destinées à contenir les mains des joueurs respectifs. Le dessus de chaque planchette est marqué d'une flèche tournée vers une poche et comporte une indication désignant le donneur et la vulnérabilité. Il devrait y avoir au moins 16 planchettes par série, numérotées consécutivement, avec les donneurs et les vulnérabilités indiqués comme suit:

Donneur	Vulnérabilité
N- 1, 5, 9, 13	Aucun -1, 8, 11, 14
E- 2, 6, 10, 14	N-S seulement-2, 5, 12, 15
S- 3, 7, 11, 15	E-O seulement-3, 6, 9, 16
O- 4, 8, 12, 16	Les deux-4, 7, 10, 13

Les planchettes 17 à 32, si elles sont employées correspondent respectivement aux planchettes 1 à 16, sauf dans leur numéro d'identification.

Mêlée et donne — N'importe quel joueur en présence d'un adversaire ou directeur du tournoi prépare la planchette en mêlant les cartes et en les donnant, une carte à la fois, face contre table, en en faisant 4 paquets lesquels il glisse par la suite dans les pochettes de la planchette.

L'enchère — La flèche de la planchette est tournée dans la direction de la pièce identifiée comme le nord. Chaque joueur prend la main dans la pochette qui est le plus près de lui et compte les cartes pour bien s'assurer qu'il en a bien 13. Le joueur désigné comme le donneur fait la première déclaration et l'enchère se poursuit tel que décrit en page 11 jusqu'à ce que le contrat soit atteint. On ne mêle pas à nouveau quand tout le monde passe.

Le jeu — L'entame, l'exposition du "mort" et le jeu subséquent se font tel que décrit en page 12 excepté: quand une levée est complétée, chaque joueur reprend sa carte et la place face contre table directement en face de lui, dirigée dans le sens de la longueur vers les partenaires qui ont remporté la levée. Le déclarant joue les cartes du mort en les nommant et les touchant mais le mort les retourne et les garde devant lui.

Le pointage — Le pointage de chaque planchette est indépendant du pointage des autres planchettes et des points remportés sur une planchette ne sauraient compter pour une partie disputée sur une planchette suivante. Il n'y a pas de prime de robre. Les primes sont plutôt comptées comme suit:

| | Côté du déclarant | |
	Vulnérable	Non vulnérable
Pour l'enchère et le contrat d'une manche	500	300
Pour avoir réussi un contrat en deça de la manche	50	50

Si on adopte la méthode de pointage en usage pour les tournois pour déterminer le vainqueur de la manche, on ne compte pas les primes que valent les honneurs dans une main.

A tout autre point de vue la marque des points de chaque tableau suit les règles de pointage de la page 15.

Pour déterminer le vainqueur — La méthode de pointage en usage dans les tournois est toujours employée dans les jeux individuels, par équipe de deux ou par quatre. Le pointage cumulatif — ou total des points — peut être employé dans les jeux d'équipes de deux ou quatre. Ces méthodes sont expliquées en pages 44 et 45.

IRRÉGULARITÉS DU
BRIDGE CONTRAT DUPLICATA

Le Bridge à robres et le Bridge-duplicata sont régis par les mêmes lois en autant que la nature du jeu le permet. La marche à suivre décrite en pages 9 à 12 et les pénalités et les rectifications d'irrégularités définies de la page 17 à la page 26 régissent le Bridge duplicata excepté dans les cas indiqués plus bas.

Directeur du tournoi — Une personne, qui peut être un joueur, doit être désignée pour conduire et diriger le jeu ou le tournoi. Ses devoirs comportent l'inscription des entrées, le choix des mouvements appropriés et des conditions du jeu, le maintien de la discipline, l'interprétation et la mise en vigueur des lois, distribution des pénalités, la marque exacte des points.

Pour souligner une irrégularité — On doit faire appel au directeur dès que l'attention a été attirée sur une irrégularité. Les joueurs n'ont pas la latitude d'imposer ou d'écarter des pénalités.

Réajustement du pointage — Le directeur peut déterminer un réajustement de points lorsque les lois ne prévoient pas de pénalités adéquates pour indemniser un joueur qui a été victime d'une irrégularité de la part de ses adversaires ou qu'aucune rectification ne peut être apportée pour permettre la reprise normale du jeu sur le tableau. Le directeur ne peut cependant pas fixer un réajustement de points sous le prétexte que les pénalités prévues par les lois sont trop sévères ou qu'elles sont trop avantageuses pour le côté non responsable de l'offense. Le réajustement des points peut se faire en changeant le total des points sur le tableau ou l'attribution de points de tournoi. Des points de pénalité peuvent être imposés contre le côté responsable de l'offense et une indemnité en points peut être attribuée au côté non responsable; les nombres de ces points ne sont pas nécessairement égaux.

Conventions des déclarations et du jeu — Un joueur peut déclarer ou jouer comme il l'entend. Il peut même faire une déclaration trompeuse dite psychique. Il ne peut cependant pas faire une déclaration résultant d'une entente avec son partenaire à moins qu'il ne soit raisonnablement possible que les adversaires en comprennent le sens profond ou à moins que son côté en ait annoncé l'usage avant que lui ou son partenaire ait regardé leur main. Si le directeur considère qu'un côté s'est trouvé lésé par le défaut des adversaires de faire une telle annonce, il peut attribuer un réajustement de points.

A la requête d'un joueur, le directeur peut exiger du joueur qui a fait la déclaration ou adopté un jeu de laisser la table et son partenaire pour expliquer sa déclaration ou son jeu.

Le directeur (ou toute autre personne ayant autorité) peut interdire l'usage de telles conventions s'il (ou elle) juge que l'usage de ces conventions présenterait de trop grands désavantages pour les autres concurrents ou qu'elles seraient trop longues à expliquer.

Droits du mort — En plus des droits déjà établis en page 20 le mort peut: avertir le directeur de tout ce qui peut porter atteinte aux droits légaux de son côté; faire le compte des levées remportées ou perdues; attirer l'attention sur une carte d'un autre joueur, carte jouée dans une levée précédente et alignée dans une mauvaise direction. Il peut jouer les cartes du mort sur les directives de son partenaire. Dans le cas où il placerait dans la position d'une carte jouée une carte non indiquée par son partenaire, il peut corriger son erreur avant qu'une carte n'ait été jouée pour la prochaine levée. De son côté, l'adversaire peut retirer une carte jouée après l'erreur commise à condition qu'il le fasse avant que l'erreur ne soit pas signalée. Si le mort — selon l'opinion du directeur — suggère un jeu, le directeur peut exiger du déclarant de jouer cette carte ou son équivalent comme il peut lui interdire de la jouer de même que son équivalent.

Erreur dans le jeu du "mort" — Le déclarant peut changer le choix de la carte à jouer dans le jeu du mort à condition qu'il effectue ce changement dans un même souffle ou s'il désigne une carte qui n'est pas dans la main.

Informations fautives — Si un joueur reçoit des informations fautives d'un tableau de jeu, il doit en avertir le Directeur. Celui-ci exigera que la planchette soit jouée normalement et que les points soient attribués de la même façon, si la chose est du domaine du possible, et dans le cas contraire déterminera un réajustement de points. Voici quelques exemples d'informations fautives: regarder une mauvaise main, voir les cartes d'un autre joueur avant que les enchères ne soient commencées, avoir entendu au préalable des déclarations ou des remarques sur le jeu, des remarques ou des gestes inadmissibles d'un partenaire.

Limite de temps pour une contestation due à une renonce — Une renonce faite à la douzième levée doit être corrigée si elle est découverte avant que les quatre mains aient été retournées à la planchette. Une renonce reconnue n'est pas sujette à pénalité si elle a été signalée après que les quatre mains aient été jouées et que la planchette ait été déplacée. Dans les autres cas, il faut appliquer les mesures prévues en page 22.

Revendications et concessions — La concession d'une levée qui ne peut être perdue quelle que soit la carte jouée est nulle à condition que l'erreur soit signalée à un adversaire avant que les quatre mains ne soient jouées et que le tableau ne soit déplacé. La concession d'une levée que de fait un joueur a gagné est nulle à condition que l'erreur soit portée à l'attention du Directeur dans les trente minutes qui suivent la fin de la séance.

Dans le cas de contestation d'une revendication ou d'une concession on doit en appeler au Directeur et aucune action ne saurait être prise sans son intervention. Le Directeur détermine le résultat sur le tableau de jeu, accordant toute levée douteuse aux adversaires du réclamant.

Corrections des erreurs de pointage — On devrait fixer une limite de temps pour apporter des corrections aux points inscrits. Cette limite de temps devrait se placer à pas moins de 30 minutes et pas plus de 24 heures après l'affichage du pointage officiel. Pour faire apporter un changement au pointage parce qu'un adversaire avait reçu des informations fautives, le réclamant doit présenter sa requête au Directeur dans les trente minutes qui suivent la fin de la séance.

Mauvais compte de cartes — Si le Directeur décide que l'une ou plusieurs des pochettes de la planchette contient un mauvais compte de cartes, il fera la correction qui s'impose si la chose est possible et exigera ensuite que l'on procède normalement au jeu. Il apportera un réajustement de pointage s'il considère qu'un joueur a acquis du fait de cette erreur des renseignements qui justifient un tel réajustement.

Cartes interverties — Si les cartes ou les mains sont interverties durant une séance, le Directeur assigne (des planchettes identiques) séparément à chaque groupe qui a joué: chaque couple reçoit 1 point de match pour chaque pointage le plus bas dans le même groupe, ½ point de match pour chaque pointage identique dans le même groupe et ½ point de match pour chaque couple dans les autres groupes.

Pénalités disciplinaires — Pour toute erreur dans la marche à suivre — ne pas compter les cartes, jouer la mauvaise planchette, etc. — qui demande un réajustement du pointage pour tout revendicateur, le Directeur peut imposer une pénalité au coupable. On recommande 10% du maximum des points de match d'une planchette. On recommande une indemnité similaire à un revendicateur qui doit subir un réajustement de pointage sans qu'il en soit responsable. Le Directeur peut augmenter les pénalités si les violations sont flagrantes ou répétées. En points de total de jeu, 100 points valent 1 point de match.

Appels — Si un comité de tournoi ou de club a été nommé on peut y faire appel des décisions du Directeur concernant des faits contestés ou des pouvoirs discrétionnaires. Mais on ne peut présenter appel des décisions du Directeur concernant les règlements uniquement auprès de la National Laws Commission, 33 West—60th St., New York 23, N.Y., U.S.A.

LE BRIDGE DUPLICATA À LA MAISON ET AU CLUB
Le Bridge duplicata — a quatre joueurs.

Le duplicata reprise est un match entre deux paires. Il se joue en deux séances appelées le jeu original et le jeu de reprise.

Les joueurs prennent place, l'un prenant la désignation de Nord. On mêle les cartes d'une planchette de jeu et on les joue avec la flèche indiquant le nord. On joue autant de planchettes qu'on le veut.

On réserve une feuille de pointage pour chaque tableau. A la fin de la séance on met de côté les planchettes et les feuilles de pointage à un endroit où elles ne seront pas dérangées.

Plus tard les quatre mêmes joueurs reprennent leur position originale autour de la table. On rejoue les planchettes mais cette fois avec la flèche pointant vers l'est. On réserve à nouveau une feuille séparée de pointage à chaque planchette.

Le pointage peut être calculé par total de points ou par points de match. Si cette dernière méthode est employée, chaque donne est considérée comme un match indépendant. Le couple obtenant dans une donne le meilleur pointage net est crédité d'un point de match. Le total de ces points de match servira comme pointage final.

Si la méthode de pointage de total des points est employée, les deux fiches de chaque donne sont comparées et le couple possédant la meilleure fiche s'en voit créditer les points. Le pointage net de toutes les donnes est totalisé et le couple ayant remporté le plus haut total gagne par la différence des points.

Le duplicata reprise est populaire à la maison dans les parties à deux partenaires qui se rencontrent chaque semaine pour le bridge. On peut facilement s'y adonner dans une série continue de séances. La moitié du temps de chaque séance peut être consacrée à jouer de nouvelles planchettes tandis que la deuxième moitié peut être consacrée à la reprise d'anciennes planchettes.

Le jeu devient alors beaucoup plus un test de mémoire plutôt que d'habileté à jouer au bridge. Les mesures suivantes sont recommandées pour faire échec à cette tendance:

1.— Ne pas jouer les tableaux dans leur ordre consécutif. Choisir au hasard le tableau à être joué.

2. — Eviter de faire quelque commentaire que ce soit sur une main qui vient d'être jouée pour la première fois.

3. — Attendre qu'au moins une semaine s'écoule avant de rejouer un tableau original.

Il est parfois préférable de faire de la partie une épreuve d'habileté dans la manière de jouer. Les déclarations du jeu original sont alors enregistrées et lors de la reprise on lit ces déclarations qui servent à déterminer les contrats et les déclarants.

Epreuves individuelles — pour 8 ou 12 joueurs

Dans une partie individuelle, chaque joueur joue une fois avec chacun des joueurs comme partenaire et deux fois contre chacun des joueurs comme adversaires.

Voici la position des joueurs dans des parties disputées à deux ou trois tables:

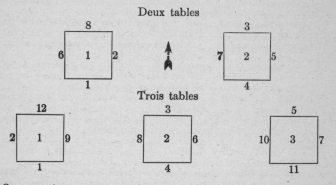

On peut jouer cette partie sans avoir recours aux cartes pour déterminer les positions, ainsi:

1. — Permettez aux joueurs de s'asseoir au hasard. Réservez cependant la position Nord de la première table au Directeur, ce dernier conservera la même place durant toute la partie et sera ainsi le pivot autour duquel évolueront les autres joueurs.

2. — De cette programmation informez chaque joueur de son propre numéro et indiquez-lui le joueur qui porte le numéro immédiatement précédant le sien.

3. — Annoncez qu'après chaque tour, tous les joueurs sauf le pivot doivent changer de place prenant celle du joueur portant le numéro précédant immédiatement le sien. (Le joueur no-1 remplace le joueur 7 ou 11 selon que l'on joue à deux ou 3 tables).

On joue une nouvelle série de planchettes à chaque tour. On joue la série à toutes les tables, les planchettes étant déplacées selon les besoins. Les parties de huit joueurs nécessitent des parties de sept tours avec 14, 21 ou 28 planchettes. Les parties de 12 joueurs nécessitent 11 tours et le seul nombre possible de planchettes est de 33.

Le pointage des épreuves individuelles est en points de match comme on l'explique en page 45.

Match d'équipes de quatre — pour huit joueurs

Le match d'équipes de quatre entre deux équipes a été longtemps considéré comme l'épreuve par excellence connue d'habileté au Bridge. On joue sur deux tables et dans des pièces séparées si possible. Une paire d'une équipe s'asseoit à la première table occupant les positions N-S tandis que l'autre paire de la même équipe s'asseoit à la deuxième table occupant les positions E-O. Les membres de la deuxième équipe occupent les autres positions, soit E-O à la première table, et N-S à la deuxième table.

Le nombre de planchettes jouées doit être un multiple de 4. Il faut d'une heure à une heure et demie pour jouer douze planchettes. Le premier quart des planchettes est placé sur la première table et le deuxième quart sur la deuxième table. Ces planchettes sont mêlées, données, jouées et marquées.

Les deux tables échangent alors les planchettes, chaque table rejouant les planchettes jouées sur l'autre table. On doit prendre bien soin que la flèche indique dans chaque cas le joueur Nord.

Quand les planchettes ont été jouées, les deux paires de la deuxième équipe changent de place gardant leur partenaire mais changent d'adversaires. On divise ensuite le reste des planchettes à jouer entre les deux tables, on les mêle, on les donne, on les joue et on marque les points. On les échange ensuite et on les rejoue comme on a fait pour les deux premiers quarts.

Une fois qu'on a joué et rejoué toutes les planchettes c'est l'équipe dont les membres ont conservé le haut pointage considérant l'ensemble des points par rapport aux planchettes qui emporte la victoire.

Les parties Mitchell par paires — pour trois tables ou plus

Le bridge duplicata par paires dit Mitchell est le plus simple et le plus aimé de cette sorte de jeux.

On y établit une direction donnée de la pièce comme étant Nord-Sud, sans tenir compte de l'orientation officielle à la boussole. On dispose les tables par ordre numérique, la table no-1 étant au Nord de la pièce. Des joueurs allant à une vitesse moyenne peuvent jouer 24 planchettes en trois heures à ce jeu.

On divise la quantité totale de planchettes à jouer en autant de séries qu'il y a de tables. On établira le système de distribution selon qu'il aura un nombre pair ou impair de tables. Pour un nombre impair de tables on posera une série de planchettes sur chaque table en commençant par la table no-1, qui recevra la série de planchettes portant le plus petit chiffre, la série suivante ira à la table no-2, etc.

Chaque paire prendra comme numéro pour la désigner, le numéro de la première table à laquelle elle aura joué. Par exemple: à la table no-4, les paires Nord-Sud et Est-Ouest au début de la partie demeureront Nord-Sud 4 et Est-Ouest 4, pour la durée de l'épreuve.

Au signal donné chaque table commencera à déclarer, jouer et marquer les planchettes reçues (Voir les lois de pointage en page 38 et la méthode d'inscrire les points de match en page 45).

Lorsque chaque table aura fini de déclarer, jouer et marquer sa première série de planchettes, le Directeur du tournoi donnera le signal de continuer le jeu. Les paires Nord-Sud demeurent en place. Les paires Est-Ouest vont à la table portant le numéro supérieur suivant de la leur. Les planchettes sont alors transportées à la table portant le numéro inférieur suivant. On continue ce système de déplacement tant que chaque paire Est-Ouest n'a pas joué contre chaque paire Nord-Sud, et que chaque paire n'a pas joué chaque série de tablettes.

Distribution des planchettes et avance du jeu pour un nombre pair de tables

On distribue les séries de planchettes également jusqu'à ce que la moitié des séries ait été placée sur les tables. La série suivante est placée de côté sur une chaise ou un support, appelé poste de relais. Ensuite, chacune des tables qui restent reçoit son quota de planchettes, sauf la dernière table qui n'en reçoit pas. Les paires assises à cette table jouent les mêmes planchettes que les paires de la table no-1, les deux tables se passant l'une à l'autre les planchettes jouées. Durant tout le tournoi, la table no-1 et la dernière table se partagent toujours les mêmes séries de planchettes.

On place toujours le poste de relais à distance exactement égale entre la première et la dernière table. Les joueurs de la table portant le numéro le plus bas immédiatement à côté du poste de relais, mêlent les cartes des planchettes de relais. Cependant, ces planchettes ne sont pas jouées au premier tour.

Les paires Nord-Sud ne se déplacent pas. Les paires Est-Ouest passent à la table portant le numéro supérieur suivant celui de la table où elles se trouvent, comme lorsqu'il y a un nombre impair de tables. On passe les planchettes à la table portant le numéro inférieur sauf que la table portant le numéro le plus haut, à côté du poste de relais, dépose ses planchettes à ce poste. La table de l'autre côté du poste de relais, c'est-à-dire celle qui porte le numéro inférieur à la précédente, prend ses planchettes du poste de relais, prenant toujours d'abord les planchettes qui ne servaient pas au tour précédent. Les planchettes qui servaient simultanément à la première et à la dernière tables passent à l'avant-dernière.

Table incomplète — Si un nombre impair de joueurs se présentent pour jouer, de sorte qu'il manque une paire à une table, la paire isolée prend place Est-Ouest à la table portant le plus haut numéro, et prend ce numéro comme étant le sien (Est-Ouest 9 par exemple). Cette paire ne joue pas au premier tour, mais ce tour fini elle se place à la table no-1 et entre ainsi dans le système de déplacement régulier. A tour de rôle chaque paire Est-Ouest passe un tour en dehors du jeu lorsqu'elle arrive à la table incomplète, soit à la dernière table. On considère la table incomplète (celle où s'assied la paire isolée) comme faisant partie de jeu pour la distribution des planchettes, par exemple 5 tables ½ prendront la distribution de 6 tables, et 8 tables ½ prendront celle de 9 tables.

Comparaison de points — Dans le système Mitchell, toutes les paires N-S jouent les mêmes mains, et toutes les paires E-O jouent les mêmes. Chaque paire ne peut donc comparer ses points qu'avec ceux d'autres paires dans la même position, il y a donc deux épreuves distinctes — une pour paires N-S, l'autre pour paires E-O. Il y aura une paire gagnante de chaque position et les paires devraient recevoir les mêmes prix et les mêmes honneurs.

Points de Match pour le système Mitchell — La méthode de compter par points de match est la plus répandue et la plus équitable pour le Bridge duplicata. D'après cette méthode on aligne, en colonne verticale, tous les points des paires N-S pour un tour dans le but de les comparer. Chaque paire reçoit 1 point de match par autre paire N-S dont il bat les points et ½ point de match si les points sont ex-aequo. Par exemple, s'il y a 9 tables, il y aura 9 points d'alignés; la paire ayant les points les plus élevés battrait 8 autres paires et recevrait 8 points de match; le suivant, en ayant battu 7 autres aurait 7 points, etc. On aligne les points des paires E-O de la même manière pour les comparer entre eux.

Les points de chaque planchette sont comptés séparément et lorsque tous les points de toutes les planchettes ont été calculés on recherche les points de match de chaque paire. Le montant des points de match pour chaque planchette représente le nombre de paires battues pour ce tableau, et le total des points de match représente le nombre total de paires battues pour toutes les planchettes. La paire est celle qui a gagné pour cette catégorie.

Le moyen le plus simple de marquer les points est de fournir une feuille mobile à cet effet avec chaque planchette, qui demeurera avec la planchette tout le temps du jeu et sur laquelle on inscrira tous les résultats pour cette planchette. On peut se procurer des tablettes de pointage mobile dans la plupart des magasins à rayons, de l'American Contract Bridge League (Ligue Américaine du Bridge Contrat) et chez d'autres fournisseurs de papeterie.

On plie la feuille de pointage mobile de telle manière qu'on ne puisse pas voir les points et on la glisse dans la pochette de chaque planchette. Après que la planchette a été jouée à chaque table, le joueur Nord déplie la feuille de pointage mobile, y inscrit les points (plus ou moins) pour sa paire sur la ligne correspondant à son numéro de paire, et replace la feuille sur la planchette.

Le système de déplacement Howell

Dans le système Howell chaque paire joue une série de planchettes contre chacune des autres paires. Les déplacements sont un peu compliqués et pour diriger le mouvement des joueurs et des planchettes il faut absolument avoir des cartes-guides Howell. On peut se procurer ces cartes en séries pour tout nombre de tables donné, de 3 à 30. Il faut une série différente de cartes-guides pour chaque nombre de tables.

Le Whist

Nombre de joueurs — Quatre, deux contre deux, comme partenaires. Pour la façon de procéder lorsque plus de quatre joueurs désirent prendre part au jeu, voir les Lois du Whist plus bas.

Le paquet — 52 cartes. On devrait employer deux jeux ayant au verso des motifs contrastants, de manière à en brasser un pendant que l'on donne l'autre.

Rang des cartes — Au jeu, As (la plus haute), Roi, Dame, Valet, 10, 9, 8, 7, 6, 5, 4, 3, 2. Au tirage au sort des partenaires et de la donne, l'As est la plus basse.

Tirage — Pour choisir les partenaires, couper ou tirer une carte du paquet étendu sur la table. Les deux cartes les plus hautes jouent ensemble contre les deux plus basses. La plus basse carte a le choix des cartes et des places à table.

Mêlée et coupe — N'importe quel joueur peut mêler, le donneur mêle en dernier, le joueur à la droite du donneur coupe (Voir les Lois).

La donne — Le donneur passe une carte à la fois, face en bas, à chaque joueur en allant dans le sens des aiguilles de la montre et en commençant par le joueur à sa gauche, jusqu'à ce qu'il arrive à la dernière carte du paquet qui devient la carte d'atout.

La carte d'atout — Le donneur doit placer la dernière carte du paquet, face en l'air devant lui sur la table, et chacune des cartes de cette couleur devient un atout. Lorsque c'est au donneur de jouer pour le premier tour, la carte d'atout retournée lui revient et il la place dans sa main.

But du jeu — Remporter des levées.

Le jeu — On joue à tour de rôle dans le sens des aiguilles de la montre. Le joueur à la gauche du donneur joue la première carte, qui peut être n'importe quelle carte. Ensuite, chacun des joueurs doit jouer une carte, de la même couleur si possible. Si un joueur ne peut pas fournir dans la couleur demandée, il peut jouer n'importe quelle carte. Quatre cartes ainsi jouées sur la table, (y compris la première déposée à l'attaque) font une levée.

Une levée qui renferme un atout est remportée par celui des joueurs qui a déposé le plus fort atout. Une levée qui ne renferme pas d'atout est remportée par celui des joueurs qui a joué la plus haute carte de la couleur demandée à l'attaque. Le gagnant de chaque levée attaque pour la levée suivante.

Pointage — Chaque levée supplémentaire (c'est-à-dire au-dessus de 6) compte un point pour le côté qui l'a remportée.

LES LOIS DU WHIST

(Telles que revues et adoptées par le troisième congrès américain du Whist « Third American Whist Congress » tenu à Chicago en juin, 1893.)

1. La partie — La partie se fait en 7 points, chaque levée après la sixième compte pour 1 point. On détermine la valeur de la partie en soustrayant de sept points les points du perdant.

2. **Comment former la table** — Les premiers arrivés dans la pièce ont la préférence. Si plus de quatre personnes se présentent, parce que deux personnes ou plus sont entrées ensemble dans la pièce, pour choisir des joueurs parmi les derniers arrivés on fera couper un jeu de cartes. La carte la plus basse aura la préférence sur toutes les autres cartes coupées. Six joueurs font une table complète; la préférence allant au jeu à quatre. On désigne les partenaires en coupant—les deux ayant les cartes les plus hautes jouent ensemble contre ceux ayant les cartes les plus basses. Celui qui détient la plus basse carte donne. Il a le choix des places et des cartes.

3. — Si deux joueurs coupent des cartes intermédiaires d'égale valeur, ils coupent de nouveau; celui qui détient la plus basse carte de la nouvelle coupe joue avec celui qui avait la plus basse carte au début.

4. — Si trois joueurs coupent des cartes d'égale valeur, ils coupent de nouveau. Si le quatrième a coupé la carte la plus haute, les deux joueurs ayant les plus basses cartes de la nouvelle coupe jouent ensemble, et la plus basse carte donne. Si le quatrième a coupé la carte la plus basse, il donne, et les deux joueurs ayant les cartes les plus élevées de la nouvelle coupe jouent ensemble.

5. — A la fin d'une partie, s'il y a plus de quatre joueurs à la table, un nombre suffisant de joueurs se retire pour céder la place à ceux qui attendent leur tour de jouer. Afin de décider quels joueurs resteront à table on donnera la préférence à ceux qui auront joué le plus petit nombre de parties consécutives; entre deux joueurs ou plus ayant participé à un nombre égal de parties on décidera en coupant, la carte la plus basse ayant la préférence sur toute carte plus haute.

6. — Pour avoir le droit d'entrer à une table, on doit manifester son intention de jouer avant qu'aucun des joueurs ait coupé dans le but de commencer la partie ou de déterminer des sortants.

7. **La coupe** — En coupant, l'As est la plus basse carte. Tous doivent couper avec le même paquet de cartes. Si un joueur expose plus d'une carte, il doit couper de nouveau. Au lieu de couper, on pourra également tirer une carte d'un paquet étendu face contre table.

8. **La mêlée** — Il faut mêler les cartes avant chaque donne. Lorsqu'on emploie deux paquets, le partenaire du donneur doit ramasser et mêler les cartes pour la donne suivante et les déposer à sa droite. Le donneur est toujours le dernier à mêler.

9. — On ne doit pas mêler un paquet pendant le jeu, ni de façon à exposer aucune carte.

10. **La coupe au donneur** — Le donneur doit présenter le paquet à son adversaire de droite pour le faire couper. L'adversaire doit alors prendre une partie du paquet, sur le dessus, et l'avancer vers le donneur. Il faut qu'il reste au moins quatre cartes dans l'un ou l'autre paquet. Le donneur réunit ensuite les paquets en plaçant la partie du paquet non retirée sur celle qui a été coupée.

11. — Si l'on expose une carte en coupant ou en réunissant le paquet, il faut que le donneur mêle le paquet de nouveau et que

l'adversaire recoupe. S'il y a confusion dans les cartes, ou incertitude quant à l'endroit exact où le paquet a été coupé, il faut couper de nouveau.

12. — Si le donneur remêle le paquet après qu'il a été bien coupé, il perd son tour de donner.

13. **La donne** — Une fois le paquet dûment coupé et remis ensemble, le donneur distribue les cartes, une à la fois, à chaque joueur, à tour de rôle en commençant par la gauche. La dernière carte, qui devient la carte d'atout doit être retournée à l'endroit en face du donneur. A la fin de la main, ou si le donneur perd son tour, c'est au joueur suivant à sa gauche de donner, et ainsi de suite chacun devient donneur à son tour.

14. — Le même donneur distribue les cartes une autre fois:

I) S'il y a une carte de retournée à l'endroit dans le paquet, à part la dernière.

II) Si l'on découvre pendant la donne ou pendant la main que le paquet est inexact ou imparfait. Toutefois on conservera les points inscrits précédemment en jouant avec ce même paquet.

15. — Si une carte est exposée pendant la donne, le côté adverse au donneur peut exiger une nouvelle donne, à condition toutefois que personne de son côté à lui ait touché à une seule carte. S'il n'y a pas une nouvelle donne, la carte ainsi exposée n'est pas sujette à demande.

16. — On peut arrêter avant que la carte d'atout soit retournée tout joueur donnant les cartes lorsque ce n'est pas son tour, ou se servant du paquet de l'adversaire pour donner. Une fois la carte d'atout retournée, la donne compte et, si les paquets ont été changés, ils le restent.

17. **Maldonne** — Il y a maldonne:

I) Si le donneur ne fait pas couper le paquet et que ses adversaires s'en aperçoivent avant qu'il ait retourné la carte d'atout et avant qu'ils aient regardé leurs cartes.

II) S'il donne une carte incorrectement et ne corrige pas son erreur avant d'en donner une autre.

III) S'il compte les cartes qu'il y a sur la table ou qui restent dans le paquet.

IV) Si, le paquet étant complet, le donneur ne distribue pas à chaque joueur le bon nombre de cartes et si l'erreur est découverte avant que tous aient joué pour la première levée.

V) S'il regarde la carte d'atout avant d'avoir donné toutes les cartes.

VI) S'il pose la carte d'atout face en-bas sur ses propres cartes ou sur celles d'un autre joueur.

Lorsqu'il y a maldonne, le donneur perd son tour à moins que l'un des adversaires ait touché à ses cartes pendant la donne ou qu'il ait interrompu le donneur d'une façon quelconque.

18. **La carte d'atout** — Le donneur doit laisser la carte d'atout face en haut sur la table jusqu'à ce que ce soit son tour de jouer

pour la première levée. Si la carte d'atout reste sur la table après que l'on ait joué et ramassé la seconde levée, elle devient une carte à demande. Une fois qu'elle a été reprise légalement, il ne faut plus la nommer et tout joueur la nommant peut se faire demander par l'un ou l'autre adversaire, d'abattre son plus haut ou son plus bas atout. Cependant, un joueur peut demander de quelle couleur est l'atout.

19. Irrégularités dans les mains — Si, en aucun temps, après que tous les joueurs ont joué pour la première levée (le paquet étant parfait) on constate qu'un joueur a plus ou moins de cartes qu'il devrait, les adversaires ayant leur bon nombre de cartes, ces derniers peuvent, dès qu'on a découvert l'irrégularité, se consulter et choisir l'une des deux solutions suivantes:

I) demander une nouvelle donne; ou

II) faire jouer la main et dans ce cas on ne tient pas compte de cartes en plus ou en moins.

Si l'un des adversaires également a plus ou moins de cartes qu'il doit avoir, il faut donner les cartes de nouveau.

Si un joueur a une carte de surplus parce qu'il n'a pas joué à une levée, ses adversaires ne pourront jouir du privilège mentionné plus haut que lorsqu'il aura joué pour la levée suivant celle où il commit l'omission.

20. Cartes susceptibles d'être demandées — L'un ou l'autre des adversaires pourra demander une des cartes suivantes:

I) Toute carte posée à l'endroit sur la table à moins que ce ne soit au cours du jeu régulier ou qu'il s'agisse d'une carte jouée pour attaquer hors de tour.

II) Toute carte jetée sur la table avec la carte d'attaque ou avec une autre carte jouée normalement. Le joueur devra indiquer quelle carte il désirait jouer.

III) Toute carte tenue par un joueur de telle manière que son partenaire puisse en voir l'endroit en partie.

IV) Toutes les cartes d'une main baissée ou montrée par un joueur de façon à ce que son partenaire puisse en voir plusieurs cartes.

V) Toute carte nommée par le joueur qui l'a dans sa main.

21. — Toutes les cartes sujettes à demande doivent être placées et laissées face en l'air sur la table. A demande, le joueur devra attaquer ou jouer avec une telle carte pourvu qu'il puisse le faire sans renonce. On pourra répéter la demande à chaque levée tant que la carte n'aura pas été jouée. On ne peut pas empêcher un joueur de jouer une carte sujette à demande ou d'attaquer avec cette carte; s'il peut s'en défaire au cours du jeu, aucune pénalité demeure.

22. — Si un joueur attaque avec une carte plus forte que celles de ses adversaires, de la même couleur, et qu'ensuite il attaque de nouveau avec une ou plusieurs cartes sans attendre que son partenaire ait joué, l'un ou l'autre des adversaires peut demander à ce dernier de ramasser la première levée, et les autres cartes ayant été jouées hors de tour deviennent ainsi sujettes à demande.

23. — Un joueur qui a une carte sujette à demande ne doit pas en jouer une autre tant que l'adversaire ne lui a pas dit s'il désirait ou non qu'il joue la carte de pénalité. S'il joue une autre carte sans attendre la décision de l'adversaire, cette autre carte devient également sujette à demande.

24. **Entame hors de tour** — Si un joueur quelconque entame avant son tour l'adversaire pourra exiger de lui ou de son partenaire une couleur à sa guise la prochaine fois que ce sera le tour de l'un ou de l'autre d'attaquer. Cette pénalité ne peut être appliquée que par l'adversaire assis à la droite du joueur dont on peut légalement exiger une couleur.

Si le joueur, à qui l'on demande d'attaquer en une telle couleur, n'en a pas, ou si tous les joueurs ont joué après la fausse entame on ne peut pas appliquer la pénalité. Si tous n'ont pas joué à cette levée, les cartes jouées par erreur sur la fausse entame ne sont pas sujettes à demande et doivent être reprises par ceux qui les ont jouées.

25. **Carte jouée hors de tour** — Si le troisième joueur joue avant le deuxième, le quatrième peut alors aussi jouer avant le deuxième.

26. — Si le troisième joueur n'a pas joué et que le quatrième joue avant le deuxième, le troisième joueur peut exiger du deuxième qu'il joue sa plus haute ou sa plus basse carte de la couleur demandée (couleur d'attaque). S'il n'en a pas, on peut exiger qu'il joue ou ne joue pas atout à cette levée.

27. **Mains abandonnées** — Si les quatre joueurs jettent leurs cartes sur la table, face en l'air, en même temps, il n'est plus permis de jouer cette main. Le résultat de la main est alors établi tel que réclamé ou concédé; cependant, si l'on découvre une renonce, la pénalité de renonce s'applique.

28. **Renonce** — Une renonce est faite par erreur et non corrigée à temps. Un joueur renonce par erreur lorsque possédant dans sa main une ou plusieurs cartes de la couleur d'attaque, il joue une carte d'une autre couleur.

Le joueur qui fait une renonce peut la corriger, avant que la levée dont elle fait partie ne soit retournée et ramassée, sauf si lui ou son partenaire, que ce soit son tour ou non, ait attaqué ou joué sur la levée suivante, ou si son partenaire a demandé s'il a ou non une carte de la couleur renoncée.

29. — Si un joueur corrige son erreur à temps pour éviter une renonce, la carte qu'il avait mal jouée devient sujette à demande. Tous les joueurs ayant joué après lui peuvent retirer leurs cartes et ces dernières ne sont pas sujettes à demande.

30. — La pénalité pour une renonce est le transfert de deux levées du côté ayant commis la renonce à ses adversaires. On peut l'appliquer autant de fois qu'il y a des renonces au cours d'une main. Le côté fautif ne peut pas gagner la partie dans cette main-là. Si les deux côtés commettent des renonces, alors ni l'un ni l'autre gagne cette main.

31. — Le joueur qui a commis la renonce et son partenaire peuvent exiger que la main au cours de laquelle a eu lieu la renonce

soit jouée en entier, et compter tous les points qu'ils peuvent faire jusqu'à six.

32. — A la fin d'une main, les joueurs qui prétendent qu'il y a eu une renonce peuvent examiner toutes les levées. Si les levées sont mélangées on peut déclarer la renonce et la prouver, si possible; mais aucune preuve n'est nécessaire et la renonce est reconnue si, après qu'elle a été déclarée, le joueur accusé ou son partenaire mélangent les cartes avant qu'on ait pu les examiner à la satisfaction de l'adversaire.

33. — On peut déclarer une renonce en tout temps avant que les cartes aient été présentées et coupées pour la donne suivante, mais après il est trop tard.

34. **Divers** — N'importe quel joueur peut exiger que les joueurs tirent leurs cartes pendant que l'on joue une levée et avant que les cartes aient été touchées pour les remettre ensemble.

35. — Si, avant que son partenaire ait joué, un joueur attire l'attention d'une manière quelconque à la levée en cours, ou fait allusion aux points, le dernier adversaire à jouer sur cette levée peut exiger que le partenaire du coupable joue sa plus haute ou sa plus basse carte de la couleur d'attaque; ou, s'il n'en a pas, exiger qu'il joue ou ne joue pas atout pour cette levée.

36. — Si un joueur dit: « Je puis remporter le reste », ou « Le reste nous appartient », ou « Nous tenons la partie », ou autres réflexions du même genre, son partenaire doit poser ses cartes sur la table et elles deviennent sujettes à demande.

37. — Une levée ne doit pas être vue après qu'elle a été retournée et ramassée, tant que la main n'est pas finie. Le côté qui se rend coupable d'une telle offense devient passible de la même pénalité que celle d'une attaque hors de tour.

38. — Si un joueur est légalement requis de jouer sa plus haute ou sa plus basse carte, de jouer ou de ne pas jouer atout, ou d'attaquer dans une couleur donnée et ne s'y conforme pas, sans nécessité, il est passible de la même pénalité que s'il avait commis une renonce.

39. — Toutes les fois qu'un joueur est passible d'une pénalité, il doit attendre la décision des adversaires. Si l'un ou l'autre de ces derniers avec ou sans le consentement de son partenaire, réclame la pénalité à laquelle ils ont droit, sa décision est finale. Si le mauvais adversaire réclame une pénalité, ou si l'on exige la mauvaise pénalité, aucune ne s'applique plus.

LE POKER

Le Poker est reconnu comme le jeu de cartes national des Etats-Unis, et cela depuis une bonne centaine d'années. Sa popularité n'a cessé de croître surtout depuis qu'on s'est rendu compte qu'il présentait autant d'attraits pour les dames que pour les messieurs et qu'on pouvait le jouer aussi bien au foyer en toute simplicité que dans des clubs en des parties très sérieuses. Rares sont les Américains qui ne comprennent pas le Poker ou qui ne veulent pas le comprendre. L'un des charmes du jeu est qu'il est aussi facile à apprendre qu'à jouer.

PRINCIPES DE BASE DU POKER À L'ADRESSE DES COMMENÇANTS

Comment apprendre le Poker — Bien qu'il existe un nombre incalculable de manières de jouer au Poker, il n'est réellement nécessaire de comprendre que deux principes de base :

1. — La valeur des mains de Poker,
2. — Les principes du pari au Poker.

Un joueur qui connaît très bien ces deux points peut très bien jouer sans difficulté à n'importe quel genre de Poker.

Nombre de joueurs — De deux à quatorze joueurs peuvent jouer à l'une ou l'autre des différentes sortes de Poker. Les joueurs les plus expérimentés considèrent que sept ou huit joueurs forment la table idéale, mais cinq ou six joueurs peuvent aussi jouer une excellente partie.

Chaque joueur joue individuellement. Il n'y a pas de partenaires, même lorsque le mari et la femme jouent à la même table.

But du jeu — Remporter le pot (ou la cagnotte). Tous les enjeux déposés par tous les joueurs dans l'une ou l'autre des donnes composent le « pot ». Chaque pari indique que le joueur croit ou espère posséder la meilleure main. Lorsque chaque joueur a misé autant qu'il l'a désiré, les joueurs abattent leurs mains et la meilleure main remporte le pot.

Les mains de Poker — La main de Poker est composée de cinq cartes. La valeur d'une main de Poker est déterminée par la présence de l'une des combinaisons suivantes :

La « straight flush » ou quinte ou séquence de couleur (la main la plus forte) : les cinq cartes sont de la même couleur et à la suite comme, par exemple, les 6, 7, 8, 9, 10 de carreau. La « straigh flush » ayant le plus de valeur et appelée aussi la « flush royale » est celle composée de l'As, du Roi, de la Dame, du Valet et du 10 de la même couleur.

Le brelan carré : est composé de quatre cartes de même valeur et vient immédiatement après la « straight flush » - 4 As, 4 Rois, etc. La cinquième carte importe peu.

« *La full house* » ou la main pleine est composée de trois cartes de même valeur (ou brelan) et d'une paire, comme 888 - 44. Cette combinaison se place immédiatement après le « brelan carré ».

Une « flush » est composée de cinq cartes de même couleur, mais ne formant pas séquence. Elle se place après la « full house ».

Une « straight » ou séquence est composée de cinq cartes consécutives mais qui ne sont pas de la même couleur. Elle est battue par la « flush » ou les combinaisons plus hautes mais l'emporte sur toutes les autres.

Le brelan ou trois cartes de même valeur se place après la « straight ».

Les deux paires, comme deux Dames, deux 7 et un 4, viennent après le « brelan » ou trois cartes de même valeur.

Une paire l'emporte sur toute main ne contenant pas de paire mais non sur les combinaisons mentionnées plus haut.

Viennent ensuite les mains ne contenant pas de paire dont la valeur est déterminée par la carte la plus haute qu'elles contiennent. Ainsi, une main sans paire contenant un As l'emportera sur une main sans paire contenant un Roi, etc.

La première chose à faire pour un débutant est d'apprendre par coeur ces combinaisons et leur valeur relative. On en parle plus longuement en page 75.

Comment se fait l'enjeu — A chaque donne, il y a un ou des temps de pari ou de mise où chaque joueur aura l'occasion de parier sur la valeur de sa main.

Les règlements de certains jeux de Poker peuvent exiger qu'une contribution initiale (ante) d'un ou plusieurs chips soit versée à la masse ou au pot par chaque joueur et cela même avant que les cartes soient données.

Chaque temps d'enjeu ou de mise commence lorsque l'un des joueurs, à son tour, parie un ou plusieurs chips. Ensuite, chaque joueur à son tour tient le coup (en misant la même quantité de chips), ou relance en misant une quantité plus élevée de chips, ou bien encore passe et ne dépose pas de chips et abandonne (ou écarte sa main). Il ne prend plus part à l'enjeu jusqu'à une nouvelle donne, donc une nouvelle main.

Quand un joueur passe (ou abandonne), il perd les enjeux déjà pariés. Un joueur qui ne peut ou ne veut miser autant de chips que ne l'a fait n'importe quel joueur avant lui doit passer.

Le temps d'enjeu est terminé quand les paris sont égaux, c'est-à-dire quand chaque joueur a misé au moins autant de chips que n'importe quel joueur l'a fait avant lui ou qu'il a passé. Il y a habituellement deux ou davantage de temps d'enjeu pour chaque donne. Après le dernier temps d'enjeu, chaque joueur qui est resté dans le jeu étale ses cartes retournées et la meilleure main remporte le pot. C'est ce qu'on appelle le « showdown » ou l'abattage.

Si en aucun temps un joueur fait un pari ou une relance et que tous les autres joueurs passent, ce joueur gagne la mise sans montrer sa main.

« Check » est un terme de Poker qui sert à signaler que le joueur désire rester dans le jeu sans parier. De fait, c'est un pari « de rien ». Un joueur peut déclarer « check » à condition qu'aucun joueur n'ait parié encore dans ce temps d'enjeu. Si l'un des joueurs a parié, le joueur doit alors ou tenir le coup ou relancer. Si tous les joueurs déclarent « check », le temps d'enjeu est terminé.

A chaque temps d'enjeu, l'un des joueurs est désigné pour ouvrir les paris, selon les règlements du jeu. Le tour de parier va d'un joueur à l'autre vers la gauche, et aucun ne peut déclarer « check », parier, relancer ou passer avant que ce soit son tour.

Comment savoir quand parier — La valeur des mains de Poker données précédemment est basée sur les probabilités. Moins vous avez de chances d'avoir une certaine main, plus elle a de valeur; plus vous avez de chances de gagner si vous possédez une telle main. Par exemple, vous ne pouvez vous attendre d'avoir une « straight flush » plus d'une fois en 64,000 mains. Cependant, vous avez la chance de recevoir deux paires une fois par 21 mains et une paire au moins toutes les deux mains.

Vous ne devriez pas parier à moins de croire que vous possédez la meilleure main. Vous ne pouvez parier intelligemment à moins de savoir ce qu'est une bonne main, une main passable et une mauvaise main. Vous trouverez en page 87 un guide qui vous indiquera la main gagnante moyenne dans chacun des genres les plus populaires du Poker. On conseille au débutant de consulter ce guide jusqu'à ce qu'il soit familiarisé avec les différents genres de Poker.

Les deux principales catégories de Poker — Bien qu'il y ait plusieurs variantes du Poker, presque toutes relèvent de l'une ou l'autre de deux catégories principales. L'une de ces catégories est le « Draw Poker » ou le Poker fermé et l'autre le « Stud Poker » ou le Poker ouvert. Ces deux sortes de Poker ainsi que d'autres sont décrites plus loin (en pages 59 et 70).

PRINCIPES GÉNÉRAUX DU POKER

La section suivante s'applique à tous les genres de Poker et leurs variantes.

Genre de Poker joué — A moins que l'hôte ou le règlement du club n'ait déjà déterminé le genre de jeu, les joueurs devraient d'abord décider quel Poker ils désirent jouer. Deux facteurs devraient influencer leur décision : le nombre de joueurs et l'expérience des joueurs qui doivent participer au jeu. On recommande le choix suivant :

2, 3, ou 4 joueurs : le « Stud Poker » ou l'une de ses variantes. On peut jouer un des jeux « au choix du donneur » (page 68). Généralement seuls les joueurs très expérimentés jouent au « Draw Poker » quand ils sont peu nombreux, et ils emploient souvent un jeu « réduit » (page 5).

5 à 8 joueurs : N'importe quelle variante du Poker.

9 ou 10 joueurs : « Stud Poker » à cinq cartes.

Plus de 10 *joueurs* : Un des jeux au « choix du donneur » dans lequel on donne moins de cinq cartes, par exemple l'Ouragan, ou le « Monte » à trois cartes; ou « Spit-in-the-Ocean » sans prise de cartes (voir pages 70 et 71); ou bien l'on forme deux tables.

« *Le choix du donneur* » : Lors de réunions mondaines, lorsqu'il y a des dames et des messieurs qui participent au jeu, il est parfois recommandable de jouer un des jeux « au choix du donneur », d'autant plus que les dames diffèrent souvent de goûts avec les messieurs quant au jeu à choisir (page 68).

Cartes frimées — Surtout lorsqu'on joue « au choix du donneur », certaines cartes différentes sont susceptibles d'être frimées. Les plus souvent choisies sont les suivantes :

Le Joker : Maintenant que la plupart des jeux renferment deux « Jokers » pour faciliter les jeux tels que la « Canasta », de plus en plus les joueurs de Poker ajoutent ces deux jokers au paquet comme frimes.

La « petite bête » (Bug) : C'est le Joker, mais sa frime est limitée. Il compte pour un As; ou pour une carte de n'importe quelle couleur pour faire une « flush »; ou une carte de n'importe quelle valeur ou de n'importe quelle couleur pour faire une « straight » ou une « straight flush ».

Les deux : Les deux frimés sont une variante très populaire du « Draw Poker ». Tous les deux sont frimés. Le Joker est parfois inclus comme cinquième carte frimée.

Les borgnes : Le Roi de carreau et les Valets de pique et de coeur ne montrent qu'un oeil et sont donc souvent appelés les « borgnes » car on voit les deux yeux des autres figures. Ces trois cartes borgnes sont souvent employées comme cartes frimées.

« *La basse carte initiale* » (carte dans le trou) au Stud à sept cartes; La carte initiale à l'envers (carte dans le trou) de chaque joueur au Stud à cinq cartes; la plus basse carte de la main au Draw Poker; etc. Quand une telle carte est désignée, chaque carte de même valeur est *frimée dans la main de ce joueur*, mais le fait qu'elle est frimée dans la main d'un joueur ne veut pas dire qu'elle est frimée dans la main de tous les joueurs.

Il y a des lois spéciales qui régissent les cartes frimées : voir en page 73.

Lois et éthique — Dans chaque jeu de Poker un code écrit de lois du Poker devrait être adopté et reconnu comme officiel pour régler tous les problèmes pouvant être soulevés. Aucune loi du Poker n'est universellement suivie car il existe plusieurs coutumes et préférences locales, mais les lois du Poker données de la page 73 à la page 86 comprennent les coutumes les plus récentes des plus grands connaisseurs et on recommande leur adoption. C'est une tradition de tous les temps de reconnaître à chaque club et à chaque groupe de joueurs le droit d'établir des règlements particuliers qui répondent à leur goût propre. Ces règlements spéciaux sont appelés règlements de la maison mais ces règlements devraient également être écrits.

Limite de temps — Avant le début de la partie, on devrait fixer une limite de temps et s'y conformer. Un écart à ce principe peut transformer une partie agréable en une partie très désagréable.

Cartes — Originairement le Poker se jouait avec un seul paquet de cartes. Maintenant, à peu près dans tous les clubs et parmi les meilleurs joueurs, on se sert de deux paquets, un rouge et un bleu (ou de deux autres couleurs contrastantes). Cela presse le mouvement du jeu puisqu'un paquet est mêlé pendant que l'autre est donné. On procède comme suit : pendant que la donne se fait, le donneur précédent rassemble les cartes du paquet qu'il a donné, les mêle et les place à sa gauche. Quand vient le temps de la donne, le paquet est passé au prochain donneur. Par exemple, disons qu'il y a sept joueurs qu'on appelle A, B, C, D, E, F, G. Le donneur est D, il donne le paquet rouge. Durant sa donne, les joueurs lancent leurs cartes dans sa direction lorsqu'ils écartent ou abattent. Lorsqu'il a fini sa donne, il ramasse ces cartes. Lorsque E donne les cartes, du paquet bleu, D mêle les cartes du paquet rouge qu'il pose entre lui et E. Après la donne de E c'est le tour de F de donner ce paquet. E passe le paquet rouge à sa gauche, à F, il rassemble et mêle le paquet bleu. F commence à mêler le paquet rouge. Dans plusieurs parties où l'on emploie deux paquets, le joueur de gauche du donneur coupe le paquet plutôt que le joueur de droite.

Des cartes de Poker (plus grandes que des cartes de Bridge) sont employées de préférence dans la plupart des clubs mais aucune loi ne détermine un tel usage et de plus en plus dans les foyers où les dames jouent on emploie les cartes plus petites.

C'est l'habitude dans les clubs de changer souvent les cartes et même de permettre à n'importe quel joueur de demander un tel changement quand il le désire. Lorsqu'on change de cartes, on remplace et le paquet rouge et le paquet bleu. Dans certains clubs, le joueur qui demande de changer de cartes doit assumer les frais des nouveaux paquets. Dans la plupart des clubs, cependant, il y a une « chatte » (Kitty — voir le paragraphe suivant) dont on retire la somme nécessaire pour défrayer le coût des nouveaux jeux.

La « chatte » — Par entente unanime ou majoritaire, les joueurs peuvent établir un fonds spécial appelé « la chatte ». Habituellement on constitue la « chatte » en prélevant un jeton blanc de chaque cagnotte (ou pot) dans laquelle (ou lequel) se trouve plus d'une relance. La « chatte » appartient également à tous les joueurs. On s'en sert pour payer les nouvelles cartes (voir le paragraphe précédent) ou les rafraîchissements. Tous les chips ou jetons restant dans la « chatte » à la fin de la partie sont également répartis entre les joueurs encore dans le jeu. A l'encontre de certains autres jeux, comme le Pinochle, un joueur qui laisse la partie de Poker avant la fin n'a pas droit à sa part de chips ou de jetons de la « chatte ».

Chips ou jetons — On emploie presque toujours des chips ou jetons pour jouer au Poker. Une partie de 7 joueurs demande au moins 200 jetons. Habituellement, le jeton blanc vaut une unité, c'est le jeton de moindre valeur, quelle que soit « l'ante » ou le pari. Un jeton rouge vaut 5 blancs et le jeton bleu, 10, ou 2 rouges. Si la limite du jeu est fixée à 5, on devrait avoir 100 blancs et 100 rouges. Si la limite est fixée à 10, on devrait jouer avec 100 jetons blancs, 50 rouges et 50 bleus. Au début de la partie, chaque joueur prend un nombre égal de jetons ou chips, appelés « take out » ou réserve. Une réserve raisonnable serait dans l'ordre de 10 jetons blancs, 4 rouges et 2 bleus, soit 50 unités en tout.

Banquier — Un joueur doit être désigné comme banquier, son rôle sera de veiller sur la réserve générale de jetons et de contrôler la quantité versée à chaque joueur. On ne devrait pas permettre de transactions entre joueurs, non plus d'échange. Un joueur ayant acquis un surplus de jetons devrait s'adresser au « banquier » pour se les faire créditer, tandis qu'un joueur qui en manque devrait s'adresser au « banquier » pour en obtenir d'autres.

Limites d'enjeux — Il existe plusieurs moyens de limiter les enjeux. Il est reconnu qu'une limite est nécessaire. Une fois déterminée, une limite devrait valoir pour toute la partie. La limite fixée pourrait être l'une de celles qui suivent qui sont parmi les plus populaires :

1. — *Limite fixe* : Personne ne peut parier ou relancer pas plus qu'un nombre déterminé de chips ou de jetons : par exemple, 2, 5, ou 10. Cette limite varie habituellement selon la progression de la partie. Dans le « Draw Poker », si la limite est de deux jetons avant prise de cartes, elle est de quatre après prise de cartes. Au « Stud Poker », si la limite est d'un jeton au cours des trois premiers temps de pari, elle est de deux dans le temps de pari final (et souvent de deux quand un joueur peut montrer une paire).

2. — *Limite du pot* : La limite de tout pari ou de toute relance est le nombre de jetons contenus dans le pot lors du pari ou de la relance. (Ceci veut dire qu'un joueur qui relance peut compter comme faisant partie du pot la quantité de jetons qu'il lui faut pour parler. S'il y a 6 jetons dans le pot, un pari de 4 est fait, le total est de 10 jetons. Il peut alors relancer dans l'ordre de 14). Quand on joue à la limite du pot, on devrait quand même établir une limite maximum, disons, 50 jetons.

3. — *Enjeux au tapis* : Cette manière, et plus spécialement l'enjeu au tapis avec limite du pot, sont devenus les formes les plus populaires de déterminer une limite d'enjeu. La limite de chaque joueur est la quantité de jetons qu'il a devant lui. S'il ne possède que 10 jetons, il ne peut parier plus de 10 jetons et ne peut relancer tout autre joueur pour plus de 10 jetons. Aucun joueur ne peut retirer de jetons de la table ou les remettre au banquier à moins qu'il ne quitte la partie. Un joueur peut augmenter sa réserve, mais seulement entre l'abattage (ou au moment où il abandonne) pour un pot et le début de la donne suivante.

Dans l'enjeu au tapis, la coutume qui veut qu'un joueur puisse « demander un droit de regard » (call a sight), c'est-à-dire tenir jusqu'à l'abattage pour la valeur de tous les jetons qui lui restent, produit à l'occasion des pots secondaires ou « pots de côté ». Par exemple, A a 40 chips, B 80, C 150, D 200. A parie 20; B tient le coup, C relance à 50. Ce pari vide ou liquide A (il lui faudra avancer tous ces chips pour tenir le coup). C ne met que 40 chips à la masse, 20 pour parler et 20 pour relancer; les 30 chips qui composent le reste de sa relance vont à un « pot de côté ». A parle, plaçant les 20 chips qui lui restent à la masse. A peut maintenant rester jusqu'à l'abattage, quels que soient les paris des autres joueurs, et, si sa main est la plus forte, il remportera la masse. B parle, plaçant 20 chips à la masse et 30 au « pot de côté ». Au prochain tour de parole, A n'est pas concerné, B dit « check » (pour rester dans le jeu) et C parie 50, ce qui liquide B. Des 50 chips de C, 10 vont au premier « pot de côté » et 40 vont former un autre « pot de côté ». D tient le coup, et place 10 chips dans le premier « pot de côté » et 40 dans le second. B tient de 10, fermant ainsi le premier « pot de côté ». A l'abattage, la plus forte des quatre mains remportera la masse au tapis; ensuite la main la plus forte entre B, C et D le « premier pot de côté »; et la plus forte entre C et D remportera le second « pot de côté».

Mais quand un joueur abandonne, il perd tous ses droits aux « pots de côté ». Dans l'exemple précédent, supposons qu'il y ait encore un temps d'enjeu : C mise 30 chips et D passe. Parce qu'il passe D perd ses mises à la masse au tapis, au « premier pot de côté » de même qu'au second « pot de côté ». Il vient de reconnaître que C a une meilleure main que lui et par conséquent lui concède ses droits à tous les pots.

4. — *« Whangdoodles » ou « Roodles »*. Dans un jeu à limite fixe, il est souvent convenu qu'après une très bonne main — main pleine (full) ou mieux — on jouera une série de « pots » auxquels tous les joueurs participeront (même si telle n'est pas la coutume au jeu choisi) ou dans lesquels tous les joueurs doublent la mise initiale (ante double) et la limite est doublée pour ce tour. Un tour signifie une donne par chaque joueur. Lorsque le tour de donner revient au premier joueur, on reprend les limites et les coutumes ordinaires du jeu.

5. — *Poker « pauvreté »*. On établit une limite maximum quant au nombre de chips qu'un joueur peut perdre. Chacun prend une quantité ou réserve de chips au début de la partie, s'il perd toute sa réserve le banquier lui en octroie une autre sans la lui compter; et, dans bien des cas, le joueur pourra en obtenir une troisième gratuitement avant de passer. (On devra préciser le nombre de « réserves gratuites » auxquelles un joueur aura droit afin d'inciter les joueurs à jouer prudemment).

« Sans limite », « Sky's the Limit », « Freezeout », sont des méthodes souvent mentionnées dans les traités sur le jeu et ont déjà connu une certaine vogue, certains joueurs les suivent encore, mais elles sont périmées à toutes fins pratiques.

Relances limitées — Il n'est pas rare de limiter à trois (en certains cercles deux) le nombre de relances permises à un joueur par temps d'enjeu; ou de ne permettre que trois relances, par n'importe qui, en tout temps d'enjeu.

POKER — PRINCIPALES FORMES

LE DRAW POKER

Il y a plusieurs manières de jouer au Draw Poker. Les principales différences concernent surtout les paris. Les caractéristiques essentielles, communes à toutes les variantes sont :

Chaque joueur reçoit cinq cartes, données une à une, face fermée, en un mouvement circulaire commençant à la gauche du donneur.

A la fin de la donne il y a un temps d'enjeu (période de pari). Le joueur à la gauche du donneur a le premier le droit de parler.

Après le premier temps d'enjeu terminé, chaque joueur encore dans la partie, à son tour, en commençant par le joueur à la gauche du donneur, écarte une carte ou davantage et le donneur lui donne à même ce qui reste du paquet, toujours tourné à l'envers, autant de cartes qu'il a écartées. C'est la prise de cartes ou draw. Un joueur peut, s'il le désire, refuser de prendre des cartes.

Après la prise de cartes, il y a un autre temps d'enjeu suivi par l'abattage.

Nota : — Les règlements de la prise de cartes et la manière de procéder en cas d'irrégularités ou de questions litigieuses se trouvent dans les Lois du Poker commençant en page **73** et tout spécialement dans les paragraphes 26 à 30 de ces lois.

Sortes fondamentales de « Draw Poker » — Toutes les variantes du Draw Poker trouvent leurs origines dans l'une des deux sortes, selon les lois de l'enjeu :

1. — *Passe et sort,* ou *Passe dehors* ou *Parie ou Abandonne.* A chaque tour un joueur doit parier, le minimum permis si aucun pari n'a encore été fait, ou abandonner. Dans la plupart des jeux ceci ne s'applique qu'avant prise de cartes. Après prise de carte, un joueur peut rester dans le jeu sans parier. Dans certains jeux, cependant, chaque joueur doit parier ou abandonner avant et après prise de cartes.

2. — *Passe et rentre.* A son premier tour, un joueur peut passer plutôt que de parier, à condition qu'aucun joueur n'ait parié avant lui. On dit du premier joueur à parier qu'il ouvre. Une fois que le pot est ouvert, chaque joueur à son tour de rôle a une autre chance de rester dans le jeu ou de se retirer. Après prise de cartes, un joueur peut passer tout en restant dans le jeu, en disant « check ».

Le jeu « passe et sort » le plus souvent joué est l'ouverture « blind »; celui « passe et rentre » le plus souvent joué est le « Jackpots ». On décrit les deux jeux plus loin.

La mise initiale ou « ante » — Les joueurs doivent décider à l'avance laquelle des deux méthodes de mise initiale ils adopteront : ou bien (a) chaque joueur mettra un jeton blanc au pot avant la donne, ou (b) le donneur fera une mise initiale, par exemple, d'un jeton blanc ou rouge, avant la donne.

Mains spéciales — Pour augmenter le nombre de mains jouables et de cette manière rendre le jeu plus vivant, plusieurs joueurs accordent une valeur spéciale à une main ou davantage qui ne figurent pas habituellement dans les mains traditionnelles du Poker. Les mains spéciales le plus souvent adoptées sont :

« *Gros chat* » ou « *gros tigre* » : le Roi est la haute carte et le huit la carte basse, aucune paire comme par exemple, le Roi, le Valet, le 10, le 9 et le 8. Cette main se classe immédiatement après la « flush »; bat le « petit chat », n'importe quel « chien » ou une « straight ».

« *Petit chat* » ou « *petit tigre* » : Le 8 est la haute carte et le 3 la basse, sans paire, comme par exemple : 8, 7, 5, 4, 3. Elle vient après le « gros chat » ou la « flush », mais l'emporte sur le « chien » ou la « straight ».

« *Gros chien* » : l'As est la haute carte et le 9 la basse, sans paire; comme As, Dame, Valet, 10, 9. Elle vient après un « chat » ou une « flush », l'emporte sur un « petit chien » ou une « straight ».

« *Petit chien* » : Le 7 est la carte haute et le 2 la basse, aucune paire; comme 7, 6, 4, 3, 2. Elle vient après le « gros chien », un « chat » ou une « flush », mais l'emporte sur une « straight ».

Quand on joue aux « chiens » et aux « chats », ce sont habituellement les seules mains spéciales. Les mains spéciales qui suivent ne sont employées, en général, que lorsque les « chiens » et les « chats » ne sont pas reconnus dans le jeu :

« *Skeet* » ou « *pelter* » : Une main contenant les 9, 5, 2 et deux autres basses cartes, sans paire, comme 9, 7, 5, 3, 2. L'emporte sur une « straight » mais non sur une « flush ». Certains déterminent que l'une des deux cartes hors de la combinaison 9, 5, 2, doit se placer en séquence entre le 9 et le 5, tandis que l'autre doit se placer entre le 5 et le 2, de sorte qu 9, 5, 4, 3, 2 ne formeraient pas une « skeet ».

« *Skip straight* », « *Dutch straight* » ou « *Kilter* » : Cinq cartes en séquence alternée, comme une Dame, 10, 8, 6, 4, ou Roi, Valet, 9, 7, 5, l'emporte sur un brelan (trois cartes semblables) mais non sur une « straight ».

« *Round-the-corner straight* » : Une séquence telle que 3, 2, As, Roi, Dame. C'est la « straight » de plus basse valeur. 5, 4, 3, 2, As l'emporte sur 4, 3, 2, As, Roi qui l'emporte à son tour sur 3, 2, As, Roi, Dame, etc. Quand on adopte à la fois la « skip straight » et la « round-the-corner straight », la « skip » l'emporte.

« *Blaze* » : n'importe quelle combinaison de 5 figures. L'emporte sur toute main contenant 2 paires, mais non sur un brelan.

« *Fourflush* » : rarement adoptée en dehors du « Stud Poker ». L'emporte sur une paire, mais non sur deux.

« *Flushes* » spéciales : Pour certains, puisque un « chat », un « chien », ou une « skeet » l'emportent sur une « straight », un « chat flush », un « chien flush » ou une « skeet flush » l'emportent sur une « straight flush » et deviennent ainsi la main la plus forte du jeu, à moins qu'une frime rende possible une quinte qui, elle, est toujours la main la plus forte.

Pour rompre l'égalité : L'égalité entre deux mains spéciales de même valeur est brisée de la même manière qu'entre deux mains sans paire. Ainsi, entre deux « petits chiens » : 7, 6, 4, 3, 2, l'emporte sur 7, 5, 4, 3, 2.

JACKPOTS

Habituellement, chaque joueur fait une mise initiale (ante) d'un jeton blanc avant la donne.

Quand la donne est terminée, chaque joueur, à tour de rôle, en commençant par le joueur à la gauche du donneur, a le droit d'ouvrir (faire le premier pari) ou de passer. Au « Jackpots », le mot *passer* équivaut à *check*, c'est-à-dire à ne pas parier mais à rester dans le jeu. Le mot passer est un terme ambigu au Poker car quelquefois il veut dire « check » — ne pas parier mais rester dans le jeu — et d'autres fois il veut dire abandonner ou se retirer. Un joueur ne peut ouvrir à moins d'avoir des Valets ou mieux — une paire de Valets ou une main qui l'emporterait sur une paire de Valets à l'abattage.

Si personne, même le donneur, n'ouvre, tous les joueurs — ou le donneur suivant — misent à la masse à nouveau et il y a donne par le donneur suivant.

Si l'un des joueurs ouvre, le premier temps d'enjeu commence. Chaque autre joueur, à tour de rôle après lui, y compris ceux qui ont déjà passé, doit abandonner, parler, relancer jusqu'à ce que ce temps d'enjeu soit terminé. Vient ensuite la prise de cartes, comme dans toutes les variantes du Draw Poker, un autre temps d'enjeu au cours duquel chaque joueur peut passer mais rester dans le jeu (check) jusqu'à ce qu'un pari soit fait, et vient ensuite l'abattage.

Le joueur qui ouvre doit montrer ses cartes d'ouverture avant d'écarter sa main. Il a la latitude de ne montrer aux autres joueurs que les cartes requises pour justifier l'ouverture. Naturellement, s'il est dans l'abattage, il doit montrer sa main complète. (Voir page 82 les règlements qui obligent à montrer les cartes d'ouverture et sur les fausses ouvertures).

Jackpots progressifs — Il se joue comme le « Jackpots » sauf que si personne ne peut ouvrir, à la donne suivante il faut des Dames ou mieux pour ouvrir; à la troisième donne, des Rois ou mieux sont requis; à la quatrième, des As ou mieux. Certains joueurs vont ainsi jusqu'à deux paires ou mieux.

Ouverture de Valets ou « Bobtail » — Selon plusieurs on peut ouvrir avec une paire de Valets ou mieux, ou avec n'importe quelle « bobtail », c'est-à-dire avec 4 cartes de la même couleur en séquence qui peuvent composer une « straight » si la carte de l'une ou l'autre extrémité de la séquence est prise. (8, 7, 6, 5, est une « bobtail » parce que le 9 ou le 4 en ferait une « straight ». As, Roi, Dame, Valet ne forment pas une « bobtail » parce que seul le 10 pourrait compléter la « straight ». 9, 8, 6, 5, n'en forment pas une parce que seul le sept pourrait compléter la « straight » qui serait une « straight interne ».

Ouverture avec n'importe quoi — Les règles sont les mêmes qu'au « Jackpots » sauf qu'il y a pas de minimum requis pour ouvrir, de sorte qu'en aucun temps le joueur qui ouvre l'enjeu n'est obligé de montrer ses cartes d'ouverture. On le joue habituellement « passe et sort » avant prise de cartes et « passe et reste » après.

OUVERTURE « BLIND »

(Tigre « Blind » ou « Blind et double » (Straddle)

Le donneur dépose un chip initial qui ne compte pas comme pari. Le joueur à la gauche du donneur (anciennement appelé l'aîné ou « edge ») doit ouvrir « blind » d'un chip et le joueur à la gauche de celui-ci doit doubler (surblinder) de deux chips, chaque pot commence donc avec quatre chips. Antérieurement, on appelait « straddle » cette relance obligatoire.

On donne les cartes. Le joueur à la gauche du « surblind » est le premier à entrer en action. Il peut ou parler en déposant deux chips, ou relancer en en mettant trois, ou abandonner. Avant prise de cartes la limite est d'un chip, aucun joueur ne peut donc relancer de plus de ce nombre. Les paris se poursuivent alors normalement. La mise initiale (ante) du donneur ne compte pas pour celle qu'il doit déposer pour parler ou relancer, mais les enjeux d'un chip du joueur « blind » et les deux du joueur « surblind » comptent. Par conséquent, si personne ne relance, l'ouverture « blind » peut rester à un chip et automatiquement le « surblind » fait partie du coup.

Après prise de cartes, la limite est de deux chips. L'ouvreur « blind » commence les paris s'il est toujours du jeu, autrement, c'est le joueur actif le plus près à sa gauche qui commence. Les joueurs peuvent ne pas parier et rester dans le jeu (dire check) tant qu'un pari n'a pas été fait.

« Blind et Straddle » — Dans cette ancienne forme d'ouverture « blind », le premier pari « blind » et le premier double (surblind ou straddle, relance du « blind ») sont obligatoires. Le joueur à la gauche du « straddle » obligatoire peut relancer encore le « blind » en pariant 4 chips; dans ce cas, le joueur à sa gauche peut aussi relancer en pariant 8 chips, et ainsi de suite. Dans la plupart des variantes les relances (straddles) sont limitées à une ou deux. La dernière relance (straddle) détermine la limite d'enjeu avant prise de cartes; s'il n'y avait qu'une relance, la limite serait d'un chip; s'il y a eu une deuxième relance (4 chips), la limite est de deux; s'il y a eu une troisième relance (8 chips), la limite est de quatre. Après prise de cartes, les paris volontaires reprennent en commençant par le joueur à gauche du « straddler ». La limite après prise de cartes est le double de ce qu'elle est avant.

Poker Anglais ou Australien — Il s'agit d'une ouverture « blind » dans laquelle le joueur qui relance peut doubler le pari précédent. La relance s'appelle le doublage.

Système du « bloc » — A ce jeu, on met 26 chips dans le pot avant de commencer à jouer : cet enjeu comprend la mise initiale (ante) du donneur de 19 chips, une ouverture blind de 2 chips par le joueur à la gauche du donneur, et une relance obligatoire à 4 chips par le second joueur à la gauche du donneur. Le troisième joueur a le premier le privilège de parier, après avoir vu ses cartes. L'unité de relance pour tout joueur avant prise de cartes est limitée

à 2 chips. Après prise de cartes la limite de relance est le nombre
total de chips parié par chaque joueur avant prise de cartes (« l'ante » de 19 chips ne comptant pas comme pari).

STUD POKER

Au « Stud » poker, chaque joueur reçoit une ou plusieurs cartes
initiales, face fermée (appelées cartes dans le trou), et le reste de
ses cartes face exposée. Après que chaque joueur a reçu au moins
une carte à l'endroit et subséquemment après chaque tour de donne
(une carte par joueur), il y a un temps d'enjeu avant de continuer
la donne. *Nota* : La manière de procéder et de régler les irrégularités au Stud Poker, se trouve dans les Lois du Poker, commençant
en page 73 et particulièrement aux paragraphes 31 à 38 de ces lois.

Stud à cinq cartes

De deux à dix joueurs peuvent participer à ce jeu. (A toutes fins
pratiques, jusqu'à quatorze joueurs peuvent jouer en même temps,
car alors on suppose qu'un certain nombre de joueurs abandonneront
la partie et qu'il y aura assez de cartes pour tous. Toutefois, à plus
de dix joueurs, il est difficile de bien conduire la partie).

Il n'y a pas de mise initiale (ante).

Le donneur distribue à chaque joueur une carte, à l'envers, puis
une autre, à l'endroit. Alors le premier temps d'enjeu commence.

Au premier temps d'enjeu, le joueur qui détient la carte la plus
haute *doit* ouvrir le pot avec un pari d'au moins l'unité minimum
convenue entre les joueurs (par exemple, 1 chip blanc). Aux autres
temps d'enjeu, le premier joueur à parler et les autres ensuite peuvent
rester dans le jeu sans parier (check) à moins que et jusqu'à ce
que quelqu'un ait parié.

A chaque temps d'enjeu, le premier joueur à parler est celui qui
a la plus haute carte ou la plus forte combinaison de Poker à
montrer. S'il y a égalité entre deux ou plusieurs joueurs, le premier
à parler sera celui assis le plus près de la gauche du donneur (celui
qui a reçu ses cartes le premier).

Après le premier temps d'enjeu, le donneur donne une carte à
l'endroit, à tour de rôle, à chaque joueur actif; il y a un autre temps
d'enjeu; une autre distribution de cartes à l'endroit aux joueurs
actifs qui restent, un autre temps d'enjeu, puis un tour final de
cartes, à l'endroit, et un temps d'enjeu final. S'il reste deux joueurs
ou plus après le temps d'enjeu final, il y a abattage au cours
duquel chaque joueur retourne la première carte qu'il a reçue (la
carte dans le trou). Si, au cours d'un temps d'enjeu, un pari ou
une relance demeure sans que personne ne reparle, on ramasse le
pot et le tour de donne passe au suivant.

Le joueur qui abandonne doit immédiatement retourner à l'envers
toutes les cartes qu'il avait à l'endroit.

Le donneur est dans l'obligation, après chaque tour de donne,
de désigner le premier joueur à parier (ainsi : « Le premier roi

parle », « Une paire de six parle », etc.) et, après que la troisième
et quatrième cartes à être distribuées à l'endroit ont été données,
il doit également dire les combinaisons possibles (possibilité de
« straight ») (possibilité de « flush »). La possibilité de « straight »
ou de « flush » ne sert pas à déterminer le premier qui doit parler,
à part dans certaines variantes du jeu où les joueurs ont convenu
qu'une « fourflush » l'emportera sur une paire à l'abattage, car alors
au dernier temps d'enjeu une « fourflush » en main parie contre une
paire.

Lorsqu'il y a beaucoup de joueurs, s'il n'y a pas assez de cartes
pour finir la donne au dernier tour, le donneur pourra prendre une
carte sur le desus du talon pour la mettre en évidence (flash) en
la retournant sur la table, cette carte sert alors de cinquième carte
commune à toutes les mains.

Stud à sept cartes

(« Down the river », « Peek Poker » ou « Seven-toed Pete »)

Il peut y avoir de deux à huit joueurs. A la première donne chaque
joueur reçoit deux cartes, à l'envers, puis une carte, à l'endroit,
toutes distribuées ensemble en un mouvement circulaire. Après
quoi, il y a temps d'enjeu. Chaque joueur actif reçoit ensuite trois
autres cartes, à l'endroit, et une autre, à l'envers, dans l'ordre mentionné, et il y a un temps d'enjeu entre chaque tour de donne. A
l'abattage, chaque joueur retourne les cartes qu'il a reçues fermées
et choisit cinq de ses sept cartes pour faire sa main; il doit
séparer ces cinq cartes des deux autres qu'il écarte. Le jeu continue
alors normalement comme les autres formes de Poker, les cartes
parlant elles-mêmes, cependant, même si un joueur constate qu'il
aurait pu mieux combiner ses cinq cartes en utilisant celles qu'il
a écartées, il ne lui est pas permis de les reprendre.

Pour le reste du jeu, la manière de procéder est la même que
pour le « Stud à cinq cartes » (Voir plus haut).

POKER « HIGH-LOW »

L'idée de base du Poker « High-Low » est que la meilleure main
partage le pot avec la moins bonne. Le « High-Low » fut donc in-
venté dans l'intention de donner aux détenteurs de mauvaises mains,
l'occasion de jouer. En pratique, cette forme de jeu fut jugée si
bonne qu'elle rivalise maintenant en popularité avec le Poker ordinaire. L'un de ses dérivés : le « Low Poker » ou « Lowball » (voir
page 66), dans lequel c'est la main la plus basse qui remporte les
pots, est l'un des principaux jeux de cartes en faveur dans la partie
ouest des Etats-Unis.

Variantes du « High-Low » Poker — On peut jouer en « high-low »
n'importe quelle forme de Poker. Maintenant, la plupart des jeux
avec frimes, et des « stud à sept cartes » se jouent en « high-low ».
Au « high-low », il y a généralement deux joueurs à remporter le

pot, celui qui a la main la plus forte prenant la moitié de la masse, et celui qui a la main la plus basse prenant l'autre moitié. Si la masse (ou pot) ne se divise pas également, la main la plus haute remporte le « chip » supplémentaire. Quelques fois, il n'y a qu'un gagnant, ainsi :

Déclarations — Dans certains groupes, après le dernier temps d'enjeu, mais avant l'abattage, chaque joueur doit déclarer s'il mise du côté de la main haute, de la basse ou des deux. Il y a trois façons de déclarer et les joueurs devront convenir de celle qui sera employée. Voici ces méthodes :

a) A tour de rôle, en commençant par le joueur à la gauche du donneur, et avant que les cartes soient étalées sur la table, chaque joueur doit dire s'il mise sur la main haute ou sur la basse.

b) Avant que l'on montre les cartes, chaque joueur décide mentalement s'il mise sur la main haute ou la basse. S'il choisit la basse, il prend un « chip » blanc dans sa main sans que les autres joueurs le voient. Si c'est la main haute, il en prend un rouge. Lorsque tous ont choisi, chacun montre le « chip » qu'il a pris. Si tous les joueurs ont choisi dans le même sens, c'est la meilleure main dans ce sens-là qui emporte tout le pot.

c) Pour choisir et la main haute et la basse : au lieu de prendre un « chip » blanc ou rouge, tel que décrit au paragraphe précédent, le joueur peut prendre un chip bleu et indiquer ainsi qu'il tente sa chance et pour la main haute, et pour la basse. Dans ce but, le joueur a mentalement choisi deux combinaisons de cinq cartes possibles avec la main qu'il détient : cela peut arriver lorsqu'on joue avec des frimes ou au « stud à sept cartes ». Le joueur, qui a misé sur le haut et le bas et dont le jeu est égalé ou battu par un autre dans l'une ou l'autre des combinaisons, perd tout droit au pot. Si personne ne gagne complètement selon sa déclaration, on annule toutes les déclarations et l'on divise le pot également entre tous les joueurs actifs.

Stud à sept cartes « high-low » — A l'abattage, chaque joueur peut choisir cinq de ses cartes comme « main haute » et cinq comme « main basse »; il peut gagner des deux façons et remporter tout le pot.

Classement des « mains basses » — Dans la plupart des jeux « high-low » on observe l'ordre ordinaire des mains de Poker; la combinaison la plus basse possible est donc 7-5-4-3-2, pas toutes de la même couleur. Les joueurs sont susceptibles de se méprendre quant à la manière de classer une « main basse ». La meilleure manière d'éviter toute méprise est d'établir laquelle de deux mains est la plus haute, selon les standards habituels du Poker, l'autre se trouvant ainsi la plus basse des deux. Par exemple : 8-7-4-3-2 et 8-6-5-4-3 : c'est la combinaison 8-6 qui est la plus basse car elle perdrait normalement à la main 8-7 à l'abattage en Poker ordinaire. Le deux de la combinaison 8-7 n'a rien à y voir parce que la valeur des mains de Poker se calcule dans l'ordre descendant des cartes.

En général, on observe l'une des deux variantes suivantes pour classer les mains :

L'As carte basse. — En misant sur la « main basse » on peut considérer l'As comme la plus basse carte, et dans ce cas la combinaison la plus basse possible devient 6-4-3-2-A en deux ou plusieurs couleurs. Même parmi les paires en recherchant la plus basse, une paire d'As sera plus basse qu'une paire de deux.

Frimes basses. — Le rang de toute frime est « zéro » et son rang sera relatif à celui des autres cartes de la combinaison. Ainsi, les deux étant frimés, 7-5-4-3-2 est moins bas que 7-5-4-2-2. En certains cercles, les frimes peuvent faire double emploi avec d'autres cartes sans former de paires, de sorte que l'As étant la basse carte, le « Joker » frime, 6-4-3-2-A sera plus haut que 6-4-3-A-Joker, cette dernière combinaison étant au niveau de deux As.

Retour des Valets (Jacks Back) — C'est une partie ordinaire de Poker (Draw) pour « Jackpots », mais si personne n'ouvre le pot, chaque joueur a une autre chance de miser sur une « main basse » (Lowball). Si le pot n'est pas ouvert alors (il l'est presque toujours), le tour de donner passe au suivant.

POKER « BAS » ou « LOWBALL »

Au « Lowball » seules les mains basses comptent. Tous les pots sont remportés par les mains les plus basses. L'As est toujours une basse carte : deux As sont la plus basse paire. Les « straights » et les « flushes » ne comptent pas, la main la plus basse est donc A-2-3-4-5 sans aucun compte des couleurs; on appelle cette main une « bicyclette » ou une « roue » (D'après la marque de cartes à jouer « Bicycle »). On ajoute généralement le « Joker » au paquet; c'est la « petite bête » (Bug) ou cinquième As. Il ne compte jamais que comme As : Joker-As-2-3-4 renferme une paire d'As, ce n'est pas le quatre qui compte comme carte haute.

Le « Lowball » se joue toujours en « passe et sort ». Il n'y a pas de minimum requis pour ouvrir le pot et, à chaque tour de pari avant prise de cartes, chaque joueur doit parier ou abandonner. Après prise de cartes, un joueur peut rester dans le jeu sans parier (check). Après prise de cartes, les paris reprennent toujours en commençant par le joueur le plus près de la gauche du donneur.

« Lowball » californien — Les règles suivantes sont des règles-types du genre de celles observées pendant les parties de Poker « Lowball » jouées dans les clubs de Californie où cette forme de jeu est le plus répandu.

Seuls le donneur et un ou deux joueurs à sa gauche font une mise initiale (ante); le total de ces mises est la limite de mise avant prise de cartes. (Par exemple, si la limite avant prise est de 2 chips, le donneur et le joueur à sa gauche font une mise initiale (ante) d'un chip. Si la limite est de 3, le donneur et les deux joueurs à sa gauche font chacun une mise initiale de 1. Toutefois, il n'y a que trois joueurs à faire une mise initiale (ante); si la limite est de 5, le donneur mise 1 et les deux autres joueurs 2 chacun). Après prise de cartes, la limite est le double de ce qu'elle était avant.

Le premier joueur à ouvrir est celui qui est placé immédiatement à la gauche du dernier à faire une mise initiale. Avant prise de cartes, le jeu est « passe et sort ». Les mises initiales comptent pour faire face aux paris d'autres joueurs.

Après prise de cartes, on peut rester dans le jeu sans parier (check), mais un joueur qui n'a pas parié à un tour ne peut pas relancer à un autre temps d'enjeu, il ne peut que tenir. (Dans certains clubs, le joueur qui reste au jeu sans parier avec en main un 7 (ou mieux) comme carte haute perd ses droits à tout ce qui pourrait être rajouté au pot; c'est-à-dire, que s'il tient un pari et perd, il perd tout : s'il tient un pari et gagne le joueur qui a parié retire sa mise et le gagnant ne remporte que ce qu'il y avait dans le pot au moment où il a lui-même cessé de parier).

Une main comprend cinq cartes. Plus ou moins de cartes font une main morte.

Une carte prise sur la table est morte. Une carte face exposée dans le paquet est morte.

Si le donneur, avant prise de cartes, montre un 7 ou une carte plus basse que 7, le joueur doit l'accepter; si c'est un 8 ou plus haut qu'un 8, il peut l'accepter ou la rejeter et recevoir une autre carte du dessus du paquet (avant que la donne aux autres joueurs continue).

Si le donneur, après prise de cartes, retourne une carte, cette dernière est morte et le joueur recevra une autre carte après que tous les autres joueurs auront eu les leurs. Si le donneur retourne une de ses propres cartes, il doit la prendre.

Le joueur doit prendre le nombre de cartes qu'il a demandé. S'il dit : « Donnez-m'en deux... non, je veux dire trois ». il n'en recevra que deux. Si cela nuit à sa main, elle est morte. On peut prendre jusqu'à cinq cartes.

Tous les joueurs doivent laisser les cartes au niveau de la table, et en vue. Une main tenue plus bas que la table est morte.

Lorsque les joueurs demandent des cartes, le donneur « brûle » (écarte face fermée) la carte sur le dessus du paquet, puis fournit les cartes demandées.

Il faut montrer toute main demandée. Toutes les cinq cartes bien étalées.

On ne peut pas reprendre une main rejetée si une carte a touché une ou plusieurs autres cartes.

Chaque joueur est responsable de sa propre main; si un autre joueur la gaspille, elle devient main morte.

Si un joueur fait un pari insuffisant, il doit rajouter les chips qui manquent ou perdre ce qu'il a déjà parié. On ne peut pas retirer de l'argent qui a déjà été misé au pot.

Pas de « paris à ficelles ». Un joueur ne peut pas avoir recours à sa réserve pour relancer, à moins qu'il n'ait clairement annoncé « Relance ».

Il faut jouer chaque main jusqu'au bout. On ne partage pas un pot à moins qu'il n'y ait véritablement égalité.

VARIANTES DU POKER —

« LE CHOIX DU DONNEUR »

Au « choix du donneur », à tour de rôle chaque donneur a le privilège de désigner la forme ou variante de Poker qui sera joué à ce tour-là, et l'on suivra les règles qui lui sont propres, quant à la mise initiale (ante), les frimes, les tours d'enjeu, le rang ou l'importance des mains, etc.

Quelques fois le donneur choisira une forme standard de Poker, mais le plus souvent le jeu choisi aura quelques règles particulières, surtout en ce qui concerne les frimes. En plus des frimes énumérées en page 55 le donneur peut frimer une carte de n'importe quel rang, ou la première carte de chaque joueur, ou la troisième carte, ou la plus basse, etc. En certains cas on fera de certaines cartes des cartes de pénalité, qui annuleront les frimes ou même rendront toute une main mauvaise.

Le donneur ne peut pas exiger qu'un joueur fasse une mise initiale plus élevée que celle d'un autre joueur.

Si l'on a choisi un jeu tel que le « Jackpots » et que personne n'ouvre, le même donneur donne encore et tous doivent de nouveau faire une mise initiale (ante).

Les jeux suivants sont parmi les plus populaires comme « choix du donneur » :

VARIANTES DU «STUD POKER À CINQ CARTES»

Stud à cinq cartes — dernière carte à l'envers — C'est le Stud Poker à cinq cartes, ordinaire, mais la cinquième carte est donnée face fermée au lieu de face exposée.

Stud mexicain, ou Flip, ou « Peep-and-turn » (un coup d'œil et tourne) — Chaque joueur reçoit ses deux premières cartes à l'envers. Les joueurs regardent leurs cartes et en choisissent une qui sera retournée à l'endroit. Pour chacun des joueurs la carte, face fermée, devient une frime. Après un temps d'enjeu, on donne à chacun une autre carte, fermée. Chaque joueur décide alors laquelle des deux cartes, fermées, sera retournée et laquelle restera dans sa main comme frime. Suit un autre temps d'enjeu. Cette manière de procéder se poursuit jusqu'à ce que chaque joueur ait quatre cartes exposées devant lui et une carte frimée cachée dans sa main. Cette carte n'est frimée que pour le joueur qui la détient, et sont également frimées toutes les autres cartes de la même dénomination que la carte cachée. Après le dernier temps d'enjeu, tous les joueurs actifs qui restent montrent leurs cartes cachées et annoncent la valeur de leurs mains. Cette forme de jeu est souvent jouée en « high-low ».

Stud à cinq cartes, dernière carte à l'envers (facultatif) — Ce jeu est semblable au « Stud Poker » ordinaire, sauf que le joueur peut retourner à l'endroit la première carte qu'il a reçue à l'envers, avant le dernier tour de donne et demander à avoir sa cinquième carte à l'envers.

Pistolet ou « Stud à la carte dans le trou » — On suit les règles normales du Stud Poker, sauf qu'il y a un temps d'enjeu après que la première carte à l'envers (Hole card ou carte dans le trou) est donnée, il y a donc cinq temps d'enjeu en tout. Généralement, le donneur doit parier sur la première carte (carte dans le trou), et la plus haute carte donnée ouverte parie au tour suivant.

VARIANTES DU STUD POKER À SEPT CARTES

Flip à sept cartes — On donne à chaque joueur quatre cartes fermées. Après les avoir regardées il peut en retourner deux, n'importe lesquelles. Il y a alors un temps d'enjeu, puis le jeu continue comme le Stud Poker ordinaire, à sept cartes. Les trois autres cartes sont données: deux, face exposée et, une, face fermée, avec un temps d'enjeu entre chaque.

Selon une autre variante, chaque joueur reçoit deux cartes, l'une ouverte, l'autre fermée, suivies d'un temps d'enjeu; puis encore deux cartes, une ouverte, l'autre fermée, et un autre temps d'enjeu; et un troisième tour de deux cartes avec un temps d'enjeu; et, finalement, la septième carte, fermée. Chaque joueur écarte alors une des cartes reçues fermée et une exposée, ce qui lui laisse trois cartes cachées et deux exposées. Suivent le dernier temps d'enjeu et l'abattage.

Fusil à deux coups, ou « Texas Tech » — On donne trois cartes, fermées, à chaque joueur, puis il y a un temps d'enjeu; une autre carte fermée, un autre temps d'enjeu; une cinquième fermée et un troisième temps d'enjeu. Il y a prise de cartes comme au « Draw Poker ». Après la prise de cartes, chaque joueur tourne une carte à l'endroit, puis il y a un temps d'enjeu; une autre carte, un temps d'enjeu, ainsi de suite, jusqu'à ce que chacun ait quatre cartes, exposées, et une carte, fermée, alors il y a un dernier temps d'enjeu et l'abattage. Tous doivent retourner leurs cartes simultanément à un signal donné par le donneur.

Baseball — C'est une partie de stud à sept cartes avec tous les neuf et les trois frimés; mais, lorsqu'un trois est exposé, le joueur qui le reçoit doit, soit doubler le pot (mettre à la masse autant de chips qu'il y en avait déjà), soit abandonner. Un quatre exposé donne le droit au joueur qui le reçoit à une autre carte (dans le trou), cachée, que le donneur lui remet immédiatement en la prenant sur le dessus du paquet. On peut aussi jouer au « baseball » en partie de stud à cinq cartes.

Football — Se joue comme le « baseball », sauf que les six et les quatres sont frimés. S'il reçoit un quatre le joueur doit doubler le pot ou abandonner. Un deux donne droit à une carte « dans le trou » supplémentaire.

Heinz — Les cinq et les sept sont frimés, mais le joueur qui en reçoit un, exposé, doit doubler le pot ou abandonner.

Woolworth — Les cinq et les dix sont frimés. Le joueur qui reçoit un 5, exposé, doit donner 5 chips au pot ou abandonner, et le joueur qui reçoit un 10, exposé, doit verser 10 chips au pot ou abandonner.

Omaha — Chaque joueur reçoit deux cartes, fermées. On place cinq cartes, fermées, au centre de la table. Il y a un temps d'enjeu. Puis, on retourne une à une les cartes du centre de la table, avec un temps d'enjeu après chaque carte. Chaque joueur bâtit sa main d'après ses deux cartes et les cinq au centre de la table.

« Hold'em » — Se joue comme l'Omaha, mais, après le premier temps d'enjeu on retourne trois cartes au centre. On retourne les deux dernières cartes, une à la fois.

Bull — Chaque joueur reçoit trois cartes fermées. Il les place dans l'ordre qu'il veut, mais ne peut plus changer cet ordre par la suite. Il y a ensuite un temps d'enjeu. Alors, chaque joueur reçoit quatre cartes à l'endroit, et il y a un temps d'enjeu entre chaque distribution. Alors, chaque joueur retourne la première carte qu'il a reçue à l'envers (dans le trou), un temps d'enjeu. On retourne ensuite les dernières cartes pour l'abattage. On joue généralement ce jeu en « high-low », et un joueur peut y gagner à la fois par main haute et par main basse.

Stud à six cartes — On donne les cinq premières cartes comme au Stud à cinq cartes ordinaires, mais après le quatrième temps d'enjeu, chaque joueur reçoit une autre carte (dans le trou), cachée. Après un dernier temps d'enjeu chaque joueur choisit cinq des six cartes comme main.

Stud à huit cartes — Se joue comme le Stud à sept cartes, sauf que chaque joueur reçoit une huitième carte, tournée à l'envers ou à l'endroit, selon ce que le donneur aura décidé d'avance.

VARIANTES DU « DRAW POKER »

Les deux frimés — Il s'agit d'un jeu de « Jackpots » ordinaire mais avec les quatre deux frimés.

Mains froides — Chaque joueur dépose une mise initiale (ante) convenue. On donne alors cinq cartes à chaque joueur, une à la fois, ouvertes, et la plus haute main emporte le pot. Il n'y a ni prise de cartes, ni pari.

Poker ordinaire (Straight) — C'est le poker dans sa forme originale. Chaque joueur reçoit cinq cartes, à l'envers; chacun parie, puis c'est l'abattage sans prise de cartes.

« Spit in the Ocean » — On ne donne que quatre cartes à chaque joueur. La carte suivante est placée, à l'endroit, au centre de la table, et chacun des joueurs la considère comme la cinquième carte de son jeu. C'est une carte frimée, comme le sont les autres cartes de la même dénomination dans tout le jeu. Après un temps d'enjeu, il y a prise de cartes, comme dans toute partie de « Draw Poker », sauf que la prise est limitée à quatre cartes, il y a un dernier temps d'enjeu et l'abattage.

La veuve frimée (wild widow) — On donne cinq cartes, fermées, à chaque joueur. Avant de distribuer le dernier tour de cartes on en place une, à l'endroit, au centre de la table; les trois autres cartes du même rang sont frimées. Il y a un temps d'enjeu, puis prise de cartes et un dernier temps d'enjeu.

Variantes de « Spit in the Ocean » — On joue généralement en « high-low » les nombreuses variantes de ce jeu.

Selon l'une d'elle, on place 3 cartes, fermées, au centre et chaque joueur en reçoit quatre. Les cartes du centre remplacent la prise de cartes. On les retourne, une à la fois, avec un temps d'enjeu entre chaque. Les joueurs peuvent se servir des cartes du centre pour compléter leurs mains. A l'abattage, chaque joueur choisit une main de cinq cartes combinant une des cartes du centre avec celles qu'il a dans sa main.

Une de ces variantes s'appelle Cincinnati. « Lame Brains » (cerveau infirme) et d'autres noms encore. On donne cinq cartes à chaque joueur et on place, fermée, au centre de la table, une autre main de cinq cartes. On remet les cartes du centre de la table à l'endroit, une à la fois, avec un temps d'enjeu entre chaque. Les joueurs se choisissent chacun une main de cinq cartes, en employant celles qu'ils ont en main et celles qui sont sur la table. Quelquefois, à ce jeu, la carte du centre sur la table est frimée, ou encore la plus basse carte sur la table est frimée.

Dans la variante appelée « le tour du monde », on donne quatre cartes à chaque joueur et l'on place quatre cartes fermées au centre de la table. On ne joue que pour la main haute. Les cartes du centre sont retournées une à une, avec un temps d'enjeu entre chaque.

Fusil — On donne trois cartes, fermées, à chaque joueur. Puis, il y a un temps d'enjeu. D'autres temps d'enjeu, suivent la donne de la quatrième et cinquième cartes. Les joueurs encore actifs, ont une prise de cartes pour améliorer leurs mains et l'on parie de nouveau, une dernière fois.

Ouragan — On ne donne que deux cartes à chaque joueur et la plus haute main que l'on puisse avoir se compose de deux As. On joue comme au Poker ordinaire, ou avec prise de cartes si l'on veut. Quelques fois on ajoute des frimes, d'autres fois on le joue en « high-low » avec les deux frimés, de sorte que 2-A est la main parfaite — une paire d'As comme main haute, et 2-A (l'As doublé, i.e. un As et une frime) pour la main basse.

« Monte » à trois cartes — On donne une carte, fermée, à chaque joueur, et deux cartes, exposées, avec un temps d'enjeu entre chaque donne. On emploie l'échelle de valeurs généralement utilisée au Poker, sauf qu'il ne saurait y avoir deux paires, une main pleine ou quatre cartes semblables (brelan carré). Les séquences « straight » et « flush » ne se composent que de trois cartes seulement. Avec des frimes, ce jeu devient un « high-low » comme l'Ouragan.

Montrez cinq cartes — Chaque joueur reçoit cinq cartes, fermées, et les regarde. A un signal du donneur chaque joueur retourne l'une de ses cartes sur la table. Avant de donner le signal, le donneur devra s'informer si tout le monde est prêt. Après que les cartes ont été exposées, il y a un temps d'enjeu. Les paris terminés, le donneur donne le signal d'exposer la deuxième carte. Toutes les deuxièmes cartes doivent être exposées en même temps. Cette manière de procéder continue jusqu'à ce que tous les joueurs aient cinq cartes à l'endroit devant eux, pour l'abattage.

On joue généralement ce jeu à « high-low ». Il n'est pas rare qu'un joueur change d'idée au cours du jeu et parie sur une main basse, plutôt qu'une haute, d'après les cartes qu'ont exposées les autres joueurs.

LOIS DU POKER

Les lois suivantes ont été préparées a neuf pour le présent volume. Elles définissent la bonne manière de procéder et les moyens adéquats à prendre pour rectifier les irrégularités.

Il n'y a pas de pénalités établies ni proposées pour les infractions à la loi. Une pénalité peut punir le coupable, mais elle ne répare pas les torts causés à un joueur qui a pu être lésé. En certains cas, les joueurs décident entre eux d'imposer certaines pénalités pour décourager les récidivistes. Voir « Etiquette du Poker » en page 86.

Les lois se divisent en trois sections principales : les lois générales s'appliquant à toutes les formes de Poker; les lois du « Draw Poker » (poker fermé); et les lois du « Stud Poker » (poker ouvert).

LOIS GÉNÉRALES

(Cette section se rapporte au paquet de cartes; au rang ou à l'importance des mains; à la mêlée, la coupe et la donne; aux paris; et à l'abattage).

1. Les joueurs — De deux à dix personnes peuvent jouer au Poker. Dans toutes les formes de Poker chacun joue pour soi.

2. But du jeu — Remporter le « pot » (la cagnotte) est le but du Poker, soit que l'on ait la meilleure main de Poker (voir explications plus loin) soit que l'on ait fait un pari auquel aucun autre joueur ne peut répondre.

3. (a) Le paquet — Au Poker, le paquet est de 52 cartes, divisées en quatre couleurs : Piques, Coeurs, Carreaux, et Trèfles. Il y a treize cartes dans chaque couleur : As-Roi-Dame-Valet-10-9-8-7-6-5-4-3-2.

(b) Le « Joker » — On peut ajouter au paquet un ou plusieurs Jokers. Chacun de ces Jokers est une frime.

(c) **Cartes frimées** — On peut déclarer un « Joker » ou n'importe quelle autre carte ou catégorie de cartes frimées, de l'une des méthodes suivantes. Les joueurs d'une partie s'entendront d'avance quant à la méthode à choisir :

(1) Le détenteur d'une frime peut la désigner pour remplacer toute autre carte qu'il n'a pas.

(2) Le Joker (en ce cas appelé « petite bête » ou Bug) peut être désigné par son détenteur pour représenter un cinquième As, ou n'importe quelle carte requise pour compléter une « straight » (séquence), une « flush », ou autre main « spéciale » telle que « chien », « chat », etc.

(3) Une carte frimée peut représenter toute autre carte, que son détenteur ait ou non la carte en question. (Ceci permet de former deux ou même trois « flushes » à l'AS, etc.) Dûment désignée une carte frimée prend exactement le même rang que la carte naturelle.

4. Rang des cartes — (a) As (haute), Roi, Dame, Valet, 10, 9, 8, 7, 6, 5, 4, 3, 2. As (basse) seulement dans la séquence 5-4-3-2-A.

(b) *Facultatif.* Au Low Poker (Lowball) ou au « High-Low » Poker, l'As peut être une carte basse. Il est convenu que l'As sera considéré bas :

(1) Au « Low » Poker, l'As est toujours basse carte, la paire d'As est donc plus basse que 2-2.

(2) Au « High-Low », le détenteur d'un As doit spécifier le rang qu'il lui attribue au moment où il étale sa main à l'abattage. Il dira par exemple : « As carte haute » (et alors une paire d'As l'emportera sur une paire de Rois) ou « As carte basse » (et alors une paire d'As l'emportera sur 2-2 comme main basse, mais perdra à 2-2 dans le cas contraire).

(c) Lorsqu'un pot doit être remporté par la main haute, l'ordre suivi est celui du sous-article (a) de la présente loi, de sorte que le « petit chien » 7-6-4-3-2 l'emporte sur 7-5-4-3-2.

5. Places — (a) Les joueurs se placent au hasard, à moins qu'un joueur n'exige, avant la partie, que les places de chacun soient déterminées selon qu'il est prévu au paragraphe suivant :

(b) Lorsqu'un joueur exige un changement de places, le banquier a le premier choix. Le premier donneur (voir paragraphe **7**) peut, soit s'asseoir à la gauche du banquier, soit se joindre aux autres joueurs pour tirer au sort la place qu'il occupera. Le donneur mêle les cartes, les fait couper par le joueur à sa droite, et donne une carte, à l'endroit, à chaque joueur, à tour de rôle en commençant à sa gauche. Le joueur qui a ainsi reçu la plus haute carte, se place à droite du banquier. Le joueur qui a la carte suivante en importance à la droite du premier, ainsi de suite. Si deux joueurs reçoivent des cartes de même valeur, la première carte donnée à la préférence, et se classe plus haut que l'autre.

(c) Une fois la partie commencée, aucun joueur ne peut demander un changement de places à moins d'attendre au moins une heure après le dernier changement. Le joueur qui se joint à une partie en cours doit prendre n'importe quelle place vacante. Le joueur qui remplace un autre joueur doit prendre la place que ce dernier occupait. Deux joueurs peuvent changer de places après un abattage et avant que commence la donne suivante, pourvu que les autres joueurs n'y voient pas d'inconvénient.

(d) Lorsqu'il n'y a pas de banquier, c'est le donneur qui a le premier le choix des places.

6. La mêlée et la coupe — (a) Tout joueur peut demander à mêler le paquet avant la donne. Le paquet doit être mêlé trois fois en tout, par un joueur ou plus. Le donneur a le droit de mêler en dernier et devrait mêler le paquet au moins une fois.

(b) Le donneur présente le paquet mêlé à son adversaire de droite, qui peut ou non couper, à son gré. (Lorsqu'on emploie deux paquets, il présente le paquet à couper à son voisin de gauche.) Si ce joueur ne coupe pas, n'importe quel autre joueur peut le faire. Si plus d'un joueur demande à couper, c'est celui qui est le plus près de la main droite du donneur qui coupe. Sauf s'il y a eu une irrégularité nécessitant une nouvelle coupe, on ne coupe qu'une fois.

(c) Le joueur qui coupe, divise le paquet en deux ou trois sections, dont aucune ne renfermera moins de cinq cartes. Il complète la coupe en plaçant sur le dessus le paquet qui se trouvait tout à fait en dessous. (Si l'on expose une carte en coupant, le donneur doit mêler le paquet de nouveau et faire recouper. Les irrégularités qui exigent une nouvelle mêlée et une nouvelle coupe se trouvent aux pages 77 et 78.

7. La donne — (a) Au début de la partie, n'importe quel joueur mêle un paquet et donne les cartes, à l'endroit, une à la fois, à chaque joueur, en commençant à sa gauche, jusqu'à ce que sorte un Valet. Le joueur qui reçoit le valet est le premier à donner. Ensuite, le tour de donner passe au joueur à la gauche de celui qui vient de donner. Un joueur ne peut pas volontairement passer son tour de donner.

(b) Le donneur distribue les cartes en les prenant sur le dessus du paquet, une à la fois, à chaque joueur, en un mouvement circulaire dans le sens des aiguilles d'une montre, commençant par le joueur à sa gauche et finissant par lui-même.

8. Rang ou classement des mains — Les mains de Poker se classent de la plus haute à la plus basse, ainsi :

(a) *La « straight flush »*. — une séquence de cinq cartes de même couleur. La « straight flush » la plus haute est : As, Roi, Dame, Valet, 10 de la même couleur, appelée « flush royale ». La plus basse « straight flush » est 5-4-3-2-As de la même couleur. De deux « Straight Flushes » celle qui a la plus haute carte en tête gagne. (Lorsqu'une carte quelconque est déclarée frimée — voir 3 (c) — une séquence « straight flush » perd à une quinte (cinq cartes semblables) qui est la main la plus haute qui soit.)

(b) *Le brelan carré* — quatre cartes de même rang, perd à une « straight flush », mais l'emporte sur toutes les autres mains. Entre deux mains renfermant un brelan carré, celui composé des plus hautes cartes l'emporte. (Lorsqu'il y a plusieurs cartes frimées, il est possible que deux joueurs aient un brelan carré de même valeur. En ce cas, la main gagnante est celle qui a la carte la plus forte comme cinquième carte.)

(c) *La main pleine* (Full) — brelan et deux cartes d'un autre rang. Entre deux mains pleines, celle qui a le plus haut brelan l'emporte. (Lorsqu'il y a plusieurs cartes frimées, deux joueurs peuvent avoir une « main pleine » dont les brelans sont identiques; c'est la plus haute paire alors qui désigne la main gagnante.)

(d) *La « flush »* — cinq cartes de la même couleur. De deux « flushes », celui qui renferme les plus hautes cartes, gagne. Si les plus hautes cartes sont de même rang, la plus haute des cartes suivantes en valeur décidera du gagnant, et ainsi de suite : de sorte que As-Roi-4-3-2 de Piques, bat As-Dame-Valet-10-8 de Coeurs, et Valet-9-8-6-4 en Piques bat Valet-9-8-6-3 en Coeurs.

(e) *La « straight »* — cinq cartes consécutives en deux ou plusieurs couleurs. Comme 8-7-6-5-4. L'As est haut dans la « straight » As-Roi-Dame-Valet-10, et bas dans 5-4-3-2-As. De deux « straights », celle qui renferme la plus haute carte, gagne, de sorte que 6-5-4-3-2 bat 5-4-3-2-As.

(f) *Le brelan* — trois cartes de même valeur. Entre deux mains, chacune renfermant trois cartes semblables, celle qui renferme le plus haut brelan gagne. Lorsqu'il y a plusieurs frimes, il peut y avoir deux mains contenant des brelans identiques. Dans ce cas, c'est le rang de la plus haute carte isolée qui détermine le gagnant. Si ces cartes sont du même rang, c'est le rang de la cinquième carte qui décidera.)

(g) *Deux paires* — deux cartes de même rang et deux autres cartes d'un autre rang, avec une cinquième carte isolée. Entre deux mains ayant chacune deux paires, la main la plus haute paire gagne. Si les paires les plus hautes sont de même rang, c'est la main ayant la seconde paire la plus élevée qui gagne. Si ces deux paires sont également de même rang, alors la main renfermant la carte isolée la plus haute l'emporte.

(h) *Une paire* — deux cartes de même rang, avec trois cartes isolées. Entre deux mains renfermant chacune une paire, c'est celle qui a la plus haute paire qui gagne. Quand deux mains renferment chacune une paire de même rang, c'est la plus haute carte isolée qui détermine le gagnant. S'il y a deux hautes cartes isolées de même valeur, c'est la plus haute seconde carte qui désigne le gagnant. Si les secondes cartes sont encore de même valeur, alors la plus haute des deux basses cartes isolées gagne. Par exemple : 8-8-9-5-3 bat 8-8-9-5-2.

(i) *Pas de paire*. Cette main est battue par n'importe quelle main ayant une paire, ou une autre combinaison plus forte. De deux mains sans paire, celle qui renferme la plus haute carte, gagne. Si les deux mains ont chacune une carte haute de même valeur, c'est la carte suivante qui décide, et ainsi de suite, de sorte que As-8-7-4-3 perd à As-9-7-4-3, mais l'emporte sur As-8-7-4-2.

Il y a égalité entre deux mains identiques, c'est-à-dire dont les cartes prises une à une sont semblables, comme les couleurs au Poker n'ont pas de valeur particulière.

9. L'enjeu — (a) On place tous les jetons (chips) pariés au centre de la table pour former la masse (pot). Avant de placer des chips dans le pot, le joueur doit dire s'il parie, tient le coup, ou relance; et s'il parie ou s'il relance, de combien. Un joueur ne peut pas relancer d'un montant moindre que le pari ou la relance précédents, s'il y en a, à moins qu'il n'y ait qu'un seul autre joueur dans le coup à part lui.

(b) Si chacun à son tour, y compris le donneur, passe, il y a nouvelle donne par le joueur suivant dont c'est le tour et l'on répète la mise initiale (ante) s'il y en a une. Une fois qu'un joueur a parié, chaque autre joueur doit à son tour tenir, relancer ou abandonner.

(c) A chaque temps d'enjeu, le premier joueur à parier est celui qui est désigné par les règles de la variante du jeu que l'on joue. Viennent ensuite chacun des joueurs actifs, en allant vers la gauche. Aucun joueur ne peut passer ni parier tant que le joueur actif le plus près de sa droite n'a pas déposé le bon nombre de chips dans le pot ou écarté sa main.

(1) Au « Draw Poker », le premier à jouer avant prise de cartes, est le joueur le plus près de la gauche du donneur. Après prise de cartes, c'est le joueur qui a parié le premier avant la prise, ou, s'il a abandonné, le joueur actif le plus près à sa gauche.

(2) Au « Stud Poker », le premier à parier à chaque temps d'enjeu est le joueur dont les cartes exposées sont plus hautes que celles des autres joueurs. Si deux ou plusieurs joueurs ont des cartes fortes identiques, c'est le joueur le plus près à la gauche du donneur qui commence. Au premier temps d'enjeu, le joueur ayant les plus hautes cartes doit faire un pari minimum. Aux autres temps d'enjeu, il peut dire « check » et rester dans le jeu sans parier.

(d) A moins qu'un joueur ait déjà parié au cours du même temps d'enjeu, tout joueur actif peut, à son tour, dire « check » et rester dans le jeu sans parier. (A certaines variantes du Poker il est spécifiquement prohibé de dire « check ».)

(e) Du moment qu'un joueur a parié, tous les joueurs actifs dont le tour vient après le sien (y compris les joueurs qui ont dit « check » précédemment) doivent ou abandonner, ou tenir, ou relancer.

(f) Aucun joueur ne peut dire « check », parier, tenir, relancer ni abandonner si ce n'est pas son tour de parler. A son tour de parole, tout joueur peut abandonner, même s'il a le privilège de dire « check ». En tout temps, si un autre joueur écarte ou étale sa main, ou s'il la laisse mêler aux écarts, on suppose qu'il a abandonné et il ne peut pas réclamer ses cartes.

(g) Lorsqu'il ne reste qu'un joueur actif parce que tous les autres ont abandonné, le joueur actif remporte le pot sans avoir à montrer sa main et le tour de donne passe au donneur suivant.

(h) Deux joueurs ne peuvent pas former équipe, et il ne peut pas être convenu entre deux ou plusieurs joueurs qu'ils partageront le pot.

10. **L'abattage** — Lorsque chacun des joueurs a, soit tenu le plus haut pari précédent, sans relance; soit abandonné; ou lorsque tous les joueurs actifs ont dit « check »; chaque joueur actif étale sa main au complet sur la table, exposée, et la main la plus haute gagne le pot. Si deux mains ou plus sont à égalité pour la plus haute place, elles se partagent le pot; si les chips ne se divisent pas également, le chip supplémentaire va au joueur qui a parié ou relancé le dernier. (Habituellement, les joueurs annoncent la valeur de leurs mains. Quand il y a des frimes, le joueur doit annoncer la valeur de sa main et il ne peut pas ensuite réclamer une main plus haute que celle qu'il a annoncée.)

IRRÉGULARITÉS

11. **Nouvelle donne** — A moins qu'il ne l'avait vue intentionnellement, tout joueur qui a vu une carte qui devait lui être donnée à l'envers, peut exiger que les cartes soient de nouveau mêlées, coupées et données par le même donneur. Avant que le donneur ne distribue le second tour de cartes, il faut qu'il soit établi que :

(1) L'on avait exposé une carte en coupant;

(2) Moins de cinq cartes restaient dans l'un ou l'autre paquet après la coupe.

(3) Deux cartes ou plus étaient à l'endroit dans le paquet.

(4) Le paquet était incorrect ou imparfait d'une manière quelconque. (Voir paragraphe 3 (a), 14 et 15.)

(5) Ce n'est pas au joueur qui donne à donner (Voir au paragraphe suivant).

Si un joueur donne hors de tour et que l'on demande une nouvelle donne, le joueur dont c'est le tour reprend la donne. Dans une partie à mise initiale (ante) personne n'est alors obligé de faire une nouvelle mise. Tout autre pari qui aurait été déposé dans le pot y demeure. Si personne ne réclame une nouvelle donne ou ne déclare qu'il y a eu maldonne dans le délai prévu, la donne est considérée comme bonne et le joueur à la gauche du donneur hors de tour sera le donneur suivant.

12. **Maldonne** — Quand il y a maldonne, due à une erreur du donneur, il perd son tour de donner. Pourvu que la chose soit signalée par un joueur qui, sans le faire exprès, à vu une carte qui devait lui être donnée à l'envers. Le tour de donner passe alors au joueur suivant. Toute mise initiale (ante) faite par le donneur seul est acquise à la masse et reste dans le pot. Si tous les joueurs ont fait une mise initiale (ante) identique, ces mises restent au pot et personne n'est tenu de refaire une mise initiale pour la donne suivante. On pourra retirer un pari ou une relance faits à l'aveuglette (blind).

Une maldonne peut être signalée :

(a) par tout joueur qui n'a pas intentionnellement vu une carte qui devait lui être donnée à l'envers, s'il est établi avant que le donneur commence le second tour de cartes, que le paquet n'avait pas été mêlé ou qu'il n'avait pas été présenté à couper.

(b) par tout joueur à qui le donneur donne deux cartes à l'endroit, au « Draw Poker » ou dans toute autre forme de Poker « fermé », pourvu que le joueur n'ait pas intentionnellement vu une carte qui devait lui être distribuée à l'envers et qu'il n'ait pas luimême contribué à l'erreur; et à condition qu'il signale la maldonne immédiatement.

(c) si le donneur donne trop de cartes à plus d'un joueur.

Si le donneur cesse de donner les cartes avant que tous les joueurs en aient reçu le nombre voulu, et cela seulement parce que le donneur a omis un tour de donne, ou plus, il n'y a pas maldonne et le donneur est tenu de compléter la donne aussitôt que l'on découvre l'irrégularité. (Par exemple, si le donneur s'arrête après n'avoir donné à chacun que quatre cartes, ou si le donneur donne cinq cartes à cinq de sept joueurs et qu'il n'en donne que quatre au sixième et au septième, ayant cessé de donner au cinquième joueur pour le dernier tour.)

Si le donneur a distribué trop de mains, il devra dire quelle main est « morte » et cette main sera écartée; mais, si un joueur quelconque a regardé une des cartes à l'envers dans n'importe quelle main, il devra garder cette main.

Si le donneur ne distribue pas assez de mains, il doit donner sa propre main au premier joueur à sa gauche. Tout autre joueur qui a été omis et qui avait déposé une mise initiale (ante) peut reprendre sa mise.

13. **Carte exposée** — (a) Si, après avoir terminé la donne, le donneur expose une ou plusieurs cartes de la portion du paquet qui n'est pas encore donnée, ces cartes sont mortes et doivent être écartées. (Voir « Stud Poker », paragraphe 35 en page 85).

(b) Il n'y a pas de pénalité pour un joueur qui expose une partie de sa main et il n'a pas à se reprendre. Tout joueur qui dérange le donneur et lui fait exposer une carte ne peut déclarer une maldonne.

(c) Chaque joueur est responsable de sa propre main et n'a pas de recours si un autre joueur est cause qu'une carte en a été exposée.

14. **Paquet incorrect** — S'il est établi, à n'importe quel moment avant que le pot ait été ramassé, qu'il y avait dans le paquet trop de cartes, pas assez de cartes ou des cartes en duplicata, la donne est nulle et chaque joueur retire du pot les « chips » qu'il y avait contribué, en dépit de toutes autres lois au contraire; mais cela n'affecte en rien les résultats des pots pris précédemment.

15. **Paquet imparfait** — Si le paquet renferme une carte déchirée, décolorée ou autrement marquée de façon à être facilement reconnaissable à l'envers, il faut remplacer le paquet avant que la donne en cours ou toute autre donne soit complétée; mais, si la donne est déjà finie on peut continuer de jouer pour le pot commencé.

16. **Main incorrecte** — Une main, qui renferme plus ou moins de cinq cartes (ou plus ou moins que le nombre prescrit par joueur pour la variante de Poker que l'on joue), est mauvaise et ne peut pas remporter le pot. Si tous les autres joueurs ont abandonné, le pot reste et va au gagnant du pot suivant. (Les joueurs peuvent convenir entre eux qu'une main de moins de cinq cartes n'est pas mauvaise, et dans ce cas son possesseur peut tenter de gagner le pot avec la meilleure combinaison que ses cartes lui permettent).

17. **Irrégularités de pari (ou d'enjeu)** — Les chips déposés au pot ne peuvent pas en être retirés, sauf :

(a) par un joueur qui, ayant fait une mise initiale (ante), se voit retirer la donne (Voir paragraphe 12, page 78).

(b) au « Jackpots » quand un autre joueur a ouvert sans les cartes requises pour l'ouverture - (Voir paragraphe 30 (c) page 83).

(c) au « Draw Poker », par les joueurs qui ont ouvert « Blind » ou fait « Surblind »), s'il y a maldonne - (Voir paragraphe 12, en page 78).

(d) au « Stud Poker », lorsque le donneur a omis de donner une carte à l'envers à un joueur (Voir paragraphe 34, en page 85).

18. **Paris différés ou « à ficelles »** — La mise d'un joueur doit être déposée toute à la fois dans le pot. S'il a déposé un nombre quelconque de chips, il ne peut pas en ajouter à moins que la quantité originale ait été insuffisante pour tenir, et dans ce cas, il peut ajouter exactement ce qui manque pour tenir. Toutefois, si avant de déposer des chips il a annoncé qu'il relançait d'un certain nombre, et qu'il dépose une quantité insuffisante pour cette relance, à demande, il est obligé de fournir suffisamment de chips supplémentaires pour atteindre le chiffre de son pari.

19. **Pari insuffisant** — Lorsqu'un joueur, à son tour, dépose dans le pot un nombre insuffisant de chips pour tenir, il doit, soit en

ajouter assez pour tenir, mais ne peut pas relancer; soit abandonner et perdre les chips déjà misés. Lorsqu'un joueur relance de moins que le minimum permis, on suppose qu'il a seulement tenu et les chips qu'il a mis en plus dans le pot y demeurent.

20. Pari au-dessus de la limite fixée — Si un joueur dépose dans le pot plus de chips que la limite permise, on considère que c'est un pari au montant de la limite et les chips versés en trop demeurent dans le pot. On fait exception à cette règle dans les mises au tapis lorsque le pari d'un joueur dépasse le nombre de chips que détient un adversaire; dans ce cas, le joueur peut retirer le surplus de sa mise et le placer dans « un pot de côté », ou s'il n'y a pas d'autre joueur qui consente ou qui puisse tenir ce pari au « pot de côté », alors il remet les chips dans sa réserve.

21. Annonce, à son tour, de l'intention de passer ou de parier — Si à son tour de parler, un joueur annonce qu'il passe ou qu'il abandonne, il est tenu de le faire qu'il ait ou non écarté sa main. Si, à son tour de parole, un joueur énonce un pari mais sans déposer de chips dans le pot, il est lié par cette annonce et est tenu, si possible, d'ajouter dans le pot autant de chips qu'il est nécessaire pour que sa mise coïncide avec son annonce. De toute façon, les autres joueurs qui se fient à une annonce d'intention, le font à leurs propres risques et n'ont pas de recours si selon ces règles l'annonce n'a pas à être observée. (En certains cercles, il est considéré comme contraire à l'éthique de faire part d'une intention et ensuite de ne pas s'en prévaloir.)

22. Annonce hors de tour, de l'intention de passer ou de parier — Si, parlant hors de tour, un joueur annonce son intention de passer ou d'abandonner lorsque ce sera à lui de jouer, mais qu'il n'écarte pas sa main; ou de faire un certain pari, mais sans mettre de chips dans le pot; l'annonce est nulle et le joueur peut jouer comme il l'entend à son tour. Tout autre joueur qui se fie à une telle annonce le fait à ses propres risques et n'a pas de recours.

23. Pari hors de tour — Si un joueur dépose des chips dans le pot, hors de tour, ils y restent et le joueur dont c'était vraiment le tour parle. Tout joueur qui met des chips dans le pot à la gauche du coupable a parié hors de tour et est également coupable. Lorsque c'est au coupable à jouer, si le nombre de chips qu'il a déposé n'était pas suffisant pour tenir, il peut y ajouter la différence; si le montant était plus qu'il n'en fallait pour tenir, on suppose qu'il a relancé pour le montant de surplus mais il ne peut pas rajouter de chips pour augmenter le montant de sa mise; si aucun joueur avant lui n'avait parié, on suppose qu'il avait parié du nombre de chips qu'il a mis dedans et toute quantité déposée au-dessus de la limite fixée est abandonnée au pot. Si le nombre de chips déposé était insuffisant pour tenir, il peut les laisser au pot ou abandonner. Il ne peut jamais ajouter de chips pour relancer ou augmenter sa relance.

24. Abandon hors de tour — Passer (ou abandonner) hors de tour au Poker est une des maladresses des plus dommageables qui soient, cependant on ne prévoit aucune pénalité pour cette offense, à moins que les joueurs n'en aient convenu entre eux auparavant. Quoi qu'il en soit, la main du coupable est morte et il ne peut gagner le pot.

25. Irrégularités à l'abattage — (a) *Main mal identifiée*. A l'abattage, si un joueur annonce ou déclare une main qu'il n'a pas de fait, son annonce est nulle si l'erreur est signalée à n'importe quel moment avant que le pot soit ramassé par n'importe quel joueur (y compris celui qui a mal annoncé). (« Les cartes parlent par elles-mêmes ».)

(b) *Désignation de frimes.* — Lors de l'abattage, si un joueur désigne verbalement la couleur ou le rang d'une frime qu'il a en main, ou laisse entendre cette désignation en annonçant une certaine main, il ne peut pas se reprendre pour changer cette déclaration (par exemple, en annonçant Joker-Valet-10-9-8 comme étant une « straight au Valet, carte haute », le Joker est classé comme étant un 7.) Un joueur peut toujours montrer sa main sans faire d'annonce et il n'est pas tenu de faire connaître la valeur d'une frime à moins qu'un autre joueur actif ne l'exige.

(c) *Concession d'un pot.* — Un joueur qui a écarté sa main après qu'un autre joueur a annoncé une main plus forte, ne peut pas par la suite réclamer le pot même s'il est établi que l'annonce était incorrecte.

« DRAW » POKER

26. La prise de cartes (Draw) — (a) Lorsque tous les joueurs à tour de rôle, ont tenu le plus fort pari précédent, sans relancer ou qu'ils ont abandonné, le premier temps d'enjeu prend fin. Le donneur ramasse la portion non distribuée du paquet et chacun des joueurs actifs à partir de sa gauche peut, à son tour, écarter une ou plusieurs cartes. Aussitôt, le donneur lui remet le même nombre de cartes, à l'envers, prises sur le dessus du paquet. Un joueur n'est pas tenu de prendre des cartes à moins qu'il ne le désire.

(b) Si le donneur est un joueur actif il doit annoncer combien de cartes il prend, s'il en prend. En tout temps, entre la prise de cartes et le moment où le premier joueur à parler dit « check » ou parie pour le dernier temps d'enjeu, tout joueur actif peut demander à tout autre joueur actif combien il a pris de cartes. Ce dernier doit répondre, mais le questionneur n'a pas de recours si la réponse était inexacte. (Cependant, c'est être de mauvaise foi que de donner intentionnellement une réponse incorrecte.)

(c) Le donneur ne doit pas donner la dernière carte du paquet. Si le paquet (à l'exclusion de cette carte) ne suffit pas pour la prise de cartes, le donneur doit rassembler toutes les cartes déjà écartées, plus la dernière carte du paquet original, mêler ces cartes, les présenter à couper, et continuer la distribution. La coupe se fera tel que prévu au paragraphe 6 (b), à cette différence que seul un joueur actif peut couper. Les écarts de l'ouvreur et ceux des joueurs qui n'ont pas encore pris de cartes doivent être exclus du nouveau paquet, s'ils ont été tenus à part et peuvent être identifiés.

27. Irrégularités dans la prise de cartes — (a) *Erreur dans le nombre de cartes.* Si le donneur donne à un joueur plus ou moins de cartes qu'il n'a demandé comme prise de cartes, l'erreur sera corrigée si le joueur la signale sans avoir regardé aucune de ces cartes. A moins qu'une carte n'ait déjà été donnée au joueur actif suivant à son tour, le donneur doit corriger l'erreur en donnant une autre carte ou en replaçant la carte donnée en trop sur le dessus du paquet, selon le cas. Si le joueur suivant est servi, le joueur peut écarter de sa main les cartes additionnelles afin d'accepter un surplus de prise sans que sa main dépasse les cinq cartes règlementaires; s'il a déjà écarté et que la prise soit insuffisante pour rétablir le nombre de cartes en main, sa main est nulle. Si le joueur a regardé l'une ou l'autre des cartes de sa prise, et que leur nombre rend sa main incorrecte, sa main est nulle.

(b) *Carte exposée.* Le joueur acceptera une première carte exposée pendant la prise, qu'elle ait ou non été à l'endroit dans le paquet; mais toutes cartes exposées subséquentes qu'il devrait recevoir seront mortes et devront être écartées. Après que le donneur aura servi les autres joueurs actifs, il prendra sur le dessus du paquet et donnera à ce joueur les cartes supplémentaires qui lui reviennent.

(c) *Prise hors de tour.* Si un joueur laisse un autre joueur à sa gauche prendre des cartes hors de tour, il doit jouer sans prendre de cartes ou abandonner. S'il a déjà écarté des cartes, sa main est nulle.

(d) Un joueur peut corriger un lapsus qu'il aurait fait en demandant le nombre de cartes qu'il désire recevoir, mais seulement si le donneur ne lui a pas encore donné le nombre de cartes qu'il a tout d'abord demandé.

(e) Si, après que le donneur lui a donné le nombre de cartes qu'il a demandé, un joueur écarte un nombre de cartes qui rendrait sa main incorrecte, sa main est nulle.

28. Exposition des cartes d'ouverture — Le joueur qui ouvre doit prouver qu'il avait une main règlementaire de cinq cartes, y compris les valeurs de cartes requises pour ouvrir (s'il y a lieu). S'il est à l'abattage il doit étaler toute sa main à l'endroit. En toutes autres circonstances, avant d'écarter toute sa main, il doit montrer à l'endroit les cartes qui lui permettaient d'ouvrir, et ses autres cartes à l'envers s'il en a.

29. Pour casser l'ouverture — Le joueur qui a ouvert peut casser son ouverture (écarter une ou plusieurs cartes qui lui étaient essentielles), et il n'est pas tenu d'annoncer qu'il le fait. Il peut placer ses écarts à l'envers dans le pot pour pouvoir y référer plus tard. (Par exemple, ayant ouvert avec : Pique-Dame, Coeur-Dame, Valet, 10, 9, il peut écarter la dame de pique et demander une carte. D'habitude, l'ouvreur ne dépose pas ses écarts dans le pot, comme il peut généralement expliquer à la satisfaction des autres joueurs qu'il avait les cartes nécessaires).

30. **Fausse ouverture** — (a) S'il est prouvé en aucun temps qu'un ouvreur n'avait pas les cartes voulues, ou que sa main renferme trop de cartes, sa main est déclarée fautive et tous les chips qu'il avait misés sont confisqués au pot.

(b) Si l'on découvre de fausses cartes d'ouverture avant la prise de cartes, n'importe quel joueur à son tour, à la gauche du coupable (à l'exception de ceux qui ont abandonné au premier tour) peut ouvrir, et le jeu continue. Cependant, à part le joueur en faute, tout joueur peut retirer du pot les chips qu'il y avait déposés après la fausse ouverture. Si personne ne peut ouvrir, le reste du pot demeure pour la prochaine donne.

(c) Si l'on découvre de fausses cartes d'ouverture après que chaque joueur, à part le coupable, a abandonné; chacun des autres joueurs peut retirer du pot les chips qu'il y avait déposés après la fausse ouverture.

(d) Si l'on découvre de fausses cartes d'ouverture après la prise de cartes, et tandis qu'il reste encore des joueurs actifs, le jeu continue et le pot va à celui qui a la plus haute main à l'abattage, qu'un joueur quelconque ait eu de quoi ouvrir ou non. (Si, à l'abattage, il n'y a pas de main qui ne soit pas fautive, le pot demeure et passe au gagnant du pot suivant. Sans égard à toutes autres circonstances, une main abandonnée ne peut jamais gagner un pot.)

« STUD » POKER

31. **Paris au « Stud Poker »** — (a) A chaque temps d'enjeu, le joueur qui a la plus haute combinaison d'exposée (tel que défini au paragraphe 32) a le privilège de parier le premier. Dans le premier temps d'enjeu, ce joueur doit parier au moins le minimum établi pour le jeu. En d'autres temps d'enjeu subséquents ce joueur peut dire « check » et rester dans le jeu sans parier.

(b) Si, en aucun temps d'enjeu, tous les joueurs disent « check », ce temps d'enjeu prend fin. On donne un autre tour de cartes. ou il y a abattage, selon le cas. Si, en aucun temps d'enjeu, un joueur quelconque parie, alors chaque joueur actif ayant son tour après lui doit au moins tenir le plus haut pari précédent ou abandonner.

(c) Au début de chaque temps d'enjeu, le donneur doit désigner quel joueur parie le premier, en nommant la combinaison qui donne la plus haute main exposée à ce joueur, à ce point du jeu. (Par exemple : « La paire de huit parie » ou « Le premier As parie »). Après que la troisième et la quatrième cartes à l'endroit ont été données, le donneur doit aussi annoncer la combinaison de cartes de tout joueur qui, lorsque jointe à sa carte (dans le trou - première carte reçue à l'envers) produira peut-être une « flush » ou une « straight ». (L'annonce sera faite ainsi : « Possibilité de « flush », « Possibilité de straight »).

(Loi facultative. Au dernier temps d'enjeu, un joueur ne peut pas dire « check », ou tenir à moins que toute sa main, y compris sa carte (dans le trou), batte les cartes exposées de la plus forte combinaison évidente. Ce joueur pourra, cependant, parier ou relancer.

Cette règle n'est pas recommandée, cependant elle est destinée à
protéger les joueurs contre ceux qui voudraient « tenir » sans motif
suffisant; elle élimine du même coup des occasions de « bluff ».
Comme les autres règles facultatives, elle ne devrait pas être appliquée sans qu'il y ait eu entente antérieure à cet effet entre les
joueurs de la partie.)

32. Mains incomplètes — (a) Quatre cartes ou moins d'exposées
dans le but de désigner le premier joueur à parier, à n'importe quel
temps d'enjeu, se classent, de la plus forte à la plus faible, parmi
les combinaisons suivantes :

(1) Brelan carré (4 cartes semblables) : de deux mains de cette
nature celle qui renferme les 4 plus fortes cartes, domine.

(2) Brelan (3 cartes semblables) : de deux mains de cette nature,
celle qui renferme le plus haut brelan, l'emporte.

(3) Deux paires : De deux mains de cette nature, la plus haute
ou forte paire désigne la plus haute main, et, si les deux plus fortes
paires sont identiques, c'est la plus forte des deux autres paires qu'il
faut choisir.

(4) Une paire : de deux mains de cette nature, la plus haute
paire l'emporte. Si deux mains ont chacune une paire identique, c'est la plus haute carte isolée qui désigne la haute main, et
si celles-ci sont également semblables, il faut choisir la plus haute
des deux autres cartes.

(5) La plus haute carte : Si deux joueurs sont à égalité pour la
plus haute carte, c'est la carte suivante en importance dans chacune
de leurs mains qui désigne la haute main, et ainsi de suite.

(b) De deux mains identiques, carte pour carte, celle qui est le
plus près de la gauche du donneur est considérée haute pour entamer les paris (mais n'a aucune supériorité sur l'autre à l'abattage.)

(Les combinaisons « flush » ou « straight » de quatre cartes ou
moins ne sont pas de rang plus élevé, quand il s'agit de désigner
le premier à parier, que n'importe quelle autre main, y compris
« pas de paire »; sauf lorsqu'une « fourflush » est opposée à une
paire, car alors la « fourflush » parie avant la paire.)

(c) Si, par la faute du donneur ou par sa propre faute, toutes les
cartes d'un joueur sont exposées, elles sont toutes prises en considération pour le premier pari; et, si à la fin du premier temps
d'enjeu, un tel joueur a une « straight », une « flush », une « main
pleine » ou une « straight flush » sa main bat toutes les combinaisons
de cartes exposées qu'elle battrait à l'abattage.

33. Irrégularités de donne au « Stud Poker » — (a) En tout
temps avant que le donneur commence le second tour de donne,
un joueur qui n'a pas regardé une seule carte qui lui a été donnée
à l'envers, peut demander que les cartes soient de nouveau mêlées,
coupées et données, s'il est établi que :

(1) Le paquet ne fut pas mêlé ou coupé;

(2) En coupant, une carte fut exposée ou qu'il restait moins de
cinq cartes dans une portion ou l'autre du paquet;

(3) Deux cartes ou plus étaient à l'endroit dans le paquet;

(4) Le paquet était incorrecte ou imparfait d'une façon quelconque;

(5) Un joueur donne hors de tour.

Le même donneur recommence une nouvelle donne à moins qu'il n'ait agi hors de tour, et dans ce cas la donne revient à celui des joueurs dont c'était le tour.

(b) Si le donneur distribue trop de mains, il devra décider laquelle est « morte » et l'écarter; mais le joueur qui aurait vu la « carte dans le trou » d'une main quelconque devra garder cette main.

(c) Si le donneur ne distribue pas assez de mains, il doit donner ses propres cartes au premier joueur oublié à sa gauche.

(d) Si le donneur distribue deux cartes à l'envers au lieu d'une à un joueur au premier tour de donne, il passera ce joueur au second tour et (à moins que les règles du jeu ne stipulent deux « cartes dans le trou », comme au Stud à sept cartes) il retournera une des deux cartes. Le joueur qui a reçu les deux cartes n'a pas le droit de les regarder ni d'en retourner une.

(e) Si le donneur donne plus de deux cartes à un joueur au premier tour de donne, ce joueur peut réclamer une nouvelle donne du moment qu'il le fait avant que commence le second tour de donne. Si l'erreur n'est constatée que plus tard, sa main est morte.

(f) Si, en distribuant un tour de cartes à l'endroit, le donneur omet un joueur, il fait revenir en arrière les cartes distribuées après ce joueur, afin que chacun reçoive la carte qu'il aurait eue s'il n'y avait pas eu d'irrégularité de commise. Cependant, si l'irrégularité n'est pas signalée avant le premier pari du temps d'enjeu suivant, la main du joueur omis est morte.

34. Carte exposée — Si le donneur donne à un joueur sa « carte dans le trou » à l'endroit, le joueur devra garder cette carte et, à sa place, recevra sa prochaine carte à l'envers. Le joueur n'a aucun recours, à part de recevoir sa prochaine carte à l'envers, à moins que le donneur ne néglige constamment de corriger cette erreur jusqu'à ce que le joueur ait quatre cartes. Rendu à ce point, si le donneur ne lui a donné aucune carte à l'envers, le joueur peut abandonner, s'il le désire, en retirant du pot tous les chips qu'il y avait mis. Au lieu de cela, si le joueur reste dans le jeu pour prendre sa cinquième carte et qu'il la reçoive également à l'endroit, il peut encore retirer ses chips du pot; mais il peut également rester dans le jeu.

35. Cartes mortes — A n'importe quel tour de donne, une carte trouvée à l'endroit dans le paquet doit être donnée au joueur auquel elle revient. Une carte, exposée sur le dessus du paquet pendant un temps d'enjeu, doit être écartée soit parce qu'elle était à l'endroit dans le paquet, soit parce qu'elle avait été donnée avant son temps. Au prochain tour de donne de cartes à l'endroit, le donneur omet le joueur à qui cette carte aurait dû être donnée; il continue la donne aux autres joueurs et termine par le joueur qui aurait dû recevoir la carte exposée si elle ne l'avait pas été. Subséquemment, à chaque tour de donne et à la demande de n'importe quel joueur, le donneur devra commencer le tour par le joueur qui aurait normalement reçu la carte du dessus.

36. Impossibilité de tenir — Si le dernier joueur à parler, au dernier temps d'enjeu, tient un pari alors que ses cinq cartes, quelle que soit sa « carte dans le trou », ne peuvent absolument pas battre les quatre cartes en évidence du joueur dont il tient le pari, sa déclaration est nulle et il peut reprendre ses chips pourvu qu'un joueur signale son erreur avant que ne soit montrée la « carte dans le trou » de n'importe quel autre joueur actif.

37. — Si le donneur fait erreur en nommant la valeur d'une main ou en désignant la main haute, aucun joueur n'a de recours; mais si le joueur désigné faussement par le donneur fait le premier pari, ce pari n'est pas hors de tour.

38. — Le donneur ne peut pas à son gré donner par exprès la première carte d'un joueur à l'endroit et la seconde à l'envers. Un joueur ne peut pas retourner sa « carte dans le trou » et recevoir sa carte suivante à l'envers; s'il retourne sa « carte dans le trou », il doit jouer toute la main avec toutes ses cartes exposées.

ÉTIQUETTE DU POKER

La seule directive sûre du code d'honnêteté au Poker est: « A Rome, faites comme les Romains ». A certains jeux, un joueur peut faire n'importe quoi pour tromper ses adversaires du moment qu'il ne triche pas, cela fait partie de l'adresse à acquérir pour jouer ce jeu et l'on n'est pas pour cela un joueur malhonnête. Dans certaines variantes, il est de mauvais aloi — voire peu scrupuleux — de dire « check » avec une bonne main dans l'espoir que quelqu'un d'autre pariera et que l'on pourra relancer. Puisque jouer aux cartes est une distraction mondaine, il est à conseiller aux joueurs de suivre les normes des autres joueurs et de conserver ainsi sa popularité.

Le « Bluff » — Au Poker, le bluff consiste à parier avec une main que vous savez ou croyez ne pas être la meilleure, dans l'espoir que d'autres joueurs vous croiront fort et qu'ils abandonneront. Le bluff fait tellement partie du Poker que le jeu ne serait pas agréable sans cela. Cependant, certains joueurs prétendent qu'il ne faut pas appuyer votre bluff de réflexions que vous savez fausses, comme par exemple de dire que la prise de carte a amélioré votre main alors qu'il n'en n'est rien.

Briser les règles intentionnellement — En certains cercles, il est mal vu d'annoncer, hors de tour, que vous avez l'intention de parier, de relancer ou d'abandonner, alors que vous ne comptez vraiment pas le faire lorsque viendra votre tour viendra. On peut faire de telles déclarations sans aucun risque parce qu'il n'y a pas de pénalité de prévue pour cela; mais, il vaut mieux s'en abstenir par considération pour les autres joueurs lorsqu'elles ne suivent pas le code d'éthique du groupe avec lequel vous jouez. Dans aucun cas il n'est considéré de bonne guerre de briser les règles du jeu; comme en abandonnant hors de tour, à moins qu'il ne soit avantageux pour vous de le faire, car dans bien d'autres cas vous nuirez à quelqu'un d'autre sans pour cela vous aider.

Equipes, partage du pot — Dans tous les cercles de Poker il est considéré comme peu honnête et presque comme tricher, de jouer en équipe avec un autre joueur ou de partager le pot plutôt que d'avoir l'abattage.

Le pari « Blind » (à l'aveuglette) — Lorsqu'un joueur déclare qu'il parie (ou « check ») « blind » — c'est-à-dire sans regarder sa main — il le fait pour éviter le reproche de feinte d'abandon ou de bonne main cachée. Néanmoins, presque partout, un joueur est considéré peu scrupuleux s'il déclare qu'il parie « blind » alors qu'il a de fait vu son jeu.

L'HABILETÉ AU POKER

Valeur des mains — Un joueur doit savoir ce qui représente une bonne main à la variante de Poker à laquelle il joue. Nous donnons plus bas les mains qui, règle générale, gagnent aux différentes formes de Poker, avec sept joueurs de la partie :

Draw Poker, sans frime	Valets ou mieux
Stud à cinq cartes	Les As ou les Rois
Stud à sept cartes	Brelan de huit
Draw Poker avec le Joker frimé	Brelan de huit
Draw Poker, avec la « petite bête » (the Bug)	Les As ou mieux
Draw Poker, avec les 2 frimés	Trois As (Brelan d'As)
Draw Poker, « Hig-Low »	Valets ou mieux (haute)
	10- ou 9 (basse)
Lowball	9-6-x-x-x

Quand rester de la partie — Au Poker, il est toujours avantageux d'être conservateur, et lorsqu'on joue contre des experts c'est nécessaire. Comme règle générale disons : Il faut rester de la partie dans l'un ou l'autre de deux cas — (a) vous croyez avoir la meilleure main, ou (b) les possibilités de ne pas se faire la meilleure main à la prise sont moins grandes que celles que représente le pot.

Le tableau suivant indique les mains avec lesquelles vous avez une chance à peu près égale de tenir la plus haute main dès la première distribution :

Main requise	*Pour battre*
N'importe quelle paire	1 adversaire
des huit	2 adversaires
des valets	3 adversaires
des rois	4 adversaires
des As	5, 6, ou 7 adversaires.

Mathématiques du Poker — Les tableaux suivants sont basées sur la théorie des probabilités. Par les tableaux indiquant les nombres relatifs de « mains possibles », vous aurez un guide pour évaluer votre propre main. Par exemple, si vous recevez une « flush », il n'y a que quelque milliers de mains qui puissent vous battre, alors que vous pouvez l'emporter sur environ 2 millions et demi de mains, les chances sont donc en votre faveur pour que vous ayez la meilleure main. Mais, au Draw Poker, les joueurs peuvent demander des cartes et améliorer leurs mains, il faut donc diminuer les possibilités en conséquence. Les tableaux de la page 88 donnent les chances que peut avoir un joueur en prenant des cartes.

Mains de Poker possibles avec un jeu de 52 cartes

Straight flush	40
Brelan carré	624
Main pleine	3,744
Flush	5,108
Straight	10,200
Brelan	54,912
Deux paires	123,552
Une paire	1,098,240
Pas de paires, moins que ci-haut	1,302,540
Total	2,598,960

Possibilités d'améliorer une main à la prise
(Jackpots ou « Draw Poker »)

Cartes en Main	Cartes prises	Amélioration possible	Possibilités contre
Une paire	3	Deux paires	5 à 1
		Brelan	8 à 1
		Main pleine	97 à 1
		Brelan carré	359 à 1
		N'importe quoi	2½ à 1
Une paire et un As comme tremplin (Kicker)	2	As ou mieux	7½ à 1x
		Une autre paire	17 à 1x
		Brelan	12 à 1x
		Main pleine	119 à 1
		Brelan carré	1080 à 1
		N'importe quoi	3 à 1x
Deux paires	1	Main pleine	11 à 1x
		N'importe quoi	11 à 1x
Brelan	2	Main pleine	15½ à 1x
		Brelan carré	22½ à 1x
		N'importe quoi	8½ à 1x
Brelan et une carte isolée	1	Main pleine	14⅔ à 1
		Brelan carré	46 à 1x
		N'importe quoi	11 à 1
Straight de quatre (2 côtés ouverts)	1	Straight (séquence)	5 à 1
Straight de quatre (1 côté, ou interne)	1	Straight	11 à 1
Brelan carré	1	Flush	4¼ à 1
Straight Flush de 4 (2 côtés ouverts)	1	Straight flush	22½ à 1x
		N'importe quoi	2 à 1x
Straight Flush de 4 (interne ou 1 côté)	1	Straight flush	46 à 1x
		N'importe quoi	3 à 1x
Un As	4	Paire d'As	3 à 1x
		As ou mieux	14 à 1x

Du livre "Oswald Jacoby sur le Poker" (Oswald Jacoby on Poker)
publié par Doubleday & Co., Inc., New York.

Rummy (Rum, Rami)

Le Rummy est le mieux connu de tous les jeux de cartes joués aux Etats-Unis. Il doit sa popularité en grande partie à sa simplicité. Toute personne connaissant le jeu de base peut facilement en apprendre n'importe quelle variante. Nous donnons d'abord la description du jeu de base.

Nombre de joueurs — De deux à six. Chacun joue pour soi. S'il y a plus de six joueurs, il vaut mieux jouer au Double Rum, au Rum 500 ou au Rummy Contract.

Le paquet — 52 cartes.

Rang des cartes — Le Roi (la plus haute), Dame, Valet, 10, 9, 8, 7, 6, 5, 4, 3, 2, et As. (Variante: suivant le genre de Rummy, l'As peut être la carte la plus haute ou la plus basse.)

La mêlée et la coupe — Tirer ou couper pour trouver le donneur: celui qui a la plus basse carte. Chaque joueur peut mêler, le donneur mêle en dernier; d'habitude seul le donneur mêle. Le joueur à la droite du donneur coupe.

La donne — Le donneur passe une carte à la fois, face en bas, à chaque joueur en un mouvement circulaire en commençant par la gauche; jusqu'à ce que chaque joueur ait 10 cartes (lorsqu'il y a deux joueurs), sept cartes (lorsqu'il y a 3 ou 4 joueurs); six cartes (lorsqu'il y a 5 ou 6 joueurs). On place les cartes qui restent, face en bas, au centre de la table pour former le talon. On retourne la carte du dessus du talon et on la place à côté de ce dernier pour commencer « la pile » ou « le paquet » de cartes écartées.

A deux joueurs, c'est le gagnant de chaque manche qui donne la suivante. A plus de deux joueurs, la donne passe d'un joueur à l'autre en allant vers la gauche.

But du jeu — Former dans sa main des séries s'appareillant composées de la manière suivante: des groupes de 3 ou 4 cartes de même rang, e.g. 9 de Pique, 9 de Carreau, 9 de Trèfle, — Dame de Pique, Dame de Cœur, Dame de Carreau, Dame de Trèfle; — ou des séquences de trois cartes ou plus de même couleur, e.g. Carreau — Valet, 10, 9. Dans une séquence l'As est la plus basse carte.

Le jeu — Chaque joueur à tour de rôle, en commençant par l'aîné, doit piger une carte — soit celle sur le dessus du talon, soit celle sur le dessus de « la pile » — et l'ajouter à sa main; il peut alors combiner ses cartes et en étendre, c'est-à-dire en déposer sur la table, face en l'air, réunies en séries ou en séquences. Il doit ensuite placer une carte face en l'air sur « la pile », ou écarter. S'il a pris la carte qui était sur « la pile », il ne peut pas l'y replacer au même tour.

Pour étendre — A son tour, un joueur peut ajouter une ou plusieurs cartes de sa main à n'importe quelle série déjà étendue sur la table. Ainsi, s'il y a des trois d'étendus, il peut y ajouter le quatrième trois; s'il y a le 10, le 9 et le 8 de Cœur, il peut ajouter le Valet de Cœur, ou la Dame et le Valet de Cœur, ou le 7 de Cœur, ou encore le 7 et le 6.

Pour finir — Lorsqu'un joueur se débarrasse de toutes ses cartes de cette manière, il gagne la partie. Si toutes les cartes qui lui restent forment une série, il peut les déposer toutes ensemble sur la table sans en écarter pour son dernier tour.

(Variante: Dans certains cercles, le tour de chacun des joueurs doit se terminer en écartant une carte. Dans ce cas, la partie finit lorsqu'un joueur, ayant pigé une carte, peut déposer ou étendre toutes ses cartes sauf une qui reste dans sa main et qu'il écarte.)

Si l'on a pigé la dernière carte du talon sans qu'aucun joueur finisse, le joueur suivant peut, soit prendre la carte sur le dessus de « la pile », soit retourner cette « pile » pour en faire un nouveau talon (sans en mêler les cartes) et piger la carte qui se trouve alors sur le dessus, et le jeu continue.

(Variante: Dans un jeu que l'on nomme quelques fois « Block Rummy », le jeu finit lorsque le talon est fini et lorsqu'un joueur refuse de prendre la dernière carte de la « pile ». On étend alors toutes les mains sur la table et le joueur qui a le moins de cartes gagne de chacun des autres joueurs la différence entre son nombre de cartes et celles de l'autre joueur. Si deux joueurs ont le même nombre de cartes et que ce nombre soit le plus petit, ils partagent les gains.)

(Variante: D'autres établissent que si un joueur écarte une carte qu'il aurait pu étendre sur la table, n'importe quel autre joueur peut dire « Rummy », étendre la carte en question et la remplacer sur la « pile » par une de ses propres cartes. Ce privilège revient au joueur qui dit « Rummy » le premier, si deux ou plusieurs le disent à la fois, c'est le joueur le plus près de la gauche de celui qui a écarté qui a le droit de le faire.)

Le pointage — Chaque joueur paie au gagnant de la partie la valeur nominale des cartes qui lui restent, qu'elles soient en séries ou non. Les figures comptent pour 10 points, l'As pour 1, toutes les autres cartes ont leur valeur nominale.

Un joueur fait « Rummy » lorsqu'il se débarrasse de toutes les cartes qui lui restent d'un seul coup, sans avoir déjà déposé ou étendu de cartes. Dans ce cas, chacun des autres joueurs lui paie le double de sa main.

(Variante: Quelques fois on établit pour règle qu'aucune carte ne sera étendue sur la table tant qu'un joueur ne pourra pas finir d'un seul coup. Le gagnant reçoit alors la valeur nominale de ses propres cartes de chaque joueur. On joue souvent cette variante à seulement deux ou trois joueurs et en donnant 10 cartes à chaque joueur. Le jeu continue toujours jusqu'à ce qu'un joueur finisse d'un seul coup. S'il ne reste plus de cartes au talon, « la pile » est mêlée et retournée pour faire un nouveau talon.).

Irrégularités au Rummy

Les règles suivantes couvrent les irrégularités qui peuvent être commises dans tout jeu de la famille « Rummy » — y compris la Canasta, l'Oklahoma, le Continental, le Rummy Contract, le Gin

Rummy, etc. Dans chaque cas, le lecteur fera bien de consulter également les règles propres au jeu en question.

Jeu hors de tour — Si l'on n'arrête pas un joueur avant qu'il ait terminé son tour en écartant, le joueur est considéré comme ayant joué à son tour et les autres, qui auraient dû jouer avant lui, perdent leurs tours. Si le joueur fautif a pris une carte sur le talon, il est trop tard pour l'arrêter lorsqu'il a placé cette carte dans sa main. Si l'on exige une correction à temps, le joueur fautif doit remettre la carte pigée et reprendre toute série qu'il aura étendue. Le joueur dont c'est le tour reprend alors le jeu. Le paragraphe suivant (Carte pigée illégalement) peut s'appliquer.

Carte pigée illégalement — Si un joueur voit une carte à laquelle il n'a pas droit, soit qu'il ait pigé une carte hors de tour ou qu'il en ait pigé plusieurs à la fois, il doit replacer cette carte face en l'air sur le talon. Le joueur suivant dont c'est le tour, peut ou prendre la carte ou la faire replacer au centre du talon, face en bas, et continuer de jouer comme s'il n'y avait pas eu l'irrégularité de commise. Si plusieurs cartes sont ainsi exposées sur le talon, chaque joueur ne peut à son tour que prendre la carte du dessus des cartes ainsi étendues, ou la carte de dessus du talon face en bas, ou (comme toujours) la dernière carte écartée sur la « pile ».

Si un joueur a pigé une carte illégalement, on ne pourra pas lui faire rectifier son erreur après qu'il aura écarté, mais le paragraphe intitulé « Main imparfaite » peut s'appliquer.

Main imparfaite — Le joueur qui a trop de cartes écarte avant de piger. Le joueur qui n'a pas assez de cartes pige sans écarter, une carte à chaque tour jusqu'à ce qu'il ait en main le bon nombre de cartes. (Ceci s'applique au joueur qui pige trop de cartes et les ajoute à sa main avant que la correction soit exigée). Un joueur ne peut pas préparer de séries à étendre à un tour où sa main serait imparfaite. Si un joueur a trop de cartes après qu'un autre joueur est sorti du jeu, il paie simplement la valeur de toutes les cartes qu'il a en main. S'il n'a pas assez de cartes, on lui compte 10 points pour chaque carte en moins. Si le joueur qui finit (ou sort) n'a pas assez de cartes, il reprend les cartes qu'il a étendues et le jeu continue.

Redonne — Le même donneur doit redonner les cartes si plus d'une carte a été exposée pendant la donne ou s'il y a plus d'une carte face en l'air dans le paquet. Le joueur à qui l'on donne un nombre incorrect de cartes peut demander une nouvelle donne avant de piger pour son premier tour, mais après il est trop tard.

On doit redonner les cartes chaque fois que l'on constate que le paquet était imparfait, mais on conserve quand même les résultats des donnes précédentes.

Carte exposée — Lorsque chacun joue pour soi, il n'y a pas de pénalité lorsqu'un joueur expose ses propres cartes. Lorsqu'il y a des partenaires, toute carte exposée (à moins qu'elle puisse normalement être étendue à ce moment-là), doit être laissée sur la table et écartée à la première occasion. Si un joueur a plus d'une carte d'exposées, il peut les écarter dans n'importe quel ordre.

Cartes étendues illégalement — Si un joueur étend des cartes qui ne sont pas en séries et si la chose est découverte avant que les cartes soient mélangées, il doit les remettre dans sa main. Toute carte étendue par-dessus une telle série reste sur la table, mais on ne pourra pas y ajouter d'autres cartes à moins qu'il y en ait eu 3 ou plus d'étendues dessus, car alors ces cartes forment elles-mêmes une série. Si un joueur annonce qu'il sort, alors qu'il ne peut pas étendre ou écarter toutes ses cartes, il doit en étendre ou en écarter le plus possible. Dans un cas comme dans l'autre, le jeu continue comme s'il n'y avait pas eu d'irrégularité.

Fautes de pointage — On ne peut pas corriger une erreur faite en comptant une main, après que cette main a été mélangée avec d'autres cartes. On peut corriger en tout temps une erreur faite en inscrivant un pointage convenu.

Rum 500

Cette forme populaire du jeu a suscité la Canasta, un jeu nouveau, et plusieurs autres variantes. Ce qui distingue le Rum 500 des autres jeux, c'est que chaque joueur y inscrit à son compte la valeur des cartes qu'il a étendues en séries, en plus des points ordinaires pour avoir fini et des points de cartes restées aux mains des adversaires. On nomme aussi le « Rum 500 »: Rummy Pinochle et Rum Michigan.

Nombre de joueurs — De deux à huit. De préférence 3, 4 ou 5. A quatre on joue avec des partenaires.

Le paquet — 52 cartes. A cinq joueurs ou plus il faut prendre un paquet double.

Rang des cartes — L'as (haute ou basse), Roi, Dame, Valet, 10, 9, 8, 7, 6, 5, 4, 3, 2, As (haute ou basse).

Valeur des cartes — L'As compte pour 15, sauf dans la série 3, 2, As, alors il compte pour 1. Les figures comptent pour 10 chacune. Les autres cartes gardent leur valeur nominale.

La mêlée et la coupe — On tire pour la donne. La plus basse carte donne en premier. Pour piger ou tirer, l'As est la plus basse carte. Le donneur mêle et le joueur à sa droite compte.

La donne — On donne sept cartes par joueur, sauf dans le jeu à deux où chaque joueur reçoit 13 cartes.

But du jeu — Obtenir des points en étendant ou en écartant des cartes comme au Rummy ordinaire (par groupes de 3 ou 4 de même rang, ou en séquences de 3 cartes ou plus de la même couleur.)

Le jeu — La partie non distribuée des cartes, placée en paquet, face contre table, constitue le talon. On place la carte de dessus du talon à côté de celui-ci pour commencer « la pile ». A tour de rôle, en commençant par l'aîné, chaque joueur pige la carte sur le dessus du talon; on peut prendre n'importe quelle carte de la « pile » pourvu que l'on prenne aussi toutes les autres cartes posées sur elle dans la « pile » et pourvu également que l'on emploie immédiatement la carte ainsi pigée, soit en l'étendant avec une série, soit en l'ajoutant à une série déjà étendue.

A son tour, après avoir pigé et avant d'écarter, chaque joueur peut étendre sur la table devant lui une série de cartes semblables soit en valeur soit en couleur, ou bien il peut étendre n'importe quelle carte qui va avec une série déjà étendue — cependant il conserve devant lui toute carte ainsi étendue.

Les séquences ne peuvent pas « tourner le coin » — On peut étendre: As, Roi, Dame, ou As, 2, 3; mais non Roi, As, 2.

Le pointage — Le jeu cesse immédiatement lorsqu'un joueur se débarrasse de toutes ses cartes. On calcule alors les points de chaque joueur de la façon suivante: on lui accorde en points la valeur de chaque carte qu'il a étendue sur la table — de ce chiffre, on soustrait la valeur de toutes les cartes qui lui restent en main. On ajoute ou soustrait alors selon le cas la différence du total de ses points. *Exemple:* Les cartes étendues donnent 87 points, les cartes qui restent dans la main du joueur égalent 90 points — on soustrait donc 3 points de ceux qu'il a précédemment accumulés.

Le premier joueur dont les points atteignent plus de 500 gagne la partie. On lui accorde la différence entre ses points finals et ceux de chacun des autres joueurs. Si deux joueurs ou plus atteignent 500 points dans la même manche, celui qui a le plus haut pointage est le gagnant.

Lorsqu'un joueur étend une carte, il la laisse devant lui sur la table pour qu'il lui soit plus facile de calculer ses points ensuite, mais il doit dire à quelle série déjà étendue la carte se rattache; ainsi, s'il y a sur la table les 9, 10 et Valet de Carreau, les Dames de Cœur, de Pique et de Trèfle, le joueur qui étendrait la Dame de Carreau devant lui devrait spécifier à quelle série il désire l'ajouter: s'il l'ajoute à la série des Carreaux, n'importe quel joueur peut ensuite y rajouter le Roi de Carreau.

Irrégularités — Voir page 90.

La Canasta

La Canasta est un jeu de la famille du « Rummy ». Il prit ses origines en Uruguay au début des années 1940, se répandit rapidement en Argentine, et de là dans toute l'Amérique du Sud pour ensuite passer aux Etats-Unis. (Canasta veut dire « panier » en espagnol.) Vers 1950 et 1951 la Canasta fut le jeu le plus populaire aux Etats-Unis. Il conserva sa popularité sous plusieurs de ses variantes: Samba, Bolivia, Canasta cubaine, etc., dont quelques-unes sont décrites aux pages suivantes.

Nombre de joueurs — Quatre, deux partenaires contre deux. (On peut aussi jouer la Canasta à deux, trois, cinq ou six. Les règles spéciales s'appliquant à ces formes commencent en page 101).

Le Paquet — 108 cartes — deux jeux ordinaires de 52 cartes, plus quatre Jokers, tous mêlés ensemble.

Frimes — Les Jokers et les deux sont frimés. On ne peut étendre une frime qu'accompagnée de cartes naturelles, elle prend alors le rang des cartes qu'elle accompagne.

Pour tirer — On pourra déterminer les partenaires en tirant des cartes du paquet. Le joueur qui tire la plus haute carte a le choix des places, il joue le premier au premier tour, et a pour partenaire le joueur qui a tiré la carte suivante de la sienne en valeur.

Pour tirer, le rang des cartes est le suivant: As (haute), Roi, Dame, Valet, 10, 9, 8, 7, 6, 5, 4, 3, 2. Les Jokers sont nuls. Ordre des couleurs: Pique (forte), Cœur, Carreau, Trèfle. Si plusieurs joueurs tirent des cartes équivalentes, ils doivent tirer de nouveau. Si un joueur tire un Joker, ou plus d'une carte à la fois, ou une des quatre cartes du début ou de la fin du paquet, il doit tirer de nouveau.

Les partenaires s'asseoient en face l'un de l'autre.

La mêlée et la coupe — Le permier donneur est celui qui est assis à droite du joueur qui a tiré la plus haute carte. Ensuite, la donne circule vers la gauche (dans le sens des aiguilles d'une montre.)

Tout joueur qui le désire peut mêler. Le donneur a le droit de mêler le dernier. Après que le jeu fut mêlé on fait couper le paquet par le joueur à la gauche du donneur.

La donne — Le donneur passe onze (11) cartes à chaque joueur, une à la fois, dans le sens des aiguilles d'une montre, en commençant par l'adversaire à sa gauche et en finissant par lui-même.

Le reste du paquet non distribué est placé, face en bas, au centre de la table et devient le talon. La carte du dessus du talon est retournée et posée à côté de ce dernier. Elle devient la « carte retournée ». Si la « carte retournée » est un Joker, un deux, un trois rouge ou noir, il faut retourner une ou plusieurs cartes de plus jusqu'à ce que l'on trouve une carte naturelle de l'As au 4.

Les Trois Rouges — Le joueur qui trouve un trois rouge dans son jeu doit, à son premier tour, le placer face en l'air sur la table et piger une carte du talon pour le remplacer. Le joueur qui pige un trois rouge du talon doit le placer immédiatement face en l'air sur la table, et piger de nouveau. Le joueur qui prend la pile et y trouve un trois rouge doit immédiatement le placer face en l'air sur la table, mais ne pige pas de nouvelle carte pour le remplacer.

Chaque trois rouge a une valeur de boni de 100 points. On accorde un boni supplémentaire de 400 points au côté qui aurait obtenu les quatre trois rouges. On donne le crédit (plus) de ses trois rouges au côté qui a étendu des séries de cartes, mais on débite (moins) de ses trois rouges celui qui n'a rien étendu au moment ou la manche prend fin.

Le jeu — L'adversaire assis à la gauche du donneur joue le premier. Ensuite, on joue à tour de rôle dans le sens des aiguilles d'une montre (vers la gauche). A chaque tour, un joueur doit : piger, étendre (facultatif) après avoir pigé, et écarté.

Le joueur dont c'est le tour de jouer a le droit de piger la carte de dessus du talon. Au lieu de cela, il peut aussi (sujet à certaines restrictions — voir « Pour prendre la 'pile'») prendre la carte du dessus de la « pile » pour l'étendre, ceci fait il doit prendre le reste de la « Pile ».

On écarte toujours une carte de la main (jamais une carte déjà étendue). Toutes les cartes écartées sont placées en une « pile » (ou paquet) à côté du talon (sur la « carte retournée » - *up-card* si elle est toujours là). La « pile » doit toujours être égale, sauf si l'examen en est permis, voir « Renseignements ».

But du jeu — Le but principal du jeu est de former des séries, combinaisons de trois cartes ou plus, de même rang, avec ou sans l'aide de frimes (Les séquences sont pas valables à la Canasta.)

Séries à étendre — Pour être valable une série à étendre doit renfermer au moins deux cartes naturelles de même rang, de l'As au quatre inclusivement, et pas plus de trois frimes. Les Jokers et les deux ne doivent jamais être étendus seuls, sans cartes naturelles. Une série de trois ou quatre trois noirs (sans frime) ne peut être étendue que pour sortir.

Pour compter, une série doit être étendue face en l'air sur la table, par le joueur dont c'est le tour de jouer. Toutes les carte que les joueurs ont en main lorsque la manche finit, même si elles forment des séries, comptent en moins.

Lorsque c'est son tour de jouer, un joueur peut étendre autant de cartes qu'il veut, de même rang ou de rangs différents, pour former de nouvelles séries ou ajouter de nouvelles cartes à des séries existantes. (Voir cependant les restrictions « Pour sortir »). Toutes les cartes étendues par deux partenaires sont placées devant un membre de cette équipe. Une équipe peut étendre une série de cartes déjà étendues par l'adversaire, mais ne peut pas étendre deux séries de cartes de même rang.

Un joueur peut ajouter des cartes à une série de son côté pourvu que cette dernière demeure valable. Il ne peut pas ajouter de cartes aux séries étendues par l'adversaire.

Les Canastas — Une série étendue de 7 cartes ou plus, composée d'au moins quatre cartes naturelles (appelées «base») est une Canasta. En plus de la valeur des cartes une Canasta vaut en points: un boni de 500 pour une série naturelle sans frime (Canasta pure); ou de 300 points pour une série mixte renfermant de une à trois frimes (Canasta impure).

On place une carte rouge sur une Canasta pure réunie en paquet, et une carte noire sur une Canasta impure. On peut ajouter des cartes à une Canasta déjà complétée pour ajouter à la valeur totale des points, mais ceci n'ajoute pas à la valeur du boni, sauf que si l'on ajoute une frime à une Canasta pure elle devient impure et ne compte plus que comme telle.

Points minima — Chaque carte a une valeur déterminée en points, comme suit:

Chaque Joker	50
Chaque deux	20
Chaque As	20
Chaque Roi, Dame, Valet, 10, 9, 8	10
Chaque 7, 6, 5, 4, et 3 noir	5

Pour étendre une série initiale de cartes il faut que leur valeur en points soit conforme aux règlements, selon le total des points accumulés par les deux joueurs en question à ce moment-là. Voici ces règlements:

Points accumulés (au moment de la donne)	Valeur minimum de la série initiale:
Sous zéro	15
0 à 1,495	50
1,500 à 2,995	90
3,000 ou plus	120

La valeur d'une série est le total de la valeur des cartes qui la composent. Pour obtenir la valeur minimum, un joueur peut étendre deux séries ou plus de cartes de rangs différents. S'il prend la «pile» il peut compter la carte du dessus (mais aucune autre) pour obtenir le total voulu. Les bonis de trois rouges et de canastas ne comptent pas lorsqu'il s'agit d'établir la valeur minimum de cartes à étendre.

Lorsqu'un côté a étendu une série initiale, l'un ou l'autre des partenaires peut étendre de nouvelles cartes ou séries sans tenir compte d'aucune valeur minimum.

Pour prendre la « pile » — La «pile» est gelée pour un côté tant que ce côté n'a pas étendu de série initiale. La série initiale étendue dégèle la «pile» pour l'un ou l'autre partenaire pourvu qu'elle ne soit pas gelée différemment, de l'une des manières suivantes:

La «Pile» est gelée contre les deux côtés lorsqu'elle renferme un trois rouge (retourné de dessus le talon) ou une frime (retournée ou écartée). On ne dégèle alors la pile qu'en la prenant. (La première carte à geler la «pile» est placée en travers de celle-ci afin d'indiquer que la «pile» est gelée.)

Lorsque la « pile » est gelée (contre son côté ou contre les deux côtés) un joueur ne peut la prendre que pour ajouter la carte du dessus de la « pile » à une paire naturelle de cartes du même rang prises dans sa main. Avant de toucher à la « pile », il doit montrer sa paire, ainsi que toutes cartes supplémentaires qui seraient requises pour obtenir la valeur minimum s'il s'agit d'étendre une série initiale.

Lorsque la « pile » n'est pas gelée pour son côté, un joueur peut la prendre) *a*)｜ de la manière décrite précédemment; ou *b*) pour étendre la carte du dessus avec une carte de même rang et une frime prises dans sa main; ou *c*) pour ajouter la carte du dessus à une série déjà étendue par son côté.

Ayant pris et étendu la carte de dessus comme il se doit, le joueur prend alors le reste de la pile et l'ajoute à sa main. Il peut ensuite, à sa guise, placer en séries et étendre toutes les cartes additionnelles ainsi obtenues.

On ne peut pas prendre la « pile » lorsque la carte de dessus est une frime ou un trois noir.

Renseignements — Un joueur peut: *a*) examiner la « pile » avant d'avoir écarté à son premier tour; *b*) rappeler la valeur minimum de points requise pour ouvrir si son partenaire est en train d'étendre une série initiale; *c*) rappeler à son partenaire de déclarer des trois rouges ou de piger des cartes de remplacement; *d*) tourner en travers la sixième carte d'une série étendue pour indiquer qu'il n'y manque plus qu'une carte pour terminer une Canasta.

Lorsque vient son tour de jouer on peut dire à un joueur: *a*) combien de points minimums sont requis pour ouvrir, ou combien il y a de points d'accumulés de l'un ou de l'autre côté; *b*) le nombre de cartes que détient n'importe quel joueur; *c*)｜ le nombre de cartes qui restent au talon. S'il ne lui reste plus qu'une carte, il peut l'annoncer.

Pour sortir — Un joueur sort ou finit lorsqu'il se débarrasse légalement de la dernière carte qu'il avait en main, soit qu'il l'écarte ou qu'il l'étende. Lorsqu'un joueur sort, le jeu finit et l'on compte les points pour la manche. Pour qu'un joueur puisse sortir il faut que son côté ait étendu et complété au moins une Canasta, faute de quoi il doit garder au moins une carte en main.

Pour sortir, un joueur n'est pas tenu d'écarter sa dernière carte. Il peut l'étendre dans une série, ou étendre d'un coup toutes les cartes qui lui restent.

Le joueur qui n'a qu'une carte en main n'a pas le droit de prendre la « pile » composée d'une seule carte.

La permission de sortir — Si un joueur peut sortir, avant ou après avoir pigé une carte du talon, il peut demander à son vis-à-vis « Partenaire, puis-je sortir? » Son partenaire doit alors lui répondre « Oui » ou « Non » et il est obligé de se conformer à cette réponse. Avant de répondre, le partenaire peut se renseigner en posant les questions prévues au paragraphe « Renseignements ».

Un joueur n'a pas le droit de demander « Partenaire, puis-je sortir? » s'il a déjà étendu une carte ou s'il a signifié son intention de prendre la « pile » ; mais un joueur peut finir sans demander la permission.

Main « fermée » — Un joueur a une main « fermée » lorsqu'il peut étendre toute sa main d'un seul coup, que celle-ci comporte au moins une canasta complète, et qu'il n'a pas étendu de cartes précédemment ni rajouté de cartes à des séries déjà étendues par son partenaire. Si son partenaire n'avait pas étendu de série initiale pour ouvrir le jeu, les cartes qu'il étend ainsi doivent donner le compte requis pour ouvrir (sans tenir compte du boni de Canasta) s'il a pris la « pile », mais cela n'est pas nécessaire s'il a pigé au talon.

La dernière carte du talon — Si un joueur pige la dernière carte du talon et s'il s'agit d'un trois rouge, il le retourne face en l'air, il ne peut alors ni étendre de cartes ni en écarter et le jeu prend fin.

Si quelqu'un pige la dernière carte de talon et que cette carte n'est pas un trois rouge, le jeu continue tant que les joueurs à tour de rôle prennent la « pile ». A ce point, un joueur doit prendre la « pile », pourvu qu'elle ne soit pas gelée, si la carte de dessus est semblable à celles d'une série déjà étendue par son côté (exception: le joueur qui n'a qu'une carte en main ne peut pas prendre la « pile » si elle ne comporte qu'une seule carte.) Il n'est pas obligé de prendre la carte de dessus de la « pile » pour étendre une nouvelle série. Le jeu finit lorsque le joueur dont c'est le tour ne peut pas ou refuse légalement de prendre la « pile ».

Comptage des points pour une manche — On détermine les points de base d'un côté pour une manche en additionnant tous les points qui s'y appliquent d'après le tableau suivant:

Pour sortir	100
Pour sortir avec une « main fermée »	100
Pour chaque trois rouge (Voir *Trois Rouges*)	100
Pour chaque Canasta pure	500
Pour chaque Canasta impure	300

Les points (proprement dits) d'un côté sont le total de la valeur de toutes les cartes par lui étendues, moins la valeur de toutes les cartes qui restent dans les deux mains. Le compte des points pour un côté est le total (ou la différence) de ses points de base et de ses points de cartes. (Il peut être déficitaire — sous zéro).

Pointage de la partie — Les points doivent être écrits sur le papier, en deux colonnes (une pour chaque côté). Après chaque manche on inscrira les points remportés au cours de la manche et l'on fera le total des points accumulés (afin de déterminer le nombre de points requis pour ouvrir, i.e. pour étendre la série initiale de la manche suivante).

Le côté qui le premier atteint 5,000 points, gagne la partie. On doit jouer la dernière manche jusqu'au bout, même si l'on a la certitude qu'un côté ou les deux ont atteint 5,000 points. Il n'y a pas de boni au gagnant de la partie. La différence entre les totaux finals représente la marge de victoire.

Irrégularités — *Nouvelle donne:* Il doit y avoir une nouvelle donne par le même joueur s'il a le moindrement enfreint les règles prescrites à cet effet, ou s'il a exposé une carte autre que celle qui doit être « Retournée », ou s'il est constaté pendant la donne que le donneur n'a pas fait couper le paquet. Il faut qu'il y ait une nouvelle donne si l'on s'aperçoit (avant que chaque joueur ait terminé son premier tour) que l'on a donné un nombre inexact de cartes à un joueur, qu'il y a une carte de retournée dans le talon, ou que le paquet renferme une carte étrangère au jeu. (Si l'on découvre une telle irrégularité trop tard pour qu'il y ait une nouvelle donne, on continue de jouer avec une carte en moins où il y a une carte manquante, la carte retournée est remise dans le talon et mêlée, la carte étrangère est retirée du paquet et, si elle se trouvait dans une main, alors le joueur en pige une pour la remplacer.)

Carte pigée en trop. Si un joueur pige trop de cartes du talon, il doit les montrer à tous les joueurs, si elles ne sont pas placées dans sa main) et les remettre au talon. Le joueur suivant peut, s'il le désire, remêler le talon avant de piger à son tour. Si les cartes pigées en trop ont été placées dans la main du joueur, le joueur devra s'abstenir de piger pour autant de tours que cela sera nécessaire pour rétablir à la normale le nombre de cartes qu'il a en main, tout en écartant une carte à chaque tour. Tant que le nombre de cartes dans sa main ne sera pas normal, le joueur devra s'abstenir d'étendre des cartes en séries (ou d'en ajouter à des séries existantes.)

Carte exposée. Si un joueur expose une carte de sa main, autrement qu'en étendant ou en écartant, cette carte devient une carte de pénalité et doit rester face en l'air sur la table. Une carte de pénalité est considérée comme faisant partie de la main et peut être étendue à son tour. Si on ne l'étend pas, il faut l'écarter à la première occasion. Le joueur qui a deux cartes de pénalités ou plus peut choisir celle qu'il veut écarter.

Compte insuffisant. Si un joueur dépose un compte insuffisant de points pour ouvrir, il peut corriger son erreur en ajoutant des cartes aux séries étendues et il peut placer différemment les cartes étendues. Ou bien encore, il peut reprendre toutes les cartes, mais dans ce cas le nombre minimum de points requis pour que son côté ouvre est augmenté de dix (10).

Cartes étendues illégalement. On doit reprendre les cartes étendues illégalement par exemple celles que l'on aurait étendues dans l'intention de finir lorsque notre côté n'a pas de Canasta de complétée, ou lorsque notre partenaire a répondu « Non » à la question « Partenaire puis-je sortir? »; ou lorsque l'on aura étendu des frimes en trop grand nombre. Une amende de 100 points est imposée au côté fautif. La même pénalité s'applique si un joueur, ayant étendu un nombre insuffisant de cartes pour ouvrir, rend ce nombre suffisant en y ajoutant de nouvelles cartes, mais retire une ou plusieurs cartes d'abord étendues et qui ont ainsi été exposées.

Trois rouge non déclaré. Une amende de 500 points est imposée au côté dont on découvrirait que l'une des mains renferme un trois rouge au moment où l'on compte les points à la fin d'une manche. (Cette pénalité ne s'applique pas si le joueur n'a pas eu le temps de jouer, un autre avant lui ayant fini à son premier tour, mais 100 points doivent tout de même être ôtés de ce côté.

Remise de pénalité. Si un joueur étend une série illégalement et que l'erreur ne soit pas signalée avant que l'adversaire ait pigé ou signifié son intention de prendre la « pile », la pénalité prévue pour une série étendue illégalement ou pour avoir ouvert avec un compte insuffisant de points ne s'applique pas. Dans ce cas, une série incomplète pour ouvrir demeure comme si elle était complète; une mauvaise combinaison de cartes peut être reprise sans pénalité. Cependant, on laissera étendues les frimes qui l'auraient été en surplus et on les soustraira des points du côté en faute à raison de 50 points chacune s'il y a incertitude quant à la quatrième frime étendue.

Prise illégale de la « pile ». On devra immédiatement arrêter le geste du joueur qui tenterait de prendre la « pile » sans avoir d'abord prouvé qu'il lui est permissible de le faire. Il n'y a pas de pénalité s'il peut alors établir ses droits. Mais, s'il a pris la « pile » et l'a ajoutée à sa main avant de fournir ces preuves, les adversaires peuvent lui faire découvrir toutes ses cartes et y reprendre les cartes nécessaires pour reconstituer la « pile ». Le coupable peut alors reprendre ses cartes, piger une carte du talon et son côté reçoit une amende de 100 points.

Demande irrégulière. Si un joueur demande « Partenaire, puis-je sortir? » et qu'il ait déjà étendu des cartes ou qu'il ait signifié son intention de prendre la « pile », il doit sortir si possible. Si un joueur pose la question au bon moment, mais qu'il étende des cartes avant d'avoir reçu une réponse, il doit sortir si possible. S'il ne peut pas sortir, ou, si ayant demandé et reçu l'autorisation de sortir il ne peut pas le faire, une amende de 100 points est imposée à son côté.

Les coutumes à la Canasta — On appelle généralement la « pile » de cartes écartées la « pile » (certains joueurs disent le « paquet »). Quand on prend ces cartes on « prend la pile ». Le joueur qui ne peut en toute sécurité écarter une carte est « coincé ».

Celui de deux partenaires qui étend la série initiale (ou qui ouvre) garde les séries ou Canastas et les Trois Rouges pour son côté.

On tient compte des points sur une tablette ordinaire de pointage au Bridge, en deux colonnes « Nous » et « Eux ».

A la fin de la partie chaque côté compte ses points à cent près, 50 points ou plus comptent pour 100. On accorde alors aux gagnants la différence entre les totaux ainsi établis pour chaque côté. Donc, si un côté l'emporte avec 5,030 contre 3,050, il gagne donc par la différence entre 50 et 31 soit 20 points nets.

Une Canasta complète est empilée avec une carte rouge sur le dessus s'il s'agit d'une Canasta « pure » et une carte noire s'il s'agit d'une « impure ».

La Canasta à deux

Les règles précédentes s'appliquent sauf pour ce qui suit:
On donne 15 cartes à chaque joueur. On pige deux cartes à la fois

du talon mais on n'en écarte qu'une à chaque tour. Il faut qu'un joueur ait deux Canastas complètes pour sortir. Les pénalités pour cartes exposées et séries initiales insuffisantes étendues ne s'appliquent pas.

La Canasta à trois (Coupe-gorge)

On peut jouer à la Canasta à trois avec les mêmes règles que pour jouer à quatre, à la seule différence que chacun joue pour soi. Toutefois on obtiendra un jeu plus rapide et plus vivant en modifiant les règles de la façon suivante:

Les joueurs — Trois, chacun compte ses points individuellement, mais au cours du jeu, deux peuvent s'unir contre un.

La pige — Chaque joueur doit piger deux cartes du talon, mais n'en écarte qu'une seule à chaque tour.

Main isolée — Le joueur qui, le premier, prend la « pile » devient la « main isolée ». Les deux autres s'unissent contre lui. Ils combinent les séries qu'ils étendent et s'entr'aident comme le font habituellement deux partenaires. Si un joueur sort avant que l'on ait pris la « pile » une seule fois, alors ce joueur devient la « main isolée » et les deux autres comptent leurs points en équipe.

Série initiale étendue — Le nombre de points requis pour qu'un joueur puisse ouvrir dépend des points qu'il a lui-même accumulés. Il peut donc ainsi arriver qu'il faille davantage de points pour ouvrir à un partenaire qu'à l'autre.

Pointage — Un Trois Rouge ne compte que pour son propriétaire. en plus ou en moins selon que son côté a ouvert ou non. Les points de base des partenaires sont donc différents s'il n'ont pas pigé un nombre' égal de Trois Rouges.

On fait le total de tous les autres points pour l'équipe et chacun des partenaires reçoit la totalité des points plus ou moins ses propres Trois Rouges. La partie est en 7,500 points.

Talon épuisé — Si personne ne sort, le jeu finit lorsque le joueur qui a pris la dernière carte du talon écarte. Si la « pile » n'a pas été prise, chaque joueur compte ses points individuellement.

La Canasta à cinq

Un côté compte trois joueurs, qui chacun leur tour restent hors du jeu pour permettre aux deux autres de jouer contre les adversaires. On joue comme à quatre joueurs. Le joueur resté hors du jeu ne peut pas conseiller ses partenaires, il ne peut pas non plus signaler d'irrégularités, sauf au comptage des points lorsque la partie est finie.

La Canasta à six

Il y a plusieurs manières de jouer. Les règles de la Canasta à quatre s'appliquent ici, sauf dans les cas suivants:

a) Il y a deux équipes de trois joueurs chacune, placées ainsi : A B A B AB (chaque joueur étant entre deux adversaires.)

b) Il y a trois équipes de deux joueurs chacune, placés ainsi : A B C A B C.

c) On emploie un triple paquet de cartes, soit trois paquets de 52 cartes plus six (6) Jokers, tous mélangés ensemble. Chaque joueur reçoit 13 cartes. La partie est en 10,000 points, et lorsqu'un côté atteint 7,000 points il lui en faut 150 pour ouvrir. Quatre Trois Rouges comptent pour 100 points chacun; cinq Trois Rouges — 1,000 points en tout; six Trois Rouges — 1,200. Il faut qu'une équipe ait deux Canastas de complétées pour sortir. Cette forme de jeu a maintenant beaucoup cédé de terrain à la Samba (voir plus bas) et à d'autres variantes de la Canasta.

VARIANTES DE LA CANASTA

Au cours des années qui se sont écoulées depuis que la Canasta s'est popularisée, plusieurs variantes ont fait leur apparition et sont devenues encore plus populaires que le jeu d'origine. Même à ce jeu d'origine, deux variantes sont généralement reconnues: (1) Un joueur ne peut pas prendre le dessus de la « pile » pour l'ajouter à une Canasta terminée de son côté, même si la « pile » n'est pas gelée (2) Un joueur doit toujours avoir une paire naturelle pour prendre la « pile » pour étendre une série, mais il peut prendre une « pile » gelée pour ajouter la carte de dessus à une série déjà étendue et qui n'est pas encore une Canasta complète.

D'autres variantes, dont la première fut la Samba, mais qui plus tard comprirent la Canasta Bolivienne, la Chilienne, la Cubaine, la Brésilienne et d'autres encore, comportent les deux variantes mentionnées plus haut, avec en plus, une ou davantage des suivantes: (3) On emploie trois paquets de cartes plus six Jokers. (4) On peut étendre des séquences (suites) et l'une d'elles composée de sept (7) cartes compte pour une Canasta. (5) On peut étendre des frimes seules et une série de sept frimes compte pour une Canasta. (6) En pigeant du talon, le joueur peut prendre deux cartes et n'en écarter qu'une. (7) Il faut qu'un côté ait deux Canastas pour sortir.

LA SAMBA

Employer un paquet de 162 cartes, c'est-à-dire trois paquets de 52 cartes, plus six Jokers. On donne 15 cartes à chaque joueur. Pour piger du talon on prend deux cartes, mais on n'en écarte qu'une. On ne peut prendre la « pile » qu'avec une paire naturelle en main, ou si elle n'est pas gelée, pour ajouter la carte du dessus à une série déjà étendue de moins de sept (7) cartes. On ne peut pas la prendre pour commencer à étendre une séquence.

Séquence étendue — On peut étendre trois cartes ou plus en séquence d'une même couleur. (L'as, la plus haute; le 4 la plus basse). On pourra y ajouter des cartes jusqu'à ce qu'il y en ait 7, et la série devient alors une Samba, ou une Canasta de séquence qui a le rang d'une Canasta mais rapporte un boni de 1,500 points. Il ne doit pas y avoir de frime dans une séquence.

Frimes — On ne peut pas étendre de frime sans cartes naturelles, et il ne peut pas y avoir plus de deux frimes par série.

Canastas — Il faut qu'un côté ait deux Canastas (pures, impures ou en séquence) pour sortir. Un côté peut avoir deux Canastas de même rang et peut en tout temps combiner ensemble de telles séries.

Pointage — Points requis pour séries initiales: 15 si les points sont négatifs (sous zéro); 50 avec de 0 à 1,495; 90 avec de 1,500 à 2,995; 120 avec de 3,000 à 6,995; 150 avec 7,000 ou plus. La partie est de 10,000 points et il y a un boni de 200 points pour avoir fini. Aucun boni pour une main « fermée ». Les Trois Rouges comptent pour 100 points chacun, à moins qu'un côté les détienne tous les 6; alors ils comptent pour 1,000 points plus ou moins; à ajouter ou soustraire. Si le côté n'a pas complété deux Canastas, il doit soustraire les Trois Rouges.

KNOCK RUMMY ou POKER RUM

Nombre de joueurs — De deux à cinq.

Le Paquet — 52 cartes.

La mêlée, la coupe et la donne — Suivent les lois du "Rummy" (Voir page 89) A deux, chaque joueur reçoit 10 cartes; à trois ou quatre — sept cartes; à cinq — six cartes.

Rang des cartes — Roi (haute), Dame, Valet, 10, 9, 8, 7, 6, 5, 4, 3, 2, As.

Valeur des cartes — Chaque figure compte 10 points, l'As 1 point, les autres cartes ont leur valeur nominale.

Le jeu — On pige et on écarte comme au Rummy mais on ne peut pas étendre. Après avoir pigé, mais avant d'écarter, tout joueur peut « frapper » (c'est-à-dire étaler son jeu) ce qui met un terme à la main. Alors, il écarte séparant ses suites ou séries de ses cartes isolées, et annonce le compte de ses cartes isolées. Chacun des autres joueurs sépare alors ses cartes en séries de ses cartes isolées et annonce le compte de ces dernières.

Pointage — La main renfermant le plus petit nombre de points gagne la différence entre ses points et ceux de chacun des autres joueurs. Si le compte de points dans la main d'un joueur est égal à celui du « frappeur » et que ce nombre soit le plus petit, il gagne plutôt que le « frappeur ». Si le plus petit nombre de points n'est pas dans la main du « frappeur », il paie une amende de dix points plus la différence de points entre leurs jeux, au joueur qui a le plus petit nombre de points, et qui gagne la main.

Quand le « frappeur » fait « rum » (c'est-à-dire quand toutes ses cartes sont en séries) il reçoit un supplément de 25 points de chacun des autres joueurs.

GIN RUMMY

Ce jeu est devenu la variante à deux la plus populaire de la famille « Rummy ». C'est le jeu favori du monde du cinéma, de la radio et du théâtre.

Nombre de joueurs — Deux. On peut jouer à trois, mais alors un des joueurs doit rester en dehors du jeu pendant que les deux autres jouent. On peut aussi jouer à quatre ou plus, en équipes de deux, avec autant d'équipes que l'on désire (Voir règles en page 110) mais alors on joue des parties à deux séparées et l'on combine les pointages.

Le Paquet — 52 cartes. Il faut employer deux paquets afin que pendant qu'un joueur donne un paquet, l'autre joueur puisse mêler le second pour la donne suivante.

Rang des cartes — Roi (haute), Dame, Valet, 10, 9, 8, 7, 6, 5, 4, 3, 2, As.

Valeur des cartes — Les figures, 10 points chacune; l'As 1 point; les autres cartes gardent leur valeur nominale.

La mêlée et la coupe — Un paquet est mêlé et étalé, et chaque joueur pige une carte; s'il pige une des quatre cartes à l'une des extrémités du paquet, il doit piger de nouveau. Si les cartes pigées sont de même rang, on établira l'ordre des couleurs de la façon suivante: Pique (forte), Cœur, Carreau, Trèfle. Le joueur qui pige la plus haute carte a le choix des cartes et des places, et décide s'il sera ou non le premier à donner. L'un ou l'autre joueur peut mêler, le donneur ayant le droit de mêler le dernier. Celui qui ne donne pas doit couper le paquet.

La donne — Le donneur passe les cartes, une à la fois, face fermée alternativement à son adversaire et à lui-même, jusqu'à ce qu'ils en aient chacun dix. La carte suivante est la « carte retournée » (la retourne) et est exposée au centre de la table. Le reste du paquet, le « talon », est placé, face fermée, à côté de la « retourne ».

But du jeu — Former des séries de cartes semblables (trois ou plus) ou des suites de trois cartes ou plus de la même couleur et de rang consécutif.

Le jeu — Le joueur qui n'a pas donné joue le premier et ensuite chacun joue à tour de rôle. Chacun à son tour doit, soit piger la carte retournée (ou la carte du dessus de la pile d'écarts) ou la carte sur le dessus du talon; il doit ensuite écarter une carte face exposée sur la pile d'écarts (il ne faut pas, cependant, que ce soit la même carte que celle qu'il vient de piger sur la pile d'écarts.)

Au premier tour, si le « non-donneur » ne veut pas prendre la « retourne » il doit le dire au donneur et celui-ci pourra jouer le premier en pigeant la « retourne ». Si le donneur ne veut pas prendre la « retourne », alors son adversaire peut prendre la carte sur le dessus du talon et le jeu reprend son cours normal.

Quand « frapper » — Chaque main commence quand la donne normale se termine et finit lorsqu'un des joueurs « frappe ».

Un joueur peut « frapper » à n'importe quel tour, après avoir pigé et avant d'écarter, si la valeur des cartes isolées qui lui restent en main (après avoir écarté) est de 10 points ou moins. Il n'est pas obligé de « frapper » quand il peut le faire. Après avoir « frappé », il écarte une carte face fermée, et étale son jeu arrangé avec les cartes en séries semblables d'une part et les cartes isolées d'autre part. L'adversaire étale aussi son jeu, il en retire les cartes isolées et « étend » celles de ses cartes qui s'accordent avec les séries du « frappeur ».

On compare alors la valeur en points, des cartes isolées qui restent aux deux joueurs, et l'on inscrit le pointage de la main. (Voir Pointage plus bas).

Les deux dernières cartes du talon ne doivent pas être pigées; si le joueur qui pige la cinquantième carte écarte sans « frapper », son adversaire ne peut pas prendre la carte écartée et la main est nulle. Le même donneur passe les cartes de nouveau.

Pointage — Si la main du "frappeur" renfermait moins de points que celle de son adversaire, c'est le « frappeur » qui gagne, on inscrit à son crédit la différence des points des deux mains.

Si l'adversaire a le même compte ou moins de points que le « frappeur », il fait « undercut », et gagne la main. Il reçoit 25 points plus la différence entre les points des deux mains. (S'il y en a).

Cependant, si le « frappeur » a zéro (si toutes ses cartes sont groupées en séries), il fait « gin »; son adversaire ne peut pas étendre et le « frappeur » gagne même si l'adversaire pouvait réduire ses points à zéro en étendant des cartes, et le « frappeur » reçoit 25 points, plus la différence des points s'il y en a.

On fait le total des points de chaque joueur à chaque main, et l'on souligne ses points chaque fois qu'il gagne une main. Par exemple: un joueur remporte la première main par 11 points; on inscrit 11 souligné. Le même joueur gagne la main suivante par 14 points; on inscrit 25 que l'on souligne aussi.

Le gagnant de chaque main donne pour la main suivante.

La partie — Le premier joueur à marquer 100 points ou plus gagne la partie. Il ajoute 100 points de boni à ses points. Si son adversaire n'a pas gagné une seule main de la partie, alors il double ses points y compris le boni. Chacun des joueurs ajoute alors 25 points à son compte pour chacune des mains qu'il a gagnées (ceci s'appelle le boni de « ligne » ou de « boîte »). On fait alors le total des points des deux joueurs et celui ayant le plus haut total gagne par la différence entre ses points et ceux de l'adversaire.

Le gagnant de chaque partie a le choix des cartes et des places pour la partie suivante. Il sera également le premier à donner.

Variante de pointage — Certains joueurs ne donnent que 10 points pour l'« undercut », et seulement 20 points comme boni de « gin » ou de « boîte », et permettent d'étendre au joueur dont l'adversaire a fait « gin ».

Irrégularités. (Condensé, par permission, des Lois du Gin Rummy, de Walter L. Richard, C. E. VanVleck et Lee Hazen.)

Nouvelle donne. Une donne hors de tour peut être interrompue tant que la première carte du talon n'a pas été retournée; par la suite la donne est reconnue comme régulière.

Une nouvelle donne doit être faite par le même donneur s'il est constaté avant la fin de la donne que le paquet est imparfait, ou si une carte du paquet est retournée, ou si une carte est retournée au cours de la donne, ou si un joueur a vu la face d'une carte.

On trouvera dans les lois sur les autres irrégularités les autres cas forçant à une nouvelle donne.

Mains irrégulières. L'on procède à une nouvelle donne si l'on s'aperçoit que l'un des joueurs possède un nombre incorrect de cartes, mais cela avant que le dit joueur ait pigé sa première carte.

Si l'on découvre après la première pige que les deux joueurs ont des mains incorrectes, on doit procéder à une nouvelle donne. Si un joueur seulement possède une main incorrecte, le joueur possédant la main correcte peut décider si le jeu peut continuer ou si l'on doit procéder à une nouvelle donne. Dans le cas où le jeu continue, le joueur possédant la main incorrecte doit corriger sa main en pigeant sans écarter ou en écartant sans piger et ne peut « frapper » avant que son tour ne revienne de jouer.

Si, après qu'on a « frappé », on constate qu'il manque des cartes à un joueur, il est pénalisé de 10 points par carte manquante et ne peut pas réclamer le boni d'« undercut ». Si l'adversaire du « frappeur » a plus de 10 cartes, la main ne peut être corrigée, le fautif peut perdre ou égaliser mais n'a pas le droit au boni d'« undercut » et ne peut pas gagner la main.

Si le « frappeur » a un nombre incorrect de cartes, la pénalité pour avoir « frappé » illégalement s'applique.

Paquet imparfait. Lorsqu'on emploie deux paquets, si l'on trouve dans le talon une carte provenant de l'autre paquet on la retire et le jeu continue. Si l'on constate, après que l'un des joueurs a « frappé », que le paquet était incomplet, la main compte telle que jouée. Le fait de découvrir que le paquet était incomplet d'une manière quelconque n'a aucune portée sur le pointage déjà inscrit sur la feuille à cet effet.

Jeu prématuré. Si le joueur qui ne donne pas pige une carte du talon avant que le « donneur » ait refusé la « retourne », ceci compte pour son premier tour sans pénalité. Si un joueur pige du talon avant que son adversaire ait écarté, la pige compte comme s'il avait joué à son tour.

Carte vue illégalement. Si un joueur, pigeant à son tour voit une carte à laquelle il n'ait pas droit, on placera cette carte, et toute autre vue de la même façon, exposée à côté de la pile d'écarts. Le coupable ne peut pas « frapper » avant son prochain tour, à moins de faire « gin ». Seul le joueur « non-coupable » a le droit de prendre des cartes exposées jusqu'à ce qu'il doive de nouveau piger au talon; alors le « coupable » a le même droit jusqu'à ce qu'il doive piger au talon; lorsque les deux joueurs ont pigé au talon on place les cartes exposées dans la pile d'écarts.

Si un joueur, en pigeant, voit une carte à laquelle il n'a pas droit, la règle précédente s'applique, sauf que le coupable n'a jamais le droit de prendre les cartes qu'il a ainsi vues: il n'a que le droit de piger la carte écartée par son adversaire ou la carte du dessus du talon à chacun de ses tours.

Carte exposée. Si l'on trouve une carte exposée dans le talon ou dans l'autre paquet, ou loin de la table, on la mêle au paquet et le jeu continue. Il n'y a pas de pénalité pour une carte exposée accidentellement dans la main d'un joueur. Une carte exposée devient une carte « écartée » quand son détenteur signifie son intention de l'écarter; lorsque l'adversaire a vu une telle carte et peut la nommer, le détenteur n'a pas le droit de « frapper » à ce tour-là.

Il est illégal de "frapper".... — Si un joueur "frappe" en ayant plus de 10 points dans la main, et que son adversaire n'a exposé aucune carte avant que l'erreur soit constatée, le coupable doit laisser son jeu exposé sur la table jusqu'à ce que l'adversaire ait terminé son prochain tour. Cependant, si la main du « frappeur » n'est illégale qu'en ce qui concerne le compte de ses cartes isolées, l'adversaire pourra l'accepter comme légale.

Si le « frappeur » a plus de 10 points, et que l'on découvre l'erreur après que son adversaire a exposé quelques-unes de ses cartes, mais avant qu'il en ait étendu, l'adversaire pourra choisir l'une des pénalités suivantes: faire jouer le reste de la main au « frappeur » avec son jeu exposé; ou permettre au coupable de ramasser ses cartes, mais dans ce cas le coupable n'a droit ni au boni d'« undercut », ni à celui de « gin » dans cette main.

Si le « frappeur » a un nombre incorrect de cartes, son adversaire peut exiger une nouvelle donne; ou exiger que le jeu du « frappeur » soit exposé et que celui-ci corrige l'état de sa main, soit en pigeant sans écarter, soit en écartant sans piger au cours du ou des prochain(s) tour(s).

Si, après avoir « frappé », un joueur écarte par inadvertance une carte qui rend son geste illégal, il peut reprendre sa carte et en écarter une qui le rende légal.

Pour voir les "écarts" précédents. Les joueurs peuvent convenir à l'avance qu'ils auront le droit d'examiner la pile d'écarts. Si cette convention n'a pas été établie, le joueur qui regarde une carte écartée déjà recouverte perd le droit de piger à son prochain tour.

Mauvaise pige à la "pile d'écarts". Si, par mégarde, un joueur pige la mauvaise carte sur la pile d'écarts, il peut corriger son erreur ou bien on peut l'obliger à corriger son erreur pourvu que cette dernière ait été signalée avant que l'adversaire ait écarté de nouveau.

HOLLYWOOD GIN ou JEU SIMULTANÉ

Il y a deux joueurs, mais les points pour chaque main sont inscrits comme s'ils jouaient trois parties différentes. On inscrit une fois au compte de la Première Partie le résultat de la première main que gagne chaque joueur. Le résultat de la seconde main que gagne un joueur qui a déjà marqué dans la Première Partie, est entré en second à son crédit pour la Première Partie, et en premier pour la Deuxième Partie. Le résultat de la troisième main que gagne un joueur qui a déjà des points d'inscrits aux Parties 1 et 2, est inscrit à son crédit dans les trois parties. Subséquemment, toutes les mains que gagnera ce joueur seront portées à son crédit dans les trois parties.

Lorsqu'un joueur atteint 100 points dans l'une ou l'autre des parties il gagne cette partie-là et le jeu continue tant que les trois parties n'auront pas été gagnées. On continue d'inscrire les points dans la (ou les) partie(s) qui restent à jouer.

Les points de chaque partie sont inscrits séparément et chaque joueur reçoit les bonis auxquels il a droit pour chacune des parties concernées. Le joueur pour qui aucun point n'a été inscrit dans une partie peut inscrire ses premiers points dans la première partie non encore terminée.

OKLAHOMA GIN

Dans l'Oklahoma Gin, le rang de la « carte retournée » (retourne) détermine le nombre de points maximum qu'un joueur devra avoir en main pour « frapper » dans cette main. Ainsi, la carte retournée étant un 5, il faudra que le joueur n'ait que 5 points ou moins. Les figures comptent pour 10 points. Pour certains joueurs, un As comme « retourne » exige du « frappeur » une main « gin » au lieu de compter uniquement pour 1. On ajoute généralement à cette règle que si la carte retournée est un Pique, tous les points accumulés dans cette main seront doublés.

GIN RUMMY À TROIS JOUEURS

Le Gin Rummy à trois peut se jouer de deux façons avec deux joueurs actifs et un inactif à chaque main et d'une façon où les trois joueurs participent à toutes les manches.

Première Méthode — Chaque joueur coupe; la plus basse carte se retire du jeu pour la première main, la carte suivante donne. A la fin de chaque main, le perdant sort et cède sa place au joueur qui était inactif. Chacun joue pour soi, les mains qu'il gagne étant inscrites à son compte de points personnel. Le joueur inactif n'a pas le droit de conseiller l'un ou l'autre des joueurs actifs, à moins qu'il s'agisse de rappeler une règle s'il y a eu une irrégularité. La partie se termine quand un joueur atteint 100 points ou plus. Une fois les bonis de partie et de « ligne » ou de « boîte » ajoutés, chaque joueur paie à chaque autre joueur ayant des points plus élevés, la différence entre leurs résultats respectifs. Si un joueur n'a pas compté, il donne un supplément de 100 points au gagnant de la partie.

Deuxième Méthode — Chaque joueur tire une carte. La plus haute est « dans la cabane » et les deux autres joueurs jouent à deux contre lui durant toute la partie. La carte suivante de la plus haute, donne pour la première main et l'autre partenaire reste en dehors du jeu, mais on peut le consulter sur le jeu, la décision finale revenant au partenaire actif. Lorsque le partenaire actif perd une main il est remplacé par le partenaire inactif. On inscrit d'une part les points du joueur « dans la cabane » et d'autre part on inscrit ceux de l'équipe. Si le joueur de la « cabane » gagne, il recevra la totalité des points de ses adversaires. Si les partenaires gagnent, chacun recevra en entier les points de l'équipe, aux dépens du joueur de la « cabane ».

Troisième Méthode — Chaque joueur tire une carte. La plus haute carte donne, la suivante prend place à la gauche du donneur. On donne trois cartes à chacun des trois joueurs. L'aîné (à la gauche du donneur) joue le premier; s'il refuse la « retourne » le joueur à sa gauche peut la prendre. Par la suite, chaque joueur à son tour peut piger une des cartes écartées par l'un de ses adversaires à moins que l'une d'elles n'ait déjà été prise.

Les points de chaque joueur sont inscrits séparément. Le gagnant de chaque main remporte la différence entre ses points et les points combinés des deux autres joueurs.

Il n'y a pas de boni d'« undercut »; si le « frappeur » égalise avec un autre joueur, c'est l'autre joueur qui gagne la main et l'on déduit 20 points du compte du « frappeur ».

Les deux autres joueurs ne peuvent étendre de cartes que sur le jeu du « frappeur » et sur les séries déjà étendues. (Exemple: si le « frappeur » a les 9, 8, et 7 de Cœur, et que l'un des adversaires étende le 6 dessus, l'autre adversaire ne peut pas y rajouter le 5.) Le boni de « gin » est de 40. Lorsqu'il ne reste que trois cartes non pigées dans le talon et que personne n'a « frappé », la main est nulle.

La partie ne finit que lorsqu'un des joueurs atteint 200 points, après quoi les bonis sont ajoutés comme au Gin Rummy à deux (Voir page 106) et chaque joueur paie, à chaque joueur ayant des points plus élevés que les siens, la différence entre leurs pointages respectifs.

GIN RUMMY EN ÉQUIPES

Pour quatre joueurs — On tire pour déterminer les partenaires, comme au Bridge Contrat. (Voir page 10) Les partenaires s'asseoient en face l'un de l'autre à table. Un membre de chaque équipe coupe pour la donne; les deux membres de l'équipe ayant coupé la plus basse carte donnent pour la première main; ensuite, les gagnants de chaque main donnent pour la suivante.

Chaque donneur donne à son adversaire de droite pour la première main; ensuite, les joueurs donnent à chaque adversaire alternativement.

Les points sont inscrits par équipe, de sorte que, si un membre d'une équipe gagne une main par 12 points et que l'autre membre perde la même main par 10 points, on inscrit que l'équipe gagne la main par 2 points et qu'elle recevra le boni de « ligne » ou de « boîte » en fin de partie pour cette main.

Lorsqu'un côté a « frappé » dans une main, l'un ou l'autre des joueurs de l'autre équipe peut retarder le jeu en attendant de connaître le résultat de la main. Lorsqu'une main est finie, le joueur inactif peut conseiller son partenaire (après que l'adversaire de son partenaire a « frappé ») quant à la meilleure manière de placer sa main en séries, ou d'étendre, et concernant toute irrégularité et les règles qui s'y rattachent. Si un partenaire donne d'autres renseignements que ceux énumérés ci-haut, l'adversaire de son partenaire peut exiger une nouvelle donne, pourvu qu'il le fasse avant de piger ou d'écarter de nouveau.

On ne rejoue pas une manche pour laquelle on a pigé. La partie ne finit que lorsqu'un côté a atteint 125 points. Pour le reste, le pointage est le même que dans le jeu à deux. (Voir page 106)

Pour six joueurs ou plus, par paires — La moitié des joueurs forme une équipe contre l'autre moitié des joueurs. Tous les partenaires d'une équipe s'asseoient du même côté de la table, et chacun joue contre son vis-à-vis sans changer d'adversaire de toute la partie. Un partenaire de chaque équipe tire pour la donne. Tous les membres de l'équipe ayant tiré la plus basse carte donnent pour la première main. Ensuite, tous les membres de l'équipe qui gagne la main donnent pour la main suivante.

Chaque joueur joue une partie ordinaire à deux avec le joueur assis en face de lui. Les résultats de tous ces jeux à deux sont combinés pour déterminer l'équipe gagnante de chaque main.

La partie ne finit que lorsqu'un côté atteint 150 points s'il y a trois ou quatre joueurs de chaque côté; 175 points s'il y en a cinq; 200 points s'il y en a six.

Un joueur ayant fini une main peut conseiller n'importe lequel de ses partenaires, mais seulement à condition de ne pas avoir vu le jeu de l'un des adversaires.

On ne rejoue pas une main pour laquelle on a pigé.

GIN RUMMY "AUTOUR-DU-COIN"

On peut jouer à cette forme de « Gin Rummy » dans n'importe laquelle des variantes du jeu mais en y apportant les différences suivantes:

L'As peut être la plus haute ou la plus basse d'une suite, et les suites peuvent faire « le tour du coin » (A-2-3, A-Roi-Dame, Roi-As-2). Comme carte isolée, l'As vaut 15 points.

Si le « frappeur » fait « gin » mais que son adversaire puisse réduire son jeu à zéro, personne ne compte de points pour cette main.

La partie finit lorsqu'un joueur atteint 125 points. Lorsqu'on joue en équipe, il faut, pour finir la partie, avoir 25 points de plus que lorsqu'on joue le jeu ordinaire à deux.

Les joueurs peuvent en tout temps examiner la « pile d'écarts ».

CŒURS (Dame de Pique)

Ce jeu est l'un des principaux qui permettent d'acquérir de l'habileté à jouer aux cartes.

Nombre de joueurs — De trois à sept; forme idéale à quatre. Chacun joue pour soi. Deux joueurs peuvent jouer à Cœurs Domino. Plus de sept jouent à Cœurs Annulation.

Le paquet — 52 cartes.

Rang des cartes — As (haute), Roi, Dame, Valet, 10, 9, 8, 7, 6, 5, 4, 3, 2.

Tirage au sort — On tire ou on coupe: la plus basse carte donne la première, ensuite on donne à tour de rôle en allant vers la gauche.

La mêlée et la coupe — N'importe quel joueur peut mêler, le donneur en dernier. Le joueur à la droite du donneur coupe.

La donne — On donne les cartes, une à la fois, tant qu'il y en a à distribuer également. On place les cartes qui restent sur la table, face fermée. Le joueur qui remporte la première levée les ramasse. Personne n'a le droit de les regarder au cours du jeu.

La passe — Après avoir regardé son jeu, chaque joueur choisit trois cartes et les passe, face fermée, à son voisin de droite. Le joueur doit passer ses trois cartes avant de regarder les trois cartes qu'il reçoit de la gauche. (Variante: On peut passer les cartes à gauche, au lieu de les passer à droite. Dans certains cercles, les joueurs assis vis-à-vis se passent des cartes une seconde fois.) Dans le jeu à six ou sept, on ne passe que deux cartes.

Le jeu — L'aîné entame en plaçant une carte sur la table. Tous doivent fournir une carte de la même couleur si possible; le joueur qui ne peut pas fournir dépose n'importe quelle carte. Toutefois, le joueur qui a reçu la Dame de Pique doit l'écarter à la première occasion. La carte la plus forte de la couleur demandée remporte la levée. Le joueur qui a remporté une levée entame à la levée suivante. (Il n'y a pas de couleur d'atout. On appelle quelquefois les « Cœurs », la série d'atout, mais ils ne jouissent pas des privilèges généralement accordés à une série d'atout.)

Variantes — Certains établissent comme règle qu'il ne faut pas jouer de Cœurs avant la troisième levée. Lorsqu'on joue entre amis, on élimine quelquefois la règle voulant que l'on écarte la Dame de Pique à la première occasion.

But du jeu — Eviter de remporter des levées où il y a des Cœurs ou la Dame de Pique (la bête noire).

Pointage — Les points de chaque joueur sont inscrits séparément. A la fin de chaque main, on fait le total des points remportés en levées par chacun des joueurs, et on les inscrit dans sa colonne. Les cartes qui comptent sont:

Chacun des Cœurs 1
La Dame de Pique 13

Lorsqu'on cesse de jouer à une table, on fait le total de toutes les colonnes et chacun des joueurs règle avec chacun des autres selon la différence entre leurs totaux. On peut aussi déterminer les montants à payer en faisant la moyenne de tous les totaux, chaque joueur doit alors régler selon que ses points sont au-dessus ou au-dessous de la moyenne. Par exemple:

JOUEUR	TOTAL FINAL	DIFFERENCE AVEC LA MOYENNE
W	42	+ 3
X	71	+32
Y	19	—20
Z	24	—15
4)	156	(moyenne 39)

Comme le but du jeu est de remporter *le moins* de points possible, Y et Z reçoivent respectivement 20 et 15 points, W en paie 3, et X 32.

On peut établir un total courant des points de chacun, si on le désire, afin que chaque joueur puisse voir d'un coup d'œil quelle est sa position vis-à-vis des autres joueurs. En tout temps, l'ensemble des points doit être un multiple de 26.

Variantes de pointage — *Variante no-1.* Chaque joueur donne un jeton pour chaque cœur, treize jetons pour la Dame de Pique, et le joueur qui a eu le moins de points pour la main remporte les jetons. S'il y a égalité de points, on partage la cagnotte, laissant les jetons non répartis dans la cagnotte pour la main suivante.

Variante no-2 (Sweepstakes - Loterie) — Chaque joueur met un jeton pour chaque cœur dans la cagnotte, et 13 jetons pour la Dame de Pique. Si un seul joueur a Zéro il remporte toute la cagnotte; si deux joueurs ou plus ont zéro ils partagent la cagnotte. Si tous les joueurs étaient « peints » (avaient un point ou plus), la cagnotte restera pour la main suivante ou jusqu'à ce qu'elle soit gagnée.

Irrégularités — (Voir aussi Règles générales en page 5)

Maldonne — Si le donneur expose une carte en donnant, ou s'il donne trop de cartes à un joueur et pas assez à un autre, le joueur suivant dont c'est le tour, donne.

Jeu hors de tour — Un joueur peut reprendre une entame ou une carte jouée hors de tour, si la demande en est faite avant que tous aient joué pour la levée en question; lorsque tous ont joué si quelqu'un avait joué hors de tour le jeu est considéré comme régulier sans aucune pénalité.

Levées retournées Chaque levée qu'un joueur remporte doit être placée devant lui, face fermée. Les levées doivent être séparées les unes des autres. Si un joueur mélange ses cartes à tel point qu'on ne puisse prouver une renonce, on lui inflige tous les 26 points de la main, soit que la renonce en question ait été faite par lui ou par un autre joueur.

Renonce. On fait une renonce lorsque, le pouvant, on ne fournit pas la couleur demandée ou lorsqu'on n'écarte pas la Dame de Pique à la première occasion (lorsque cette règle est en vigueur). On peut corriger une renonce avant que la levée soit retournée face fermée et posée sur la table. Si la renonce n'est découverte que plus tard, elle est établie, le jeu cesse immédiatement et le coupable compte tous les 26 points de la main. S'il est établi que plusieurs joueurs ont fait une renonce, chacun voit son compte s'augmenter de 26 points. Mais la pénalité de renonce ne peut plus être appliquée après la coupe qui suit la donne de la main suivant celle où la renonce a eu lieu.

Main incorrecte. Si l'on constate qu'il manque des cartes à un joueur, il doit prendre la dernière levée (s'il lui manque plus d'une carte, il doit remporter toutes les levées dans lesquelles il n'a pas joué.)

CINQ CENTS

(Copyright d'origine par la U.S. Playing Card Co., 1904)

Nombre de joueurs — De deux à six. (Un bon jeu à trois).

Le Paquet — A deux: 24 cartes, As (haute) à 9 (basse). A trois: 32 cartes As (haute) à 7 (basse). A quatre: 42 cartes As (haute) à 4 (basse) (on laisse deux quatre de côté). A cinq: jeu régulier de 52 cartes. A six: 62 cartes avec cartes numériques de 11, 12 et 13. On pourra ou non ajouter le « Joker » à n'importe laquelle de ces variantes.

Rang des cartes — Comme au "Euchre" (on emploie les Valets appelés « bowers »). Par exexple: avec Cœur atout; Valet (« bower » droit) haute; Valet Carreau (« bower gauche »); Cœur As, Roi, Dame, 10, 9, etc. Couleur secondaire Carreau: As, Roi, Dame, 10, 9, etc. Viennent ensuite les couleurs opposées: As, Roi, Dame, Valet, 10, 9, etc. (Pique et Trèfle). L'inverse s'applique si Pique ou Trèfle sont l'atout. Lorsque le « Joker » est employé, c'est la carte la plus forte en atout, surpassant le « bower » droit. Lorsqu'on emploie un paquet de 62 cartes, les 13, 12 et 11 se placent dans cet ordre entre la Dame et le 10.

La coupe — On coupe pour la donne. La plus basse carte donne — l'As étant la plus basse carte d'une couleur et le « Joker » la plus basse de toutes. Le joueur assis à la droite du donneur coupe les cartes, après qu'elles ont été mêlées à fond. En coupant, il doit laisser au moins quatre cartes dans chaque paquet.

La donne — Chaque joueur doit recevoir dix cartes; on laisse le reste du paquet, face fermée, sur la table, c'est la « mise » ou le « talon », qui doit être placé sur la table entre le premier et le second tour, ainsi: on donne trois cartes à chaque joueur, on dépose la « mise », puis on donne quatre cartes à chaque joueur, puis encore trois, en un mouvement circulaire de gauche à droite, en commençant par « l'aîné » (à la gauche du donneur).

But du jeu — Remporter des levées. Le joueur (ou les partenaires) qui désigne(nt) l'atout doit(doivent) remporter toutes les levées annoncées ou déclarées pour obtenir des points et pour éviter de « reculer » (Voir « reculade »). Les adversaires comptent des points pour chaque levée qu'ils prennent. (Voir pointage).

Pour désigner l'atout — En commençant à la gauche du donneur, chaque joueur « annonce » ou « déclare » pour avoir le privilège de désigner l'atout, ou passe. Ayant passé une fois un joueur ne peut plus déclarer. Chacun des joueurs ne peut faire qu'une seule déclaration.

On fait les annonces (déclarations) pour un certain nombre de levées en désignant une couleur d'atout, ou pour les faire sans atout. Les déclarations se font généralement de la manière suivante: « six trèfles », « huit carreaux », etc. La valeur de ces déclarations dépend du tableau de valeurs employé. (Pour déclarations « nulle » (NULLO), voir page 119)

Pour déclarer, le rang des couleurs s'établit comme suit: Piques (faible), trèfles, carreaux, cœurs et « sans atout » (forte).

On ne peut pas faire de déclaration de moins de six levées. Si personne ne déclare six levées ou plus, les cartes sont remises ensemble et la donne passe au joueur suivant à gauche.

(*Variante*: Dans certains endroits, si personne ne déclare, la main se joue « sans atout » et chaque levée remportée compte pour 10 points et il n'y a pas de « reculade » (Voir « Reculade » dans « Pointage »). Dans un tel cas on n'emploie pas la « mise », elle reste, face fermée, sur la table. Ou, selon qu'il est convenu, on peut la retourner pour l'examiner, mais sans y piger.)

Pour relancer une déclaration, il faut déclarer un plus grand nombre de points ou la possibilité de remporter un plus grand nombre de levées pour obtenir le même compte de points. Ainsi, une déclaration de sept levées en trèfles vaut 120 points et relance une déclaration de sept piques (80), et huit levées en piques relanceraient sept en trèfles, les deux déclarations valant 120 points. Selon le barème AVONDALE il n'y a pas deux déclarations de même valeur, il ne peut donc pas y avoir de complications ni de malentendus quant à la valeur relative des déclarations. Un joueur ne peut pas relancer sa propre déclaration, si tous les autres joueurs passent.

"Ecarts" — Le joueur ayant fait la plus haute déclaration (l'ouvreur) prend la « mise » et l'ajoute à son jeu, ensuite, il écarte le nombre de cartes voulu pour réduire son jeu à dix cartes. Il peut, à son gré, garder toute la « mise », ou une partie ou aucune carte de celle-ci.

Le jeu — Après avoir écarté, l'ouvreur entame une carte de son choix. Il n'est pas obligé d'entamer atout. En allant vers la gauche, chaque joueur à son tour joue sur la levée, en fournissant la couleur demandée si possible. S'il n'a pas de la couleur voulue, le joueur peut couper ou jeter n'importe quelle carte d'une autre couleur. Le joueur, qui remporte la première levée, entame à la suivante, et ainsi de suite. En « sans atout » on joue la main sans qu'il y ait de couleur d'atout.

Le "Joker" — Le "Joker" est l'atout le plus fort lorsqu'il y a une couleur d'atout. C'est toujours la plus forte carte du jeu, qu'il y ait un atout ou non. En « sans atout » ou « NULLO » le « Joker » n'appartient à aucune couleur et celui qui détient le « Joker » ne peut pas le jouer s'il peut fournir de la couleur demandée. S'il ne peut pas fournir, il peut écarter une carte d'une autre couleur aussi souvent qu'il le désire, ou jouer le « Joker » à son gré. Si le détenteur du « Joker » l'entame, il a le privilège de nommer la couleur qu'il désire qui soit jouée sur cette levée, mais ne peut pas exiger une carte en particulier de la couleur en question.

Partenaires — Les parties à quatre, cinq ou six se jouent en équipes — à quatre on joue deux contre deux; à six, en trois paires de partenaires. A cinq, il y a plusieurs manières de jouer. En certains endroits, l'ouvreur désigne un joueur qui sera son partenaire pendant la main, et le joueur ainsi désigné ne peut pas refuser.

TABLEAU DE POINTAGE
JEU DE CINQ CENTS
BARÈME AVONDALE

Levées	6	7	8	9	10
Piques	40	140	240	340	440
Trèfles	60	160	260	360	460
Carreaux	80	180	280	380	480
Cœurs	100	200	300	400	500
Sans atout	120	220	320	420	520

(Copyright, 1906, par The United States Playing Card Co.)

BARÈME ORIGINAL

Si l'atout est:	6 levées	7 levées	8 levées	9 levées	10 levées
Piques	40	80	120	160	200
Trèfles	60	120	180	240	300
Carreaux	80	160	240	320	400
Cœurs	100	200	300	400	500
Sans atout	120	240	360	480	600

L'ordre de valeur des couleurs étant renversé, les points sont les suivants:

BARÈME RENVERSÉ

Si l'atout est:	6 levées	7 levées	8 levées	9 levées	10 levées
Trèfles	40	80	120	160	200
Piques	60	120	180	240	300
Cœurs	80	160	240	320	400
Carreaux	100	200	300	400	500
Sans atout	120	240	360	480	600x

N.B. — On recommande le barème **Avondale** parce qu'il ne s'y trouve pas deux déclarations de même valeur numérique et qu'il équilibre mieux la valeur des couleurs

---

Ailleurs, sur les déclarations de six ou sept on choisit un partenaire, et sur des déclarations de huit, neuf ou dix on en choisit deux. En d'autres cercles, il peut demander au détenteur d'une certaine carte d'être son partenaire; comme ce joueur détient un atout nommé, qui manque dans la main du premier, ou une forte carte d'une couleur secondaire, dont il a besoin pour consolider sa position. L'ouvreur ne connaîtra ce partenaire que lorsque la carte demandée tombera au moment voulu dans le jeu.

En certains endroits encore, le détenteur de la carte demandée ou nommée l'annonce immédiatement.

Pointage — A la fin de la main, si l'ouvreur a remporté autant de levées qu'il avait déclaré, on inscrit à son compte le nombre de points désigné dans un des barèmes de points ci-hauts

En aucun cas le joueur ne pourra obtenir plus de points que le lui permettait le montant de sa déclaration, à moins que celle-ci n'ait été pour moins de 250 et qu'il ait remporté toutes les dix levées. Il peut alors compter 250 points au lieu du nombre déclaré.

Chaque adversaire de l'ouvreur compte 10 points par levée remportée.

"Reculade" — Si l'ouvreur ne remporte pas autant de levées qu'il avait déclaré, il fait une « reculade », c'est-à-dire que l'on déduit de ses points précédents le nombre de points qu'il avait déclarés. Si un joueur « recule » avant d'avoir compté des points, ou s'il recule de plus de points qu'il n'avait comptés, il est « dans la boîte » (ceci est indiqué en dessinant un cercle autour des points sous zéro.)

La partie — La partie se fait en 500 points. Si un côté est de 500 « dans la boîte », il perd la partie.

Si plus d'un joueur fait la partie dans la même main et que l'un d'eux ait été l'ouvreur, ce dernier gagne s'il a remporté les levées de sa déclaration. Si, ni l'un ni l'autre n'était l'ouvreur, le premier joueur à avoir remporté suffisamment de levées pour atteindre 500 points, gagne.

Si un joueur quelconque atteint 500 durant une main, on ne joue pas le reste de la main, à moins que l'ouvreur puisse encore gagner. Il faut alors montrer les jeux ou les mains abandonnés pour prouver qu'il n'y a pas eu de renonce.

Un joueur peut être de 100 points « dans la boîte » et finir la partie sur une déclaration de 600 points.

Irrégularités — Voir Lois ou Règles du 500 en page 120.)

LE CINQ CENTS À DEUX

Lorsque deux joueurs veulent jouer au 500, ils emploient le paquet de 33 cartes, et le donneur dépose des cartes à sa gauche pour « le mort », en plus d'en mettre au centre pour la « mise » habituelle.

Il ne faut pas toucher au jeu du « mort » ni regarder aucune de ses cartes, le but du jeu étant que l'enchérisseur devine quelles cartes peuvent être contre lui et quelles cartes sont dans la main « morte ». De cette manière, les déclarations de 7 ou 8 sans atout sont assez fréquentes.

Le plus haut enchérisseur prend la « mise » comme d'habitude, sous tous les autres rapports le jeu est le même que le 500 régulier à trois joueurs. On recommande d'utiliser le barème AVONDALE pour le pointage.

PARTIES EN 1,000 ET 1,500

Le paquet, le rang des cartes, la donne, les déclarations, l'entame et le jeu sont les mêmes qu'au 500. Au calcul des points en fin de main, chaque joueur compte des points supplémentaires, comme suit: pour chaque As remporté — 1 point; chaque Roi, Dame, Valet ou 10 — 10 points; pour chaque 9 — 9 points, chaque 8 — 8 points, etc., chacune des autres cartes compte selon sa valeur nominale. Le « Joker » ne compte pas. Ces points supplémentaires ne servent pas de compensation pour les levées qui manqueraient, ils sont rejetés si l'ouvreur fait une « reculade » parce qu'il n'a pas remporté son nombre de levées.

Avec le paquet de 24 cartes, il y a 50 de ces points supplémentaires pour chaque couleur — soit 200 en tout; avec le paquet de 32 cartes, 65 points par couleur — soit 260 en tout; avec le paquet de 44 cartes, 80 points par couleur — soit 320 en tout; avec le paquet de 52 cartes, 85 points par couleur — soit 340 en tout; avec le paquet de 60 cartes, 114 points par couleur — soit 456 en tout.

La partie — 1,000 ou 1,500 points, selon qu'il a été convenu.

CINQ CENTS À ALTERNANCE

Avant la partie, on remet à chaque joueur un carton de score ou « tally » indiquant la table à laquelle il doit commencer à jouer. A quatre ou six il faut également désigner les partenaires. Ainsi: à quatre, on inscrira sur les cartons — Table A1, A2, A3, A4. Un et trois jouent ensemble contre deux et quatre. A six: Table A1, A2, A3, A4, A5, A6, les numéros impairs jouent contre les numéros pairs.

Le jeu continue alors comme au 500 ordinaire.

Pointage — On dépose à chaque table une tablette de feuilles de pointage. A la fin de chaque main, on compte les points gagnés ou « reculés » et on inscrit les résultats individuels des joueurs sur la feuille. (Lorsqu'on joue en équipes on donne à chaque partenaire le crédit des points de l'équipe.) Un des joueurs inscrit les points sur la feuille de pointage et l'un des adversaires les vérifie. La feuille est alors remise au marqueur qui enregistre les points sur une feuille générale, où chaque joueur a deux colonnes de points (au-dessus ou au-dessous de zéro). A la fin de chaque partie on inscrit dans les colonnes voulues les points gagnés ou perdus par chaque joueur (tous les points gagnés dans la colonne plus « au-dessus » de zéro) et (toutes les « reculades » ou points perdus dans la colonne moins « au-dessous de zéro »). A la fin de l'après-midi ou de la soirée, on additionne tous les points gagnés par chacun et tous les points perdus (par « reculade »), le dernier total étant soustrait du premier. C'est le joueur qui conserve le plus grand nombre de points, après que les « reculades » ont été soustraites, qui gagne.

Alternance — On joue une main par joueur assis à la table, puis l'on se déplace. A trois: les deux joueurs les plus hauts avancent; à quatre: les partenaires gagnants; à 5: les deux joueurs ayant le plus de points; à six: les partenaires gagnants. On peut employer le système d'alternance ou de déplacement de son choix.

CINQ CENTS — DÉCLARATION "NULLO" (Nulle)

Certains joueurs aiment à jouer une variante par laquelle le joueur qui déclare « Nullo » s'engage à ne remporter aucune levée. L'ouvreur entame, et dans un jeu en équipes, joue seul contre les adversaires. La déclaration vaut 250 points, dans le barème AVON-DALE on la place entre 8 Piques et 8 Trèfles.

Au cas où l'ouvreur remporterait une ou plusieurs levées, il « recule » de 250 points et les adversaires comptent 10 points pour chacune des levées que l'ouvreur a remportées. Lorsqu'il n'y a pas d'équipes ou de partenaires, chacun des adversaires reçoit des points pour les levées que l'ouvreur remporte.

Pour jouer « Nullo », il faut que l'ouvreur écarte le « Joker », sinon il perd la partie, comme le « Joker » remportera toute levée dans laquelle on le jouera. A « Nullo » le détenteur du « Joker » ne peut pas le jouer s'il peut fournir la couleur demandée. S'il ne peut pas fournir, il peut écarter une carte d'une autre couleur aussi souvent qu'il le désire ou jouer le « Joker » à son gré.

Si le détenteur d'un « Joker » s'en sert pour entamer, il doit dire quelle couleur il désire que l'on joue sur cette levée, mais il ne peut pas exiger une carte particulière de la couleur demandée.

LOIS OU RÈGLES DU CINQ CENTS

Pour former une table — S'il n'y a que trois personnes à jouer, elles coupent pour la première donne. S'il y en a quatre, elles coupent pour désigner les partenaires et la donne, si elles jouent en équipes. Lorsqu'on joue à quatre sans former d'équipes, le donneur ne prend pas de cartes, les deux joueurs qui ont tiré les deux plus basses cartes sont partenaires.

2. — Si cinq personnes désirent jouer, elles doivent couper pour déterminer lesquelles (trois ou quatre selon qu'il a été décidé) joueront les premières. A la fin de la première partie, les joueurs coupent de nouveau pour savoir lesquels céderont leurs places à ceux qui attendent leur tour. Une table est complète avec cinq joueurs dont quatre jouent, en équipes ou non.

3. — Lorsqu'on coupe, la plus basse carte a le choix de la donne et donne pour la première main. Pour couper, le « Joker » est la plus basse carte, les autres allant du 7 en montant jusqu'au Roi, qui est la plus haute. L'As est bas pour la coupe, haut pour le jeu.

4. — Les joueurs qui ont coupé des cartes de même valeur, coupent de nouveau, mais ceci n'a pour but que de décider entre eux.

La donne — 5. Au jeu à trois, ou à quatre sans équipes, le paquet ne comprendra que 33 cartes, toutes les cartes plus basses que le 7 ayant été laissées de côté et le « Joker » étant ajouté. Lorsque quatre joueurs jouent en équipes de deux, le paquet comporte 43 cartes; les 6, 5, et deux 4 noirs étant ajoutés au paquet de 33 cartes ordinaire. On peut convenir d'omettre le « Joker ». Si le paquet ne renferme pas de carte blanche, ou de 53e carte, le deux de Pique remplace le « Joker ».

6. — N'importe quel joueur peut mêler le paquet, le donneur en dernier.

7. — Le donneur doit présenter le paquet au joueur à sa droite (pone) pour qu'il coupe. Il faut qu'il reste au moins quatre cartes dans chaque moitié. Si l'on expose une carte en coupant il faut mêler le paquet de nouveau et le même donneur redonne.

8. — Le donneur ne peut pas perdre son tour de donner.

9. — Si un joueur donne hors de tour, ou s'il donne les mauvaises cartes, il faut l'arrêter avant que la dernière carte soit donnée, autrement la donne compte.

10. — En commençant à sa gauche, le donneur donne trois cartes à chaque joueur à tour de rôle, ensuite, il en dépose trois sur la table pour la « mise », toutes faces fermées. Il donne alors quatre cartes à chaque joueur, puis encore trois cartes à chacun. Le tour de donner passe à gauche.

11. — Il faut qu'il y ait une nouvelle donne par le même donneur si l'on trouve une carte exposée dans le paquet, ou s'il est prouvé que le paquet était incorrect ou imparfait; cependant, tous les points comptés avec le paquet imparfait, demeurent. Un paquet imparfait en est un où il manque des cartes, où il y a des cartes de surplus, des cartes déchirées ou marquées de façon qu'elles soient reconnaissables au verso.

12. — Si un joueur expose de ses propres cartes, il n'y a pas de remède. Si le donneur expose une carte qu'il donne à un autre joueur qu'à lui-même, le joueur peut exiger une nouvelle donne.

Maldonne 13. Il y a maldonne et il faut qu'il y ait une nouvelle donne par le même donneur, si les cartes n'ont pas été bien coupées; si le donneur n'a pas donné le même nombre de cartes à tous les joueurs au même tour; s'il donne trop ou pas assez de cartes à un joueur; s'il donne plus de mains ou jeux qu'il y a de joueurs; ou s'il omet de déposer trois cartes pour la « mise » après le premier tour et avant le second.

Un joueur qui n'a ni As ni figure dans son jeu ne peut pas exiger une nouvelle donne.

Enchères — (Déclarations) 14. A tour de rôle, en commençant à la gauche du donneur, chaque joueur fait une seule déclaration. Le rang et la valeur des déclarations s'établissent selon les barèmes en pages 117 et 118.

15. — Le plus haut enchérisseur recevra en points la valeur de sa déclaration s'il a remporté autant de levées. Les levées supplémentaires ne compteront pas sauf selon qu'il est prévu dans l'article 38.

16. — Une déclaration faite hors de tour ne comporte pas de pénalité dans la partie à trois.*

17. — Les enchérisseurs doivent nommer le nombre de levées et la couleur, ainsi: « Six piques », ou « Sept sans atout ». Il n'y a pas de seconde enchère ou déclaration et le joueur qui a passé ne peut pas redéclarer.

18. — Si deux déclarations comportent le même nombre de points, celle qui représente le plus grand nombre de levées aura la préférence. Huit Carreaux, dépassera Sept « sans atout », bien que les deux valent 240 points; mais Six « sans atout » dépassera Sept Piques parce que la déclaration « sans atout » vaut 40 points de plus.

Le barème AVONDALE évite cet état de choses.

---

* Dans la partie en équipes, une déclaration hors de tour est nulle, et le ou les partenaire(s) du coupable perdent le droit de déclarer pour cette manche.

19. — Une déclaration étant faite, le joueur suivant doit à son tour faire une déclaration plus forte ou passer.

20. — Une déclaration faite, demeure, et le joueur ne peut pas se reprendre pour augmenter le nombre de levées ou changer la couleur nommée.

21. — Si personne ne fait d'enchère on peut jouer la manche en « sans atout » l'aîné entamant et chaque joueur jouant pour lui-même. Chaque levée vaut alors 10 points au joueur qui l'emporte, mais personne n'a le droit de toucher la « mise ».

La "mise" — 22. L'enchérisseur final prend la « mise » sans la montrer et écarte pour ramener à 10 le nombre de cartes dans sa main. Il doit laisser les cartes ainsi écartées sous les levées qu'il remporte, mais elles ne comptent pas pour une levée.

23. — Si un autre joueur que le plus haut enchérisseur prenait la « mise », ou voyait une des cartes qu'elle contient, l'ouvreur pourrait alors demander une nouvelle donne, ou laisser les choses comme elles sont, et il sera alors interdit au joueur qui a vu la « mise » de compter aucun point pour cette main. S'il n'y a pas eu de déclarations de faites et qu'un joueur voit la « mise » illégalement, on pourra exiger que ce joueur prenne la « mise » et qu'il joue Six « sans atout »; ou bien il y aura une nouvelle donne. Si tous les joueurs ne sont pas d'accord quant à la pénalité on doit jouer la manche en Six « sans atout ».

Pour jouer — 24. Le plus haut enchérisseur, après avoir pris la « mise » et écarté, entame toujours. Il peut entamer avec n'importe quelle carte de son choix et les autres doivent fournir la même couleur, s'ils le peuvent. Le joueur qui remporte une levée entame la levée suivante, et chacun garde devant soi les levées qu'il a remportées. Si l'ouvreur entame du « Joker » en « sans atout », il doit demander la couleur qu'il désire que les autres jouent. Les joueurs qui ne peuvent pas fournir la couleur d'entame peuvent couper ou jouer n'importe quelle carte.

Mains irrégulières — 25. Si l'on constate qu'un joueur n'a pas le bon nombre de cartes, ou s'il n'y a pas trois cartes dans la « mise », il y a maldonne. Mais, si un joueur n'ayant pas le bon nombre de cartes a déjà joué à la première levée, l'ouvreur et la « mise » ayant leur compte, la donne est valide; mais le ou les joueur(s) ayant des mains irrégulières ne peut (peuvent) pas compter de points pour cette manche.*

26. — Si l'ouvreur ou la « mise » n'ont pas le bon nombre de cartes, après que tous ont joué à la première levée, l'ouvreur perd sa main et doit « reculer »; mais si les deux adversaires ont le bon nombre de cartes, il faut jouer la main, afin qu'ils puissent compter des levées. La donne est nulle si l'ouvreur et l'un de ses adversaires ont le mauvais compte de cartes.

Cartes exposées — 27. Si, pendant le jeu, une carte est exposée par l'un des adversaires de l'ouvreur, par exemple en l'échappant sur la table, en jouant deux cartes à la fois, ou en la tenant de manière à ce que son partenaire puisse la voir, l'ouvreur peut exiger que

---

* Ni un joueur, ni son partenaire, ne peuvent remporter une levée pour laquelle l'un ou l'autre n'a pas pu jouer.

la carte soit laissée sur la table pour être jouée à sa demande sur la levée de son choix, du moment que cette demande n'oblige pas l'adversaire à faire une renonce. Si l'on joue deux cartes à la même levée, l'ouvreur peut choisir celle qu'il désire qui soit jouée et l'autre deviendra une carte exposée.

28. — L'ouvreur doit exiger qu'une carte exposée soit jouée avant de jouer lui-même, et les adversaires doivent lui laisser suffisamment de temps. Si le détenteur d'une carte exposée peut s'en servir pour entamer, ou s'il peut s'en défaire au cours du jeu, on ne peut pas l'empêcher de le faire.

Jeu hors de tour — 29. Si l'un ou l'autre des adversaires de l'ouvreur entame hors de tour, l'ouvreur peut exiger que celui qui aurait dû jouer entame telle ou telle couleur, ou il peut insister pour qu'il n'entame pas la couleur de la carte exposée. Si l'entame n'est ni à l'un ni à l'autre des adversaires, l'ouvreur pourra exiger que le premier dont ce sera le tour entame une couleur donnée, ou il pourra insister pour qu'il n'entame pas la couleur de la carte exposée, la carte demeurant sur la table comme indication de la pénalité à imposer.

30. — Si l'ouvreur joue sur une fausse entame (entame hors de tour) sans relever l'erreur, le troisième joueur doit faire de même, et la levée compte. Si l'ouvreur est le dernier à jouer pour cette levée, il peut, à son gré, jouer ou ne pas jouer sur la fausse entame, et le second joueur sera obligé de se conformer à sa décision.

La renonce — 31. Une renonce peut être faite par erreur ou peut être le refus de se conformer à une pénalité. Si une renonce est signalée et prouvée, on doit immédiatement abandonner la main dans laquelle elle s'est produite.

Si c'est l'ouvreur qui est en défaut, il « recule » du montant de sa déclaration et les adversaires comptent les levées qu'ils ont prises jusqu'à ce moment-là. Si l'un des adversaires de l'ouvreur fait une renonce, il ne peut compter aucun point pour cette main et l'ouvreur ne peut pas « reculer », mais doit compter ses points comme s'il avait gagné. Celui des adversaires qui n'a pas fait de renonce peut compter les levées qu'il a remportées.*

32. — Le joueur qui fait une renonce peut la corriger avant que la levée soit remportée et retournée contre table; à moins que, par erreur, le joueur ait déjà entamé ou fourni à la levée suivante.

33. — Si un joueur corrige son erreur à temps pour éviter une renonce, la carte jouée par erreur devient une carte exposée, et pourra être jouée à demande de l'un des adversaires, si elle a été exposée par l'ouvreur, ou, par l'ouvreur si elle a été exposée par l'un des adversaires. Si le second joueur à jouer sur une levée corrige une renonce, le troisième joueur peut retirer sa carte sans pénalité.

Regarder les levées précédentes — 34. Aucun joueur n'a le droit de voir d'autres cartes que celles de la dernière levée remportée et retournée, sous peine de se faire demander une couleur.

---

* Quand on joue en équipes, le côté qui a commis l'erreur ne compte rien.

35. — Après avoir joué à la première levée, l'ouvreur n'a plus le droit de regarder les cartes de la « mise » ou celles qu'il a écartées, sous peine de se faire demander une couleur par le joueur à sa droite.

Pointage — 36. La partie se gagne en 500 points ou plus. Si un côté a 500 points dans la « boîte », il perd la partie. Lorsqu'on joue à 4, et que le donneur ne prend pas de cartes, celui qui a le plus grand nombre de points après 12 tours de donne, gagne la partie.

37. — On compte toujours les points de l'ouvreur en premier, et s'il a remporté son nombre de levées, il compte les points que cela représente. S'il atteint 500 points en ce faisant, il gagne la partie, même si l'un ou les deux adversaires ont gagné assez de points pour atteindre 500 à cette main.

38. — L'ouvreur ne peut pas compter plus de points que la valeur de sa déclaration, à moins de remporter toutes les dix levées, alors il marque 250 points même si sa déclaration était de moindre importance. S'il avait annoncé ou déclaré plus de 250, il ne compte rien de plus pour les levées supplémentaires qu'il pourrait remporter.

39. — Si l'ouvreur ne remporte pas le nombre de levées qu'il avait annoncé il « recule » de la pleine valeur de sa déclaration.

40. — Chaque adversaire compte 10 points par levées qu'il remporte. Les adversaires doivent conserver leurs levées séparément, afin de pouvoir vérifier leur pointage respectif.

41. — Si l'ouvreur ne peut pas atteindre 500, et que les deux adversaires ont suffisamment de points pour l'atteindre, celui qui a le premier remporté la levée décisive, gagne la partie. Lorsque deux joueurs ont presque atteint 500, et que ni l'un ni l'autre ne sont l'ouvreur, le premier qui l'atteint doit annoncer qu'il gagne, pourvu que l'ouvreur ne le surpasse pas par cette main.

"Le Joker" — 42. Le "Joker" est toujours le plus fort atout, se plaçant au-dessus des valets de droite et de gauche. En « sans atout » ou « Nullo », le « Joker » devient presque une couleur à part. Lorsqu'il n'y a pas de 53e carte au paquet, le deux de Pique devient le « Joker ».

43. — En « sans atout » ou « Nullo » le « Joker » devient une couleur à part. Le détenteur du « Joker » ne peut pas le jouer s'il peut fournir la couleur demandée. Dans l'impossibilité de fournir, il peut jeter une carte d'une autre couleur aussi souvent qu'il le désire, ou jouer le « Joker » à son gré.

44. — En « sans atout » ou « Nullo » lorsque c'est au détenteur du « Joker » d'entamer, il peut le faire avec cette carte mais alors il doit spécifier quelle couleur doit être jouée sur cette levée, et il peut demander n'importe quelle couleur de son choix.

45. — Aucun joueur n'a le droit de fournir des renseignements non autorisés à son partenaire concernant l'enchère, ni d'attirer l'attention sur telle ou telle carte, ni dire quoi jouer. Comme pénalité pour toute infraction à cette règle, le joueur assis à la droite du coupable peut exiger, lorsque l'entame est au coupable ou à son partenaire, que cette entame se fasse dans une couleur de son choix.

EUCHRE

Nombre de joueurs — De deux à sept. Dans le cas de quatre joueurs il est préférable de jouer, deux contre deux, par partenaires. On donnera donc d'abord les règles du jeu à quatre mains.

EUCHRE À QUATRE MAINS

Le paquet — 32 cartes (As, Roi, Dame, Valet, 10, 9, 8, 7, de chaque couleur.)

Valeur des cartes — Le Valet d'atout, appelé « bosquet » de droite est la carte la plus élevée. La deuxième carte en valeur est le Valet de l'autre couleur jumelle, appelé « bosquet de gauche » (Exemple : si l'atout est en Carreau, le premier Valet (bosquet de droite) est celui de Carreau, et le deuxième (bosquet de gauche) est le Valet de Cœur.) Les autres cartes d'atout se placent ainsi : As, Roi, Dame, 10, 9, 8, **7**. Dans les couleurs qui ne sont pas d'autout, le Valet se place après la Dame.

Le tirage — On fait le tirage des cartes pour désigner les partenaires et la donne. Les deux joueurs qui pigent les cartes les plus basses jouent ensemble contre les deux joueurs ayant pigé les deux cartes les plus hautes. Le joueur ayant tiré la carte la plus basse donne les cartes. Dans la pige (pour le tirage), la valeur des cartes s'établit comme suit : Roi (la plus haute), Dame, Valet, 10, 9, 8, **7**, As. Les joueurs qui pigent des cartes de même valeur doivent repiger. Les partenaires s'assoient l'un en face de l'autre.

La mêlée et la coupe — Le donneur a le droit de mêler en dernier. Le paquet est coupé par le joueur à sa droite. La coupe ne doit pas laisser moins de quatre cartes dans l'un ou l'autre paquet.

La donne — On donne les cartes en commençant vers la gauche. Chaque joueur reçoit 5 cartes. Le donneur peut faire une tournée de deux cartes suivies d'une de trois, mais il doit s'en tenir à la manière qu'il a d'abord adoptée. La donne passe à gauche.

La retourne — Quand la donne est complétée, le donneur place le reste du paquet au centre de la table et retourne la carte du dessus. Si la carte du dessus est acceptée comme carte d'atout par quelque joueur que ce soit, le donneur a le droit de l'échanger avec n'importe quelle carte dans sa main. En pratique, il ne prend pas la carte retournée mais la laisse sur le paquet jusqu'à ce qu'elle soit jouée. Le donneur signifie l'échange en plaçant sa carte écartée, face contre table, sous le paquet.

L'atout — En commençant par l'aîné, chaque joueur de gauche a la latitude de passer ou d'accepter comme atout la carte retournée. Un adversaire du donneur accepte l'atout en disant : « Je maintiens ». Le partenaire du donneur accepte en disant : « Je seconde ». Le donneur accepte en écartant sa carte, son acceptation est appelée « prise ».

Le donneur signifie son refus en enlevant la carte retournée de sur le paquet et en la plaçant à l'endroit, à moitié cachée sous le paquet. Cela s'appelle le refus. Quand les quatre joueurs ont passé au premier tour, on effectue un deuxième tour en commençant par l'aîné et chaque joueur a la latitude de passer ou de déclarer un atout. La couleur rejetée au tour précédent ne peut pas être déclarée atout. Déclarer dans la couleur jumelle de celle rejetée s'appelle prendre en la suivante, déclarer dans une couleur opposée s'appelle contrecarrer. Si au deuxième tour, les quatre joueurs passent, les cartes sont ramassées pour la mêlée et il y a donne par le donneur suivant.

Une fois que l'atout est déterminé par l'acceptation de la carte retournée ou par déclaration, les annonces cessent et le jeu commence.

Jeu solitaire — Le joueur qui détermine l'atout a la latitude de jouer seul, sans l'aide des cartes de son partenaire. S'il a l'intention de jouir de cette prérogative, il doit déclarer : « Solitaire », distinctement lorsqu'il fixe l'atout. Son partenaire doit alors poser ses cartes face contre table et ne participe pas au jeu.

Le jeu — L'aîné est l'ouvreur ou son voisin de gauche si son partenaire joue solitaire. Chaque joueur doit fournir en couleur s'il en est capable et dans le cas contraire il peut couper ou écarter selon son goût. Une levée est remportée par la plus haute carte de la couleur demandée ou, si elle contient des atouts, par le plus haut atout. Celui qui remporte une levée garde la main.

But du jeu — Gagner au moins trois levées. Si le côté qui a déclaré l'atout ne remporte pas trois levées, on dit qu'il est enfoncé (euchered). Remporter les cinq levées s'appelle la vole.

Pointage — Le tableau suivant donne un aperçu de toutes les situations du pointage.

Des partenaires ayant déclaré l'atout qui remportent 3 ou 4 levées	1
Des partenaires ayant déclaré l'atout qui réussissent la vole (remporté 5 levées)	2
Un solitaire ayant remporté 3 ou 4 levées	1
Un solitaire ayant remporté 5 levées	4
Des adversaires d'un côté ou d'un solitaire qui a été enfoncé, comptent	2

Partie — Habituellement de 5 points, on peut aussi la jouer à 7 ou 10 avec accord préalable. Un côté est dit sur le pont (at the bridge) quand il a compté 4 points et que les adversaires en ont compté 2 ou moins.

Marqueurs — Une méthode assez généralisée de tenir les points est de se servir de cartes plus basses que celles qui servent dans le jeu. Quand la partie est de 5 points chaque côté emploie un trois et un quatre comme marqueurs. Pour indiquer un point, on place le quatre face contre table sur le trois, ne laissant à découvert qu'un point de cette carte. Pour indiquer deux points, on place le trois contre table sur le quatre ne laissant que deux points à découvert. Pour indiquer trois points on retourne le trois sur le quatre. Pour indiquer 4 points, on retourne le quatre sur le trois.

Robres — Dans plusieurs parties de Euchre les points sont comptés en robres, comme au Whist. Le premier côté à gagner deux parties remporte le robre. Chaque partie est portée au compte du côté qui la gagne : 3 points de robre si le côté perdant a zéro ou moins; 2 points de robre si le côté perdant a 1 ou 2 points; et 1 point de robre si le côté perdant a 3 points ou plus. L'avantage du gagnant au robre est un boni de 2 points plus les points de robre gagnant, moins les points de robre du perdant.

Irrégularités — *Maldonne.* Il peut y avoir une autre donne par le même donneur si une carte est retournée durant la donne; si une carte est retournée dans le paquet ou si l'on s'aperçoit que le paquet est imparfait. Dans le cas d'un paquet imparfait, les points déjà acquis comptent.

Si la donne est faite par un joueur dont ce n'est pas le tour, la donne peut être arrêtée avant qu'une carte soit retournée. Si l'erreur n'est remarquée qu'ensuite, la donne est reconnue comme régulière.

Erreur de déclaration. — Un joueur qui déclare : « Je maintiens » quand il est le partenaire du donneur ou qui « seconde » quand il est son adversaire est considéré comme ayant accepté comme atout la carte retournée. Si un joueur déclare comme atout la couleur de la carte retournée après qu'elle a été refusée, la déclaration est nulle et son côté ne peut déclarer d'atout.

Déclaration hors de tour. — Si un joueur déclare (ou refuse la retourne), à moins qu'il ne passe, hors de son tour, sa déclaration est nulle et son côté ne peut déclarer d'atout.

Nombre inexact de cartes. — Si on découvre qu'une main n'a pas assez de cartes ou qu'elle en a trop et que l'erreur est découverte avant que la première levée ne soit ramassée, il doit y avoir une nouvelle donne. Si l'erreur n'est découverte que par la suite, le jeu continue et le côté de la main fautive ne compte pas de points.

Si le donneur a accepté la carte retournée et joue la première levée sans écarter, il doit jouer avec les cinq cartes qu'il avait en main et la carte retournée est considérée hors jeu.

Solitaire. — Un joueur qui joue seul n'encourt pas de pénalités s'il ouvre ou s'il joue avant son tour ou encore s'il découvre une carte, mais il doit corriger son erreur si elle est remarquée en temps.

Entame hors de tour — Si un joueur entame hors de tour et que tous les autres joueurs jouent avant que l'erreur soit remarquée, la levée compte. Mais si l'erreur est remarquée avant que l'un ou l'autre des joueurs ait joué, l'entame est reprise à la demande de n'importe quel joueur et la carte jouée comme entame devient une carte exposée. Toutes cartes jouées sur une entame fautive peuvent être reprises sans pénalité. Un adversaire d'un ouvreur fautif peut désigner à la première occasion la couleur d'entame que l'ouvreur soit alors l'ouvreur fautif ou son partenaire. Un tel appel ne peut être fait que par le dernier joueur de la levée.

Cartes exposées. — Une carte est considérée exposée si l'on s'en sert pour ouvrir ou jouer avant son tour, si elle tombe retournée sur la table, à moins qu'elle ne soit jouée, ou si elle est jouée par inadvertance avec une autre carte, ou encore si un joueur déclare l'avoir dans son jeu. Une carte exposée doit être laissée retournée à l'endroit sur la table et doit être jouée à la première occasion.

Levées complétées. — Chaque levée à mesure qu'elle est ramassée doit être placée face contre table. Les levées doivent être gardées séparément de façon à ce qu'il soit possible de bien les identifier. Les levées complétées ne peuvent être examinées pour quelque raison que ce soit avant la fin d'une brasse. Si un joueur retourne une levée avant ce temps, ses adversaires peuvent exiger que son côté entame (dans la couleur de leur choix).

Renonce. — Le fait de ne pas fournir à une entame, quand on le peut, est une renonce. Une renonce peut être corrigée avant que la levée soit ramassée et si elle est corrigée, tout adversaire ayant joué après la renonce peut retirer sa carte et lui en substituer une autre. Si un joueur mêle les levées de telle façon qu'il devient impossible de prouver contre son côté une accusation de renonce, l'accusation est considérée comme prouvée.

Sur preuve faite d'une renonce, le côté innocent a le choix de compter les points acquis par la levée tel que jouée ou de prendre la pénalité de renonce. La pénalité d'une renonce est de 2 points qui peuvent être ou bien ajoutés au pointage du côté innocent ou soustrait au pointage du côté responsable de l'irrégularité. Si c'est le côté adverse d'un joueur solitaire qui s'est rendu coupable d'une renonce, la pénalité est de 4 points.

EUCHRE « CHEMIN-DE-FER »

Le Euchre « chemin-de-fer » est le nom de certaines variantes du jeu conçues dans le but d'accélérer le pointage. Voici certaines modifications apportées selon les régions :

Joker. — Le Joker est ajouté et compte comme la plus haute carte d'atout.

Se défendant seul. — L'un ou l'autre des adversaires d'un « solitaire » peut déclarer : « Seul ». Il se défend alors seul contre le « solitaire ». Le Euchre d'un « solitaire » contre un seul adversaire compte 4 points.

Appel de la meilleure carte. — Un « solitaire » ou un joueur se défendant « seul » peut écarter n'importe laquelle de ses cartes et demander à son partenaire de lui fournir sa meilleure carte, en remplacement.

Report. — Les points comptés en surplus pour gagner une partie sont alors reportés sur la partie suivante.

Chelem. — On porte 2 parties au crédit d'un côté qui a gagné la partie avant que le côté adverse ait compté un point.

EUCHRE À TROIS (coupe-gorge)

Les deux autres joueurs s'allient pour jouer contre celui qui a déclaré l'atout. Le pointage :

Le joueur d'atout remporte 3 ou 4 levées	1
Le joueur d'atout remporte 5 levées	3
Le joueur d'atout ne réussit pas son jeu, les adversaires comptent	2

Toutes les autres règles sont celles du Euchre ordinaire. En cas d'irrégularités on prend pour acquit que le joueur d'atout est « solitaire » et que les deux autres joueurs sont partenaires.

EUCHRE À DEUX JOUEURS

On réduit le paquet de cartes à 24 en enlevant les sept et les huit. Les règles sont les mêmes que celles du euchre à 4 joueurs, sauf que la déclaration « solitaire » n'existe pas et que la vole vaut 2 points. Les lois sur les irrégularités omettent les pénalités pour des erreurs qui ne lèsent pas l'adversaire, v.g. montrer une carte ou entamer avant son tour.

EUCHRE À L'ENCHÈRE

Nombre de joueurs — Cinq, six ou sept.

Le paquet — *A cinq joueurs* : 32 cartes, comme au Euchre à 4 joueurs.

Six joueurs : 36 cartes, le paquet habituel plus les six.

Sept joueurs : 52 cartes. On peut ajouter le Joker dans tous les cas si on le désire et il devient la première carte d'atout.

Valeur des cartes — Comme au jeu à quatre joueurs.

Le tirage — Les joueurs tirent chacun une carte et la plus basse désigne le premier donneur. La carte venant immédiatement avant en valeur désigne le joueur qui s'asseoit à sa gauche, et ainsi de suite.

La mêlée et la coupe — Comme au jeu à quatre joueurs.

La donne — *Cinq ou six joueurs* : Comme au jeu à quatre joueurs, mais après la première tournée de donne, 2 cartes sont posées face contre table pour constituer une veuve. *Sept joueurs* : On donne sept cartes à chaque joueur, une première tournée de trois cartes et une autre de quatre ou vice-versa. Après la première tournée on pose trois cartes face contre table pour constituer une veuve (4 si on joue le Joker).

La déclaration — Chaque joueur, à son tour, en commençant par l'aîné peut déclarer ou passer. Le plus haut déclarant détermine l'atout. Chaque déclaration nomme un nombre de points qui doit être plus élevé que celui de la déclaration précédente.

La veuve — Le joueur d'atout peut prendre les cartes de la veuve et écarter de son jeu un nombre égal de cartes, à moins qu'il n'ait commencé à jouer sans avoir pris la veuve.

Partenaires — *A cinq joueurs* : Le joueur d'atout choisit ses partenaires après avoir vu la veuve. Une déclaration de 3 levées lui permet d'avoir un partenaire; une déclaration de 4 ou 5 levées, deux partenaires. Il peut choisir n'importe qui, quelle que soit la place où il est assis. *Six joueurs* : Se joue habituellement par équipes de trois partenaires, les joueurs assis par alternance de partenaires. *Sept joueurs* : Le joueur d'atout choisit ses partenaires après avoir

vu la veuve. Une déclaration de 4 ou 5 levées l'autorise à un partenaire; une déclaration de 6 ou 7, à deux partenaires.
Le jeu — Se joue comme le Euchre à 4 joueurs.
Le pointage — Le tableau suivant montre les différentes déclarations possibles et l'obligation qu'impose chaque déclaration.

Cinq joueurs

3...Le joueur d'atout doit remporter 3 levées avec l'aide d'un partenaire.

4...Le joueur d'atout doit remporter 4 levées avec l'aide de 2 partenaires.

5...Le joueur d'atout doit remporter 5 levées avec l'aide de 2 partenaires.

8...Le joueur d'atout doit jouer seul et remporter 5 levées en se
servant de la veuve.

15...Le joueur d'atout doit jouer seul et remporter 5 levées sans
l'aide de la veuve.

Six joueurs

3, 4, 5...Le côté d'atout doit remporter le nombre de levées déclarées
(La veuve étant prise par le joueur d'atout).

8...Le joueur d'atout doit jouer seul et remporter 5 levées en se
servant de la veuve.

15...Le joueur d'atout doit jouer seul et remporter 5 levées sans
l'aide de la veuve.

Sept joueurs

4, 5...Le joueur d'atout doit remporter le nombre de levées déclarées
avec l'aide d'un partenaire.

6, 7...Le joueur d'atout doit remporter le nombre de levées déclarées
avec l'aide de deux partenaires.

10...Le joueur d'atout doit jouer seul et remporter 7 levées avec
l'aide de la veuve.

20...Le joueur d'atout doit jouer seul et remporter 7 levées sans
l'aide de la veuve.

Si le côté d'atout remporte le nombre de levées déclarées, il
compte le nombre de points correspondant indiqués au tableau. Il
n'y a pas de point accordé pour les levées remportées en surplus
sur celles qui sont nécesaires. Si le côté d'atout est enfoncé (euchered) les adversaires comptent les points. Dans le jeu à 6 *joueurs*
par partenaires, on ne tient que deux colonnes de pointage, l'une
pour chaque côté. Dans le cas de 5 ou 7 joueurs, la totalité des
points mérités par un côté est porté au compte de chacun des
joueurs de ce côté.

Irrégularités — Les mêmes que celles du jeu à quatre joueurs.

EUCHRE À LA PÊCHE

La variante se situe dans la détermination du partenaire, au Euchre à 4, 5, ou 6 joueurs. L'atout est choisi en acceptant la carte retournée ou, si elle est refusée, par la déclaration. Le joueur d'atout appelle une couleur et celui qui détient la meilleure carte en cette couleur devient son partenaire. Ce joueur ne doit pas cependant se révéler avant de jouer sa carte.

NAPOLÉON (NAP)

Nombre de joueurs — De deux à six.

Le paquet — 52 cartes.

Valeur des cartes — As (haute), Roi, Dame, Valet, 10, 9, 8, 7, 6, 5, 4, 3, 2.

Le tirage — La plus basse carte mêle la première. L'as se classe en-dessous du deux.

La mêlée et la coupe — Le donneur a le droit de mêler le dernier. Le joueur à la droite du donneur coupe le paquet. En coupant il faut laisser au moins quatre cartes dans chaque paquet.

La donne — Chaque joueur reçoit cinq cartes, soit un premier tour de trois à la fois et un second de deux, soit un premier tour de deux et un second de trois.

Les enchères — Chaque joueur, à son tour, en commençant par l'aîné, peut soit faire une déclaration, soit passer. Une déclaration se fait selon le nombre de levées sur cinq que le joueur pense pouvoir remporter s'il désigne l'atout. Une déclaration de cinq levées s'appelle un Napoléon (Nap.).

(*Variante*: La déclaration Nap (Napoléon) peut être déclassée par un Wellington, et celle-ci à son tour par un Blucher. Ces deux dernières comportent aussi cinq levées, mais les pénalités augmentent si le joueur ne les remporte pas.)

Le jeu — Le plus haut enchérisseur désigne l'atout en entamant. Il faut que l'entame soit en atout. Tous les joueurs doivent fournir la couleur d'entame, si possible; s'ils ne peuvent pas fournir, ils peuvent soit couper, soit écarter à leur gré. Une levée est remportée par la plus haute carte de la couleur d'entame, ou, si elle enferme des atouts, par la plus haute carte d'atout. Le joueur qui remporte une levée entame à la suivante.

Le pointage — Les levées remportées en surplus de celles qui sont nécessaires soit pour accomplir la déclaration, soit pour la défaire, ne comptent ni pour le déclarant ni pour ses adversaires. Si le joueur remporte les levées de sa déclaration il se fait payer par chacun des autres joueurs; s'il est battu, alors c'est lui qui paie chacun des autres joueurs.

Déclaration	Déclarant gagne:	Déclarant perd:
Moins de 5 levées	1 par levée	1 par levée
Nap	10	5
Wellington	10	10
Blucher	10	20

Habituellement, on distribue une quantité égale de jetons à tous les joueurs avant la partie, ils règlent ensuite entre eux, en jetons, après chaque donne.

Irrégularités — *Maldonne* — Si l'on signale une maldonne pour n'importe laquelle des raisons habituelles (Voir Lois Générales en page 5) le même joueur redonne.

Nombre inexact de cartes. Le joueur qui a reçu un nombre inexact de cartes doit le signaler avant de déclarer ou de passer, autrement il devra continuer de jouer avec les cartes qu'il a. Lorsqu'il lui manque des cartes, un joueur ne peut pas remporter une levée à laquelle il ne peut pas fournir. Si la main du déclarant est exacte et que celle d'un adversaire ne le soit pas, le déclarant n'a rien à lui payer s'il perd, mais il sera payé s'il gagne. Si la main du déclarant est inexacte et que toutes les autres soient correctes, le déclarant ne touche rien s'il gagne, mais il devra payer s'il perd.

Jeu hors de tour. Si le déclarant (le plus haut enchérisseur) entame ou joue hors de tour, il n'y a pas de pénalité, mais l'erreur devra être corrigée sur demande si l'on s'en aperçoit avant que la levée soit retournée et ramassée, autrement la levée compte. Si un adversaire du déclarant attaque ou joue hors de tour, il doit verser trois jetons au déclarant et ne peut rien recevoir si le déclarant perd.

Renonce. Ne pas fournir la couleur d'entame lorsqu'on en a constitue une renonce. Si une renonce est constatée et signalée avant le règlement de la main, le jeu cesse immédiatement et le règlement se fait aussitôt. Le déclarant qui a fait une renonce doit payer ses adversaires comme s'il avait perdu. L'adversaire du déclarant qui a fait une renonce doit payer au déclarant tout ce qu'il aurait touché s'il avait gagné, et les autres joueurs n'ont rien à payer.

La cagnotte (ou la poule) — Quelques fois, on constitue une cagnotte où chaque joueur verse un nombre égal de jetons ou de fiches. A son tour chaque donneur ajoute un certain nombre de jetons ou de fiches. On peut aussi augmenter davantage le contenu de la cagnotte en y faisant déposer 5 jetons par chaque joueur coupable d'une renonce et 3 jetons par joueur jouant hors de tour. Le premier joueur à remporter les cinq levées d'un Nap, gagne la cagnotte. Le joueur qui, ayant déclaré un Nap, ne le réussit pas, doit doubler le contenu de la cagnotte.

La veuve — On peut placer 5 cartes (2-3 à la fois ou 3-2), face contre table, comme main supplémentaire au moment de la donne, juste avant que le donneur se serve. Le joueur qui prendra la Veuve devra déclarer un Nap, et écarter cinq cartes face contre table.

Le Nap à « droit de regard » — Variante du Nap à cagnotte ou à poule. On ne laisse qu'une carte à la Veuve, généralement au premier tour. En ajoutant un jeton à la cagnotte, tout joueur peut regarder cette carte avant de déclarer ou de passer. Le plus haut déclarant prend la Veuve sans payer de jeton. Il doit écarter une carte pour ne conserver que cinq cartes dans son jeu.

Sir Garnet — C'est une forme populaire de Nap. Le donneur donne une main supplémentaire de cinq cartes (3-2 ou 2-3), juste avant de se servir lui-même à chaque tour.

Chaque joueur, à son tour, en allant vers la gauche, au lieu de faire une déclaration ou de passer, peut prendre la Veuve, la placer dans sa main avec ses cinq cartes et de ces dix cartes se choisir un jeu de cinq qui lui conviennent, écartant les autres cartes sans les montrer. Il doit alors forcément déclarer un Nap, et s'il ne le

réussit pas, il perd le double de ce qu'il aurait perdu sans la Veuve.
La déclaration de Nap ordinaire remporte 10 jetons de chaque
joueur, si elle réussit et n'en paie que cinq si elle échoue. A Sir
Garnet, le perdant d'un Nap qui avait pris la Veuve donne dix
jetons à chaque adversaire.

« SPOIL FIVE » OU 45

Nombre de joueurs — De deux à dix, jouant individuellement. Le
nombre idéal est de cinq ou six.

Le paquet — 52 cartes.

La valeur des cartes — L'As de Cœur est toujours le troisième
meilleur atout.

Comme atout :

Pique et Trèfle — 5 (haute), Valet, As de Cœur, Roi, Dame,
2, 3, 4, 6, 7, 8, 9, 10.

Carreau et Cœur — 5 (haute), Valet, As de Cœur, As de Carreau (si Carreau est atout), Roi, Dame, 10, 9, 8, 7, 6, 4, 3, 2.

Lorsque pas atout :

Pique et Trèfle — Roi (haute), Dame, Valet, As, 2, 3, 4, 5, 6,
7, 8, 9, 10.

Carreau et Cœur — Roi (haute), Dame, Valet, 10, 9, 8, 7, 6,
5, 4, 3, 2, As (sauf As de Cœur).

« Bas en noir — haut en rouge ».

La mêlée et la coupe — Le premier Valet mêle, le donneur peut
mêler en dernier et le joueur à la droite du donneur coupe.

La donne — Cinq cartes à chaque joueur — 3 puis 2 ou 2 puis 3,
en allant vers la gauche, à tour de rôle, en commençant par l'aîné.
La carte suivante est retournée pour l'atout.

Pour voler l'atout — Le joueur qui a l'As de la couleur retournée
comme atout, peut, s'il le désire, échanger n'importe laquelle de ses
cartes avec la retourne. Si non, il doit demander au donneur de
retourner la carte d'atout, indiquant par là qu'il a l'As, autrement
il perd le droit d'échanger l'As pour une carte d'atout et son As
devient le plus petit atout, même s'il s'agit de l'As de Cœur. S'il
retourne un As, le donneur peut écarter immédiatement et prendre
l'As dans sa main après la première levée; ou bien il peut jouer
avec sa main originale, mais alors il doit annoncer son intention
de le faire.

But du jeu — Remporter des levées.

Le jeu — L'aîné entame n'importe quelle carte. Chaque joueur à
son tour doit fournir dans la couleur d'entame, s'il le peut, ou
couper. Si cela lui est impossible, le joueur peut jouer n'importe
quelle carte.

Un joueur n'est pas tenu de fournir le 5 ou le Valet d'atout ou
l'As de Cœur quand l'entame est d'un petit atout.

Une levée renfermant des atouts est emportée par le plus haut
atout joué. Les autres levées sont emportées par la plus haute carte

de la couleur d'entame. Le joueur qui remporte une levée, entame pour la levée suivante.

Le pointage — Chaque joueur dépose un jeton dans la cagnotte. Le premier joueur à ramasser trois levées peut remporter la cagnotte. Si le joueur continue de jouer après avoir ramassé trois levées, il devra faire les cinq levées (dans ce cas il gagne la cagnotte, plus un jeton de chacun des autres joueurs); s'il ne ramasse pas les cinq levées, il ne remporte pas la cagnotte.

Après une manche où la cagnotte n'a pas été gagnée, chaque joueur y dépose un autre jeton pour la donne suivante.

Irrégularités — (Voir Lois générales en page 5).

Maldonne. — (la donne passe du donneur à son voisin de gauche): si à n'importe quel tour, le donneur donne trop ou pas assez de cartes, s'il expose une carte en donnant, s'il omet de faire couper le paquet avant de commencer la donne (pourvu qu'une nouvelle donne soit exigée avant que celle-ci ne soit terminée), si le donneur compte les cartes sur la table ou dans le paquet.

Main irrégulière. — Une main renfermant un nombre inexact de cartes, est morte et les autres joueurs continuent de jouer; mais, si le joueur a remporté trois levées avec une main incorrecte avant que la chose soit découverte, il gagne la cagnotte.

Renonce : *carte exposée illégalement après qu'un joueur a remporté deux levées; vol de l'atout sans détenir l'As.* La main du coupable est morte, et il ne recevra pas d'autres cartes avant que la présente cagnotte ait été gagnée. Cependant, il doit toujours continuer de contribuer à la cagnotte en même temps que les autres joueurs.

QUARANTE-CINQ

Une variante du « Spoil Five », à deux, quatre (deux contre deux) ou six (trois contre trois) joueurs. Les points sont marqués. Le côté qui remporte trois ou quatre levées compte 5 points; 5 levées, 10 points. Parfois, chaque levée compte pour 5 points, et l'on déduit les points du côté perdant de ceux du côté gagnant. Ainsi, trois levées comptent 5; quatre levées, 15; cinq levées, 25. La partie est en 45 points.

QUARANTE-CINQ AUX ENCHÈRES

Cette variante de « Spoil Five » et de Quarante-Cinq est le jeu national de la Nouvelle-Écosse. Le chiffre 45 n'y figure plus.

Nombre de joueurs — Quatre (deux contre deux) ou six (trois contre trois) assis alternativement.

Les préliminaires, la valeur des cartes et le jeu — Comme au « Spoil Five ».

Enchères — L'aîné parle le premier, le tour de parole passe ensuite vers la gauche. Les déclarations se font par multiples de 5 et la plus haute est 30. Chaque enchère doit être plus élevée que la précédente, sauf pour le donneur qui peut répéter l'enchère pré-

cédente en disant : « Je tiens ». S'il le fait chacun des joueurs qui
n'a pas passé au tour d'enchère précédent peut reparler et le donneur peut encore répéter l'enchère précédente sans l'augmenter. Un
côté ayant 100 points ou plus d'accumulés ne peut pas prendre
moins de 20 comme enchère.

Ecart et prise de cartes — Le plus haut enchérisseur (le déclarant)
désigne l'atout, chaque joueur peut alors écarter autant de cartes
qu'il le désire et le donneur lui donne le nombre de cartes qu'il
faut pour revenir à cinq, en les prenant sur le dessus du paquet.
Le joueur à gauche du plus haut enchérisseur entame le premier.

Le pointage — Chaque levée remportée compte 5 points et le plus
haut atout du jeu donne 5 points additionnels, ce qui porte à 10
points la levée ainsi remportée. Si le côté du déclarant gagne toutes
ses levées, il compte tous ses points; s'il en perd, on soustrait de
ses points la valeur de son enchère ou déclaration. L'adversaire
compte toujours les levées qu'il remporte. Une enchère de 30 (pour
les 5 levées) vaut 60 si elle réussit, et perd 30 si elle échoue. Le
premier côté à atteindre 120 points gagne la partie.

LE PINOCHLE

(ou PINOCLE)

LE PINOCHLE À DEUX

C'est la version originale de la famille Pinochle qui est toujours parmi les jeux à deux les plus populaires aux Etats-Unis.

Nombre de joueurs — Deux. Les variantes que l'on jouait à trois et à quatre ont maintenant été remplacées par le Pinochle aux Enchères et plusieurs jeux de Pinochle en équipes.

Le paquet — Au Pinochle, le paquet est de 48 cartes: l'As (haute) et le 9 (basse) dans chacune des quatre couleurs et chaque couleur possède deux cartes de la même dénomination. Moins souvent, on emploie le paquet de Pinochle de 64 cartes, dont le 7 est la basse carte de chaque couleur.

Ordre des cartes — As (haute), 10, Roi, Dame, Valet et 9.

La mêlée et la coupe — On coupe ou l'on tire d'un paquet mêlé. La plus haute carte donne en premier et a le choix des places. Si deux joueurs coupent ou tirent des cartes identiques ou de même valeur, ils coupent de nouveau. Le joueur qui ne donne pas mêle, puis le donneur mêle et l'adversaire coupe, laissant au moins cinq cartes dans chacune des portions du paquet. Le donneur complète la coupe en reformant un paquet.

La donne — Chaque joueur reçoit 12 cartes, celui qui ne donne pas, en premier, par trois ou quatre cartes à la fois. La carte suivante est retournée et posée sur la table; c'est la carte d'atout et toutes les cartes de sa couleur sont de l'atout. On pose le reste du paquet face contre table de manière à recouvrir la moitié de la retourne. Ce paquet est le talon. (Lorsqu'on prend un paquet de 64 cartes, chaque joueur en reçoit 16.)

Buts du jeu — Remporter des levées, afin de compter la valeur des cartes que renferment ces levées; et afin d'étendre (en allemand « meld » qui veut dire annoncer) certaines combinaisons de cartes qui ont une valeur en points. Les valeurs de cartes prises en levées sont les suivantes :

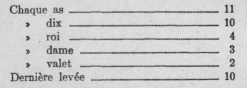

Chaque as	11
» dix	10
» roi	4
» dame	3
» valet	2
Dernière levée	10

Les 9 (ainsi que les 8 et les 7 avec le paquet de 64 cartes) n'ont pas de valeur en points.

Les valeurs des combinaisons étendues sont les suivantes :

CATÉGORIE « A »

As-Roi-Dame-Valet-10 d'atout (« flush » ou séquence) 150
Roi-Dame d'atout (mariage royal) _____ 40
Roi-Dame d'une autre couleur (mariage) _____. 20
Dix (le plus petit atout, 9 ou 7) _____ 10
(Le Dix est le 9 d'atout si l'on emploie le paquet de 48 cartes;
le 7 d'atout si c'est celui de 64 cartes).

CATÉGORIE « B »

Quatre As (un de chaque couleur) (100 d'As) _____ 100
Quatre Rois (un de chaque couleur) (80 de rois) _____ 80
Quatre Dames (une de chaque couleur) (60 de dames) 60
Quatre Valets (un de chaque couleur) (40 de valets) 40

CATÉGORIE « C »

Dame de Pique et Valet de Carreau (Pinochle) 40

Le jeu — Chaque levée comporte une entame et un jeu. Le joueur qui n'a pas donné entame le premier; par suite, le gagnant de chaque levée entame pour la levée suivante. Une entame en atout remporte la levée à moins que l'adversaire joue un atout plus fort; lorsque l'entame est dans une autre couleur, la carte d'entame remporte la levée à moins que l'adversaire joue une carte plus élevée de la même couleur, ou un atout. Le joueur qui entame peut le faire avec n'importe quelle carte et l'adversaire peut jouer n'importe quelle carte; ce n'est pas nécessaire de fournir dans la couleur d'entame.

Après chaque levée, chaque joueur pige une carte du dessus du talon pour ramener sa main à 12 cartes; le gagnant de la levée pige le premier.

Combinaisons étendues — Lorsqu'il a remporté une levée et avant de piger une carte du talon, le joueur peut étendre l'une des combinaisons de cartes déjà décrites et qui ont de la valeur. Il étend ses cartes, exposées, sur la table et elles y restent tant qu'il n'a pas choisi de les jouer ou tant que le talon n'est pas épuisé. Pour étendre des cartes il faut se conformer aux restrictions suivantes :

1. — On ne peut étendre qu'une combinaison de cartes par tour.

2. — Pour étendre, il faut prendre au moins une carte dans la main et la poser sur la table.

3. — Une carte étendue dans une combinaison peut être employée dans une autre combinaison de catégorie différente, ou dans une autre de même catégorie mais de plus grande valeur.

Illustrons ces règles : Un joueur ne peut étendre Roi et Dame de Pique avec un Valet de Carreau, et compter à la fois les points du mariage et du Pinochle. On ne peut étendre qu'une combinaison par tour. Il peut donc étendre d'abord la Dame de Pique et le Valet de Carreau — 40; puis après avoir remporté une autre levée il pourra ajouter le Roi de Pique et compter les points du mariage. Un joueur peut étendre le Roi et la Dame d'atout — **40 points**;

puis, plus tard, ajouter As-Valet-Dix d'atout —pour compter 150 points. Mais, il ne peut pas d'abord étendre As-Roi-Dame-Valet et Dix de Pique pour compter 150 points et, plus tard, compter un mariage royal, même s'il ajoute un autre Roi et une autre Dame de Pique. Un joueur ne peut pas étendre le Roi et la Dame de Carreau et faire ensuite un autre mariage de Carreau en ajoutant soit un Roi de Carreau, soit une Dame. Il lui faut une autre paire Roi-Dame de carreau totalement différente de la première.

Une fois mise en combinaison et étendue sur la table une carte peut être reprise et jouée sur une levée, comme si elle venait de la main du joueur; mais, lorsqu'elle a été jouée on ne peut plus s'en servir pour faire une nouvelle combinaison.

Pour étendre un Dix. — Si le donneur retourne un Dix (9 ou 7) comme carte d'atout, il compte aussitôt dix points. Par la suite tout joueur détenant un Dix peut le compter en le montrant simplement après avoir remporté une levée. Il peut compter un Dix et étendre une autre combinaison au même tour. Le détenteur d'un Dix peut l'échanger, après avoir remporté une levée, pour prendre la carte d'atout (retourne).

Pour finir — Le gagnant de la douzième levée peut étendre s'il en est capable; puis il pige la dernière carte à l'envers du talon. Il montre cette carte à son adversaire. L'adversaire prend la carte d'atout (ou le Dix s'il y a eu échange). Le gagnant de la levée précédente entame, et les règles du jeu sont les suivantes: Chaque joueur devra fournir la couleur de la carte d'entame si possible, et doit remporter, s'il le peut, quand l'entame était en atout. Un joueur qui ne peut pas fournir la couleur d'entame doit couper. Les douze dernières levées se jouent de cette façon, après quoi les joueurs conviennent des points de chacun selon les cartes remportées.

Le pointage — On peut inscrire les points ou bien se servir de jetons. Avec les jetons, on peut faire une pile au centre de la table d'où chaque joueur retire le nombre de jetons (chips) que représente les points qu'il a comptés; ou bien on donne à chaque joueur des jetons pour 1000 points et, à mesure qu'il compte des points, il retire le nombre de jetons voulu de sa réserve.

Les points de combinaisons étendues sont comptés au fur et à mesure. Les points de cartes remportées dans les levées sont calculés après que le jeu est terminé et que les cartes sont comptées. Dans ce pointage, 7 points ou plus comptent pour 10. Par exemple : 87 points comptent pour 90; si un joueur fait 126 et l'autre 124, ou si les deux font 125, ils ne comptent que 120 chacun; les autres 10 points sont perdus.

La partie — Chaque donne peut compter pour une partie, le gagnant étant celui qui compte le plus de points; on ne reporte pas de points à la prochaine donne.

Par une autre méthode, la partie est de 1000 points. Lorsqu'un joueur a compté 1,000 points ou plus et que l'autre en a moins de 1,000, le premier gagne la partie. Si, à la fin d'une main, chacun des joueurs a plus de 1,000 points, le jeu continue pour atteindre 1,250, même si un joueur a 1,130 points et que l'autre en a seulement 1,000. Si les deux joueurs dépassent 1,250 points à la fin d'une main, le jeu continue pour atteindre 1,500 points, etc. Toutefois, ceci n'arrive que rarement comme l'un ou l'autre des joueurs peut interrompre le jeu en déclarant : « J'arrête ».

Déclaration d'arrêt — A n'importe quel moment du jeu un joueur peut dire « J'arrête ». On cesse alors de jouer et l'on compte ses levées. S'il a effectivement atteint 1,000 points ou plus, il gagne la partie même si son adversaire a plus de points que lui. Si le joueur qui arrête a moins de 1,000 points, il perd la partie. Si la partie a été portée à 1,250 points ou à 1,500, un joueur peut dire qu'il arrête lorsqu'il croit avoir atteint ce chiffre. *Variante no*-1 : Après avoir déclaré qu'il arrêtait, le joueur doit remporter une autre levée avant que ses cartes soient comptées, et si dans l'intervalle son adversaire déclare aussi qu'il arrête, c'est le premier à remporter une levée dont on comptera les cartes en premier et qui gagnra ou perdra la partie selon que le total de ses points sera suffisant ou non. *Variante no*-2 : Se joue comme la variante no-1, sauf que les cartes du joueur qui s'arrête ne seront comptées que lorsqu'il aura remporté une levée dont il aura lui-même fait l'entame.)

Irrégularités — (Voir aussi Lois générales, page 5).
Maldonne : Le même joueur redonne : s'il est constaté, avant que les deux joueurs aient joué pour la première levée, que l'un ou l'autre a reçu trop de cartes. Avant de jouer pour la première levée, le joueur qui n'a pas donné peut demander une nouvelle donne, s'il y a eu de ses propres cartes ou de celles du paquet d'exposées pendant la donne, ou bien si l'un ou l'autre des joueurs n'a pas assez de cartes.

Il n'y a pas de pénalité pour une carte exposée ou découverte. Une entame hors de tour doit être retirée à la demande du joueur non-coupable.

Main inexacte : (constatée après la première levée). Le joueur qui n'a pas reçu assez de cartes pigera à son prochain tour assez de cartes pour rétablir sa main à 12; s'il a trop de cartes, il ne pigera pas du talon tant qu'il n'aura pas le bon nombre de cartes. Un joueur ne peut pas étendre de combinaisons tant qu'il a un nombre inexact de cartes en main.

Dans la pige : Si un joueur pige hors de tour, il doit donner la carte à son adversaire et ensuite montrer à son adversaire la carte qu'il pige. Si un joueur pige plus d'une carte, on replace les cartes de surplus sur le dessus du talon, mais il doit montrer à son adversaire toutes les cartes qu'il a pigées.

Talon inexact : S'il reste, à la fin, trois cartes dans le talon (deux face contre table et la carte d'atout ou retourne) et si chacun des joueurs a le bon nombre de cartes : le gagnant de la dernière levée pige la carte du dessus du talon. Le perdant de la dernière levée, sans regarder la carte qui est à l'envers, choisira soit de prendre cette dernière soit la carte d'atout (retourne). Quel que soit son choix, l'autre carte doit être montrée mais ne servira pas au jeu et ne compte pour aucun des joueurs.

Une renonce : ne peut se produire qu'une fois le talon épuisé. Une renonce c'est s'abstenir de fournir la couleur ou l'atout demandé par l'entame, ou s'abstenir de remporter une levée d'atout, alors que le joueur est en mesure de le faire et que la loi l'exige. Lorsque chaque main représente une partie, le joueur qui fait une renonce perd la partie. Lorsque la partie est en 1,000 points, le joueur qui fait une renonce ne compte pas de points pour les cartes qu'il ramasse, tandis que son adversaire, lui, peut compter les siennes; mais le jeu continue après la renonce de sorte que le coupable peut limiter le nombre de points que compte son adversaire.

En étendant des combinaisons : Si un joueur compte moins de points que ceux auxquels il a droit, il peut corriger son pointage en tout temps avant de jouer ou avant de ramasser l'une ou l'autre des cartes étendues. Si un joueur compte trop de points en étendant des combinaisons, il devra corriger le pointage si son adversaire l'exige, avant de piger du talon.

LE PINOCHLE À TROIS

A un certain moment on jouait à trois un jeu du genre du Pinochle à deux, généralement avec un paquet de 64 cartes; les joueurs recevaient 12 cartes chacun et jouaient à tour de rôle. La partie était en 1,000 points comme au jeu à deux. Cette variante a maintenant été remplacée par le Pinochle aux Enchères (page 143).

LE PINOCHLE EN ÉQUIPES

Nous décrirons d'abord le « Pinochle en équipes » de base, cependant deux jeux qui en découlent l'ont dépassé en popularité : le Pinochle en équipes aux enchères (page 143) et de Pinochle à paquet double (page 144).

Nombre de joueurs — Quatre (deux contre deux) en équipes.

Le paquet — de Pinochle de 48 cartes.

Le tirage — Les deux joueurs qui tirent les plus hautes cartes jouent ensemble contre les deux autres joueurs. Si deux joueurs coupent ou pigent des cartes de rang identique, ils tirent de nouveau.

Ordre des cartes — As (haute), 10, Roi, Dame, Valet et 9. De deux cartes identiques jouées sur la même levée, la première jouée est la plus forte.

La mêlée et la coupe — N'importe quel joueur peut mêler les cartes, le donneur mêle en dernier. Le joueur à la droite du donneur coupe.

La donne — Le donneur donne trois cartes à la fois à chaque joueur à tour de rôle, y compris à lui-même. Il doit retourner sa dernière carte pour désigner l'atout. Toutes les cartes de cette couleur deviennent des atouts.

La carte d'atout — Chaque joueur à tour de rôle en commençant par l'aîné, peut échanger le Dix (9 d'atout) s'il l'a, avec la carte d'atout (retourne). La carte d'atout, ou le 9 d'atout échangé avec elle, fait alors partie de la main du donneur afin que chaque joueur ait 12 cartes. Si le donneur retourne un Dix comme carte d'atout, il compte 10 points; chaque joueur qui reçoit un « Dix » dans la donne, compte 10 points, qu'il l'échange ou non avec la carte d'atout (retourne).

Combinaisons étendues — Après l'échange de la carte d'atout, chaque joueur étend devant lui toutes les combinaisons de cartes qu'il possède et compte les points selon les tableaux et les règles donnés en page 138 avec, en plus:

Le double Pinochle	300
Les 8 Valets	400
Les 8 Dames	600
Les 8 Rois	800
Les 8 As	1000
Le « double flush »	1500

Les combinaisons montrées et comptées, les joueurs reprennent leurs cartes. Aucuns points de combinaisons ne seront comptés à la fin de la partie, à moins que le côté auquel ils reviennent n'ait pris une levée; si l'un ou l'autre membre d'une équipe prend une levée, les deux comptent les combinaisons qu'ils avaient étendues.

Le jeu — L'aîné entame la première levée; il peut le faire avec n'importe quelle carte. Chaque joueur, à son tour, doit fournir la couleur d'entame si possible ou jouer un atout quelconque s'il ne peut pas fournir la couleur demandée dans l'entame. S'il le peut, un joueur doit battre la plus haute carte d'atout déjà jouée lorsque l'entame est en atout. S'il est incapable de se conformer à ces règles, le joueur peut jouer n'importe quelle carte. Le gagnant de chaque levée entame pour la levée suivante. *(Variante.* Certains groupes ont pour règle que chaque joueur, à son tour, doit essayer de remporter la levée, qu'il s'agisse d'atout ou non, surpassant la plus haute carte déjà jouée dans cette levée, même s'il s'agit de la carte de son partenaire.)

Le pointage — Un seul compte de points est fait par équipes. On accorde à l'équipe les points que les deux partenaires comptent avec leurs cartes étendues (du moment que l'équipe remporte au moins une levée) plus la valeur des cartes des levées ramassées par les partenaires. On peut compter les cartes selon le barème du Pinochle à deux (As-11), Dix-10, Roi-4, Dame-3, Valet-2). Toutefois, la plupart des joueurs simplifient le calcul en accordant 10 points pour chaque As, ou 10 de ramassés, et 5 pour chaque roi ou chaque dame. Les valets et les neufs ne comptent rien. D'autres joueurs simplifient encore plus, ils accordent 10 points pour chacune des cartes suivantes (As-dix ou roi) et rien pour les cartes plus basses. Quelle que soit la méthode de pointage, le gagnant de la dernière levée compte 10 points. Le total des points de cartes est 250.

La partie — Le premier côté à compter 1,000 points, en combinaisons étendues, ou en cartes en main, gagne la partie. Tout joueur peut réclamer la partie dès qu'il pense que son côté a atteint 1,000 points ou plus. Le jeu cesse alors et l'on compte les cartes pour vérifier les points. Si le côté du joueur qui a dit « j'arrête » a 1,000 points ou plus, il gagne la partie quels que soient les points de l'adversaire. Par contre, s'il a moins de 1,000 points, il perd la partie.

Il ne peut pas compter les cartes qu'il a étendues au cours de la dernière main s'il n'a pas remporté une seule levée après avoir étendu. Si, à la fin d'une main, les deux côtés ont 1,000 points ou plus, le jeu continue jusqu'à 1,250, si la même chose se produit encore, on va jusqu'à 1,500, et ainsi de suite.

Irrégularités —(Voir aussi Lois générales, page 5) *Maldonne*: Il faut que le même joueur fasse une nouvelle donne s'il expose une ou plusieurs cartes pendant la donne. Si le donneur oublie de retourner la carte d'atout, l'un ou l'autre des adversaires peut décider soit qu'il y aura nouvelle donne, soit que l'on pige une carte fermée dans le jeu du donneur pour qu'elle serve de carte d'atout.

Main inexacte : Si un joueur a trop de cartes et un autre pas assez, et que l'on constate cette irrégularité avant que ces joueurs aient regardé leurs cartes, le joueur à qui il manque des cartes doit en piger dans le jeu de celui qui en a trop. Si l'irrégularité n'est pas constatée avant que les joueurs aient regardé leurs cartes, ils étendent leurs combinaisons; après que tous ont étendu, le joueur à qui il manque des cartes pige le nombre qu'il lui faut du jeu de celui qui en a trop, sans toucher aux cartes que ce dernier a étendues sur la table; il ne peut pas former de combinaisons à étendre avec les cartes ainsi prises.

Si un joueur fait une renonce : (omet de fournir dans la couleur entamée, de jouer atout, ou de forcer en jouant sur une levée d'atout lorsqu'il le peut), ou bien s'il entame hors de tour, ou expose une carte, son côté ne peut rien compter pour les levées ramassées pendant cette manche, mais il ne perd pas forcément les cartes étendues.

LE PINOCHLE AUX ENCHÈRES, EN ÉQUIPES

Chaque joueur reçoit 12 cartes, mais on ne retourne pas de carte d'atout. En commençant par l'aîné chaque joueur, à son tour, peut soit déclarer ou passer. La plus petite déclaration est de 100. Quand un joueur a passé il ne peut plus parler; tant qu'il n'a pas passé il peut faire une déclaration à chaque fois que son tour revient, pourvu que son enchère soit plus élevée que la précédente. Les enchères se font en multiples de 10.

Le plus haut enchérisseur désigne l'atout qu'il désire et les joueurs étendent leurs combinaisons de cartes. Le jeu continue alors comme le Pinochle en équipes, l'aîné entamant à la première levée quel que soit le joueur qui ait fait la plus haute enchère. Le côté qui remporte une levée peut compter les points de combinaisons étendues des deux partenaires.

Le pointage. — Si le côté du plus haut enchérisseur obtient, en combinaisons et en points de cartes, au moins le chiffre de son enchère, alors il compte tous les points qu'il a faits. S'il obtient moins que le chiffre de son enchère, on soustrait ce chiffre de ses points, même si cela doit lui donner un pointage négatif ou sous zéro. Le côté de la moindre enchère compte toujours tous les points qu'il obtient. Le premier côté qui atteint 1,000 points, **gagne la**

partie. On ne peut pas dire « j'arrête » parce que les points du côté
du haut enchérisseur sont toujours comptés les premiers et que les
deux côtés ne peuvent pas atteindre 1.000 à la même main.

La veuve. — En certains endroits on préfère ne donner que 11
cartes à chaque joueur, et laisser une veuve de quatre cartes qui va
au plus haut enchérisseur. Ce dernier regarde la veuve mais ne la
montre pas; il peut alors en garder une carte pour lui et donner
à chacun des autres joueurs une carte de son choix, face fermée
(*Variante*: Avec d'autres joueurs, le plus haut enchérisseur prend
les quatre cartes de la veuve et écarte quatre cartes de son choix, face
fermée. Le jeu continue alors et les joueurs n'ont que 11 cartes en
mains chacun. L'écart compte pour une levée du haut enchérisseur.)

LE PINOCHLE À PAQUET DOUBLE

Cette forme du jeu est la plus populaire du Pinochle en équipes.
Elle débuta vers 1940 et apporta deux innovations : un double
paquet de cartes, sans neufs ni basses cartes; et une forme d'enchère
qui renseigne le partenaire sur la composition du jeu que l'on a
en main.

Ces règles sont basées sur celles préparées par Richard Setian
de Philadelphie.

Nombre de joueurs — Quatre, en équipes, deux contre deux.

Le paquet — 80 cartes, quatre de chaque dans l'ordre donné: As,
10, Roi, Dame, Valet de chaque couleur. On prépare le paquet en
mélangeant ensemble deux jeux ordinaires de 48 cartes pour Pinochle et en en retirant les neufs.

Le tirage — Chaque joueur pige une carte du paquet. Les deux plus
hautes cartes sont partenaires contre les deux plus basses. C'est la
plus haute qui donne. Les couleurs n'ont pas de valeur déterminée
et, si deux joueurs ou plus pigent des cartes de même rang, ils pigent
encore pour déterminer leurs positions relatives, entre eux. La carte
haute donne (*par exemple* : A pige un As, B et C des rois, D pige
un valet, B et C pigent encore et celui qui aura la plus haute carte
sera le partenaire de A, la plus basse, celui de D. A donne).

La donne — Le donneur mêle les cartes et présente le paquet à son
voisin de droite qui les coupe à peu près en deux. On donne tout
le paquet, par quatre ou cinq cartes à la fois, chaque joueur en
reçoit 20. Le tour de donner passe à gauche.

Les enchères — *a)* En commençant par le joueur à la gauche du
donneur, chaque joueur, à son tour, peut faire une déclaration, annoncer une combinaison à étendre, ou passer. Lorsqu'il a passé, un
joueur ne peut plus reprendre part aux enchères.

(b) La déclaration minimum est de 500. Les déclarations se font
par multiples de 10 et chacune doit être plus élevée que n'importe
laquelle des précédentes. (La coutume veut qu'on laisse tomber le
zéro de la fin dans le pointage et les déclarations... Par exemple
on dira : 50 au lieu de 500, 51 au lieu de 510, etc.)

(c) Avant qu'aucun joueur ne déclare, chaque joueur à son tour peut annoncer le montant de ses points de combinaisons sans donner d'autres précisions sur la composition de son jeu, ainsi il peut annoncer 100, 400 (ou 10, 40) etc. Il peut annoncer plus ou moins que le montant exact.

(d) En faisant sa déclaration, le joueur peut dire qu'elle est basée sur une « flush » ou une longue séquence, et peut ainsi annoncer une combinaison, comme par exemple en déclarant 500, et en annonçant une « flush » et une combinaison de 100. Il ne peut pas indiquer de couleur en particulier, ni dire qu'il a deux longues séquences, ni donner aucune information quant à la puissance du jeu qu'il a en main. Si un joueur annonce une « flush » ou une longue séquence avant qu'aucune déclaration n'ait été faite, il est supposé avoir déclaré 500. Si un joueur annonce une combinaison en points, après qu'une déclaration a été faite, on suppose qu'il a dépassé la déclaration précédente de 10 points par 100 points ou fractions de 100 points qu'il annonce. (Exemple : la dernière enchère est de 500; si le joueur suivant annonce une combinaison de 100, il a déclaré 510, s'il annonce une valeur de 140 en combinaisons, il a déclaré 520.) *Nota* : dans certains jeux il n'est permis que de déclarer et de passer, il n'y a pas d'annonces.

(e) Le plus haut enchérisseur désigne l'atout; une fois désigné l'atout ne saurait être changé. Chaque joueur étend alors ses combinaisons en comptant les points de la manière suivante :

SÉQUENCES

As-Roi-Dame-Valet-10 d'atout (flush)	150
Roi-Dame d'atout (mariage royal)	40
Roi-Dame de n'importe quelle autre couleur (mariage)	20

(Une séquence en double ne compte pas de points supplémentaires. Une « flush » double ne compte que 300.)

GROUPES

Quatre as (un de chaque couleur)	100
As doubles (deux de chaque couleur)	1,000
As triples (trois de chaque couleur)	1,500
Quatre rois (un de chaque couleur)	80
Rois doubles (deux de chaque couleur)	800
Rois triples (trois de chaque couleur)	1,200
Quatre dames (une de chaque couleur)	60
Dames doubles (deux de chaque couleur)	600
Dames triples (trois de chaque couleur)	900
Quatre valets (un de chaque couleur)	40
Valets doubles (deux de chaque couleur)	400
Valets triples (trois de chaque couleur)	600

(Un groupe quadruple simplement comme deux doubles; seize As valent 2,000;

PINOCHLES

Dame de pique, valet de carreau (Pinochle) 40
Pinochle double 300
Pinochle triple 450
Pinochle quadruple 3,000

Une carte qui fait partie d'une combinaison d'une catégorie peut aussi compter dans une combinaison d'une autre catégorie, mais ne peut pas compter dans une autre combinaison de même catégorie.

Les combinaisons étendues par un côté ne comptent que si ce côté marque un point de levée, plus tard. Une levée sans valeur, tel que quatre valets, ne fait pas compter les combinaisons étendues.

Le jeu — Le plus haut enchérisseur entame. Il peut le faire avec n'importe quelle carte. Chaque joueur après lui, à son tour, doit fournir la couleur d'entame, s'il le peut. Si l'entame est en atout, le joueur devra s'il le peut jouer un atout plus fort. S'il ne peut pas fournir la couleur d'entame il doit couper si possible. Lorsque deux ou plusieurs cartes de même rang sont jouées sur une même levée, la première jouée est la plus forte. Le gagnant de chaque levée entame pour la levée suivante.

Le pointage — On peut compter les cartes remportées dans les levées, de l'une ou l'autre de deux façons, selon qu'il en aura été convenu avant le début de la partie : (a) As, 10 et Rois — 10 points chacun; ou (b) As et 10 — 10 points chacun, rois et dames — 5 points chacun. Les autres cartes n'ont pas de valeur. La dernière levée compte 20 points. Total des points de cartes que l'on puisse gagner : 500.

Si le côté du haut enchérisseur obtient, en combinaisons et en cartes, au moins le montant de sa déclaration, tous ses points comptent; s'il obtient moins que la valeur de sa déclaration, on soustrait le chiffre de la déclaration du nombre de points. L'adversaire compte toujours tous les points qu'il obtient.

La partie est dans 3,550, et l'on compte les points du côté de l'enchérisseur le premier.

Irrégularités — *Maldonne.* Il faut que le même donneur refasse une nouvelle donne : a) si le paquet n'a pas été bien mêlé, ou s'il n'a pas été coupé, pourvu qu'un joueur signale la chose avant de regarder une seule des cartes qu'il reçoit et avant que la dernière carte ne soit donnée; b) si plus d'une carte est exposée pendant la donne; c) conformément aux paragraphes concernant le « mauvais nombre de cartes », et les « renseignements illégitimes ».

Mauvais nombre de cartes. — Si un joueur a trop de cartes, et un autre pas assez : a) Si l'on constate l'erreur avant que l'un ou l'autre ait regardé ses cartes, le joueur qui en a le moins pige ce qui lui manque dans le jeu de celui qui en a trop. b) Si l'un ou l'autre joueur a regardé ses cartes, n'importe quel joueur peut demander une nouvelle donne; ou d'un commun accord, après que tous les joueurs ont étendu leurs combinaisons, le joueur à qui il manque des cartes pige les cartes de surplus de celui qui en a trop reçues, puis change ses combinaisons s'il le désire. c) Si l'erreur n'est constatée qu'après la première entame, il y a maldonne.

Renseignements illégitimes : Si, au cours des enchères, un joueur donne un renseignement interdit; comme nommer une couleur ou dire qu'il a deux longues séquences, les adversaires peuvent déclarer qu'il y a maldonne. (Ils peuvent se consulter avant de prendre une décision, mais ils ne peuvent ni se montrer, ni décrire leurs mains.)

Déclaration fautive. — On ne peut pas changer une déclaration, faite à son tour. Lorsqu'on fait une déclaration hors de tour c'est tout comme si l'on avait passé. Si un joueur, à son tour, fait une déclaration insuffisante, il doit la remplacer par une qui soit suffisante, ou passer, pourvu que l'irrégularité soit signalée avant que le joueur suivant ait déclaré ou passé; plus tard, les choses restent comme elles sont et il n'y a pas de pénalité.

Combinaison fautive étendue : a) Si une prétendue combinaison ne renferme pas les bonnes cartes et que l'erreur soit découverte avant la première entame, le joueur peut la corriger en changeant les mauvaises cartes pour des bonnes, ou bien il peut la retirer. b) Après la première entame tous les points restent comme ils sont et, si plus tard l'on constate une erreur de combinaison on ne peut pas la corriger; mais cela n'empêche pas de corriger une erreur commise en inscrivant les points convenus.

Entame ou jeu hors de tour : Si un joueur entame ou joue hors de tour, et que l'adversaire assis à sa gauche ait joué avant que l'erreur n'ait été signalée, l'entame demeure valable, sans qu'il y ait pénalité. Si l'erreur est signalée à temps, le joueur peut retirer sa carte sans pénalité et le joueur dont c'est le tour prend l'entame.

Renonce : a) Est coupable d'une renonce — le joueur qui, lorsqu'il le peut, ne fournit pas la couleur d'entame ou l'atout, et ne force (en jouant une carte plus forte que les joueurs précédents) pas lors d'une entame en atout, tel que requis par les règlements. On peut corriger une renonce avant que le coupable ou son partenaire ait joué à la levée suivante. Après une telle correction, les adversaires peuvent retirer et remplacer les cartes qu'ils ont jouées entre temps. Le partenaire du coupable pourra, lui aussi, changer sa carte, mais seulement pour éviter une autre renonce.

b) Une renonce qui n'est pas corrigée à temps, reste établie. Le jeu cesse. Personne ne compte de points de cartes. On soustrait le chiffre de la plus haute enchère des points du côté coupable de renonce (sans tenir compte du côté qui a fait la plus haute enchère). L'adversaire du coupable compte ses combinaisons étendues, qu'il ait ou non compté un point de levée.

c) On doit empiler les levées de manière à ce que leur ordre soit visible. On peut les examiner lorsqu'on signale une renonce et, si l'adversaire du joueur qui signale la renonce a mélangé les levées de sorte que l'irrégularité ne puisse pas être clairement établie, on prend pour acquit qu'il y a eu renonce.

LE PINOCHLE AUX ENCHÈRES

C'est la forme de Pinochle la plus populaire à trois, et le jeu est encore plus agréable à quatre, chacun jouant pour soi.

Nombre de joueurs — On donne des cartes à trois joueurs, ce sont les joueurs actifs. Si l'on joue à quatre, le donneur ne reçoit pas de cartes; à cinq, le donneur et le second joueur à sa gauche ne reçoivent pas de cartes. Ces derniers sont les joueurs inactifs qui participent au règlement de comptes mais non aux enchères ni au jeu.

Le paquet — 48 cartes (le paquet de Pinochle).

Ordre des cartes — As (haute), 10, Roi, Dame, Valet et 9.

Le tirage — On pige ou on coupe pour la donne et les places; la plus basse carte donne en premier, la carte suivante se place à sa gauche, etc. Les couleurs n'ont pas de valeur déterminée, et les joueurs qui coupent des cartes identiques coupent de nouveau.

La mêlée et la coupe — Le donneur mêle le paquet et le joueur à sa droite, coupe, laissant au moins cinq cartes dans chaque portion du paquet.

La donne — On donne trois ou quatre cartes à la fois à chaque joueur actif à tour de rôle, en commençant à la gauche du donneur; à la fin du premier tour de donne on laisse une veuve de trois cartes. On distribue toutes les cartes de l'une de deux manières : soit 3-veuve-3-3-3-3, soit 4-veuve-4-4-3. Chaque joueur actif en reçoit donc 15.

L'enchère — A tour de rôle, chaque joueur actif en commençant par l'aîné, déclare ou passe. Le joueur qui a passé une fois, ne peut plus déclarer. L'aîné doit commencer en déclarant au moins 300; chaque enchère successive doit être un multiple de 10, et plus haute que n'importe quelle autre déclaration précédente. Lorsque deux joueurs ont passé, l'enchère est close. La plus haute enchère est le « contrat », le joueur qui l'a faite est « l'enchérisseur », et les deux autres joueurs sont les adversaires. (*Variante* : Dans plusieurs jeux, la première enchère obligatoire de l'aîné est de 250, non de 300.)

La veuve — Si le contrat est de 300, l'enchérisseur peut concéder la main sans regarder la veuve; dans ce cas sa perte est réduite (voir Concessions). Si l'enchère est de plus de 300, ou si l'enchérisseur de 300 ne veut pas concéder, il retourne les trois cartes de la veuve afin que tous les joueurs puissent les voir, puis il les place dans sa main.

Combinaisons étendues — L'enchérisseur désigne l'atout et étend ses combinaisons dont les points sont comptés selon le tableau suivant :

CATÉGORIE « A »

As-Roi-Dame-Valet-10 d'atout (« flush » ou séquence)	150
Roi-Dame d'atout (mariage royal)	40
Roi-Dame de n'importe quelle couleur (mariage)	20
Dix (le plus petit atout - 9)	10

CATÉGORIE « B »

4 As (Pique-Cœur-Carreau-Trèfle) (100 d'As) 100
4 Rois (Pique-Cœur-Carreau-Trèfle) (80 de rois) 80
4 Dames (Pique-Cœur-Carreau-Trèfle) (60 de dames) 60
4 Valets (Pique-Cœur-Carreau-Trèfle) (40 de valets) 40

CATÉGORIE « C »

Dame de Pique et Valet de Carreau (Pinochle) 40

Aucune carte ne peut servir deux fois dans des combinaisons de même catégorie, mais la même carte peut servir dans deux combinaisons ou plus de catégories différentes.

Levée cachée (burying) — Seul l'enchérisseur peut étendre des combinaisons. Puis il « cache » (écarte) trois cartes face fermées devant lui; il les comptera comme une levée gagnée au jeu. L'enchérisseur ne peut pas « cacher » de cartes qu'il a employées dans une combinaison. Cependant, il peut changer la couleur d'atout, ses combinaisons et les cartes qu'il « cache » aussi souvent qu'il le désire avant d'entamer à la première levée; par la suite, il ne peut plus rien changer.

Buts du jeu — Au moyen de combinaisons et de cartes ayant une valeur prise en levées, l'enchérisseur vise à compter autant de points qu'il a déclarés. Ses deux adversaires s'unissent contre lui pour l'empêcher de réussir son « contrat ».

Les cartes prises comptent pour le côté qui les a remportées, de la manière suivante : chaque As - 11; chaque dix - 10; chaque roi - 4; chaque dame - 3; chaque valet - 2; pour avoir remporté la dernière levée - 10. Certains joueurs simplifient les calculs en comptant 10 points pour chaque as et chaque dix, 5 points pour chaque roi et chaque dame, rien pour les valets ou les neufs. D'autres simplifient encore davantage en comptant : 10 pour chaque As, chaque Dix et chaque Roi; rien pour les autres cartes. Quelle que soit la méthode employée, le total des points de cartes doit être de 250.

Le jeu — Après avoir étendu ses combinaisons et « caché » trois cartes, l'enchérisseur reprend dans sa main les cartes qu'il avait étendues et entame la première levée; il peut entamer n'importe quelle carte. Une carte jouée par chacun des joueurs représente une levée. La plus haute carte de la couleur d'entame ou le plus haut atout si la levée compte des atouts, remporte la levée; de cartes identiques jouées sur une levée, la première jouée l'emporte. Chaque joueur, à son tour, doit fournir la couleur d'entame si possible; si l'entame était en atout il doit s'efforcer de remporter la levée, s'il le peut. S'il ne peut pas fournir la couleur demandée, mais qu'il ait un atout, il doit jouer atout; mais il n'est pas tenu d'essayer de remporter la levée si elle a déjà été coupée.

Le gagnant de chaque levée entame à la levée suivante.

Règlement de comptes — Au Pinochle aux enchères, chaque main est une partie complète et les joueurs règlent définitivement leurs comptes avant la main suivante. Le pointage peut se faire au moyen de chips ou par écrit. L'enchérisseur encaisse si ses combinaisons plus la valeur des cartes qu'il a prises en levées égalent ou dépassent le chiffre de son contrat. Il ne peut jamais gagner plus qu'il n'a déclaré. Il doit payer, si son pointage est inférieur à son enchère.

Au moment du règlement, l'enchérisseur paie à ou encaisse de chacun des autres joueurs de la partie, y compris le quatrième et le cinquième (joueurs inactifs, s'il y en avait) et y compris aussi la « chatte » lorsque l'enchère est de 350 ou plus.

La chatte — On réserve un compte de points séparé et une pile de chips distincte pour un joueur imaginaire que l'on appelle la « chatte ». La « chatte » n'encaisse que lorsqu'une enchère minimum de 350 est perdue, et paie ou encaisse comme le fait l'adversaire lorsque l'enchère est de 350 ou plus. Chacun des joueurs de la partie possède une part égale de la « chatte », doit payer sa contribution pour combler le déficit lorsque la « chatte » ne peut pas payer ce qu'elle doit, et partage également le surplus qui reste à la « chatte » à la fin de la soirée ou lorsqu'un joueur quitte la partie.

Valeur des enchères — Chaque contrat a une valeur en unités ou chips. Habituellement, ces valeurs s'établissent comme suit :

Enchère	Valeur de base	Valeur si Pique Atout
300-340	3	6
350-390	5	10
400-440	10	20
450-490	15	30
500-540	20	40
550-590	25	50
600 ou plus	30	60

(*Variante* : Plusieurs autres échelles de valeurs sont d'usage courant. Ce sont (a) la valeur de base double pour chaque degré au-dessus de 350, de sorte que 450 vaut 20; 500 vaut 40; 550 vaut 80; etc., cette échelle, toutefois, tend à mettre la valeur d'une main exceptionnellement forte tout à fait hors de proportion par comparaison à la valeur de mains normales. (b) 300 vaut 1 chip; 350 - 2 chips; 400 - 4 chips; 450 - 6 chips; etc., on ajoute 2 chips par degré. Ces chiffres s'appliquent lorsque Carreau ou Trèfle est atout. Le Pique compte double et le Cœur triple. (c) On ajoute une unité ou chip par enchère additionnelle de 10 points de sorte que 350 vaut 5; 360 vaut 6; 370 vaut 7 etc.)

Concessions — Lorsqu'il passe l'enchère obligatoire de 300, l'enchérisseur peut abandonner sans regarder la veuve, alors il verse la valeur de base de trois (3) chips à la « chatte », mais ne donne rien aux autres joueurs.

S'il a intentionnellement regardé une carte quelconque de la veuve, l'enchérisseur peut s'avouer battu. Dans ce cas, on ne joue pas, mais l'enchérisseur doit payer à chacun de ses adversaires la valeur de base de son enchère. Ceci s'appelle un rabattement simple (single bete).

Par entente préalable, les adversaires peuvent concéder le contrat de l'enchérisseur sans l'obliger à jouer. Dans ce cas, l'enchérisseur reçoit de chaque joueur la valeur de son enchère.

Une fois que l'enchérisseur a entamé à la première levée, la main est considérée comme jouée, même si l'un des côtés la concède plus tard.

Main jouée dans son entier — Ayant entamé à la première levée, si l'enchérisseur réussit son contrat, il encaisse de chacun des autres joueurs; s'il échoue, il paie à chacun des autres joueurs le double de ce qu'il aurait touché s'il avait gagné; ceci s'appelle un rabattement double (double bete).

Joueur inactif — Un joueur inactif ne doit pas regarder la veuve ni aucune main, ni donner de conseils ni faire de commentaires sur une question de jugement à l'enchère, au jeu ou en concessions. S'il n'a pas volontairement regardé la veuve ou aucune autre main, il peut signaler une irrégularité, tel qu'une renonce ou un jeu hors de tour.

Irrégularités — (Voir Lois générales, page 5).

Maldonne : Une nouvelle donne est obligatoire si le donneur a exposé plus d'une carte de la main d'un joueur, ou une carte de la veuve. On peut la réclamer, avant que la veuve ait été servie, si le paquet n'a pas été bien mêlé et coupé. Le même joueur redonne les cartes.

La veuve exposée : Si, avant la fin des enchères, un joueur voit une carte de la veuve, il perd le droit de participer aux enchères. S'il fait voir une carte de la veuve, ce tour de donne est annulé et il y a nouvelle donne par le joueur suivant; le coupable doit payer à chacun des autres joueurs la valeur d'unité de la plus haute enchère faite avant l'offense.

Main incorrecte : Si l'inexactitude est constatée avant que la veuve soit dûment exposée, le joueur à qui il manque des cartes en pige, face fermée, de la main ou de la veuve qui en a trop. Si l'irrégularité est constatée après que la veuve a été dûment exposée, l'enchérisseur fait son contrat si sa propre main est exacte, et, si elle ne l'est pas il fait un rabattement (bete) et un rabattement double (double bete) s'il a déjà entamé. S'il manque des cartes à la veuve, il faut que le même joueur fasse une nouvelle donne.

Une carte exposée par l'enchérisseur — aucune pénalité; par un adversaire, ou par un joueur qui devient un adversaire — l'enchérisseur peut à son gré exiger ou interdire qu'il joue cette carte à la première occasion légale de le faire.

Plus d'une carte exposée : Si plus d'une carte de la main d'un adversaire est exposée, l'enchérisseur réussit son contrat.

Enchère insuffisante : Nulle. Si le coupable avait déjà passé précédemment, il n'y a pas de pénalité. S'il n'avait pas déjà passé, il doit se reprendre en faisant une déclaration ou enchère suffisante.

Enchère impossible : Une enchère de moins de 300 ou de plus de 650, ou une enchère qui ne serait pas faite en un multiple de dix, est nulle sans pénalité.

Carte « cachée » incorrectement : Si l'enchérisseur entame avant de « cacher » ses trois cartes ou s'il cache une carte d'une combinaison, il doit payer un double rabattement (double bete).

Enchérisseur qui omet d'annoncer l'atout : Tout joueur peut demander en tout temps, quelle couleur est atout. Un joueur n'a pas de recours s'il fait une renonce par ignorance de la couleur d'atout, même si l'enchérisseur a omis de l'annoncer.

Renseignements illégaux : Après qu'un des adversaires a joué sur la première levée, aucun des adversaires ne peut plus demander ni citer la déclaration, les combinaisons, ni dire combien de points un côté a ou de combien il aurait besoin. Si un adversaire le fait, le contrat est réussi.

Regards sur cartes fermées : Si un joueur retourne et regarde n'importe quelle carte ou cartes après que son côté a joué sur la levée suivante, le jeu cesse et l'autre côté gagne. Cependant, l'enchérisseur peut regarder les cartes qu'il avait cachées jusqu'à ce qu'il ait joué sur la deuxième levée.

Levée ramassée par erreur : Elle doit être remise à qui de droit, si elle est réclamée avant d'être couverte par des cartes prises dans une levée subséquente.

Renonce : Si un joueur omet de fournir, de couper ou de forcer sur une levée d'atout, alors qu'il pouvait le faire, le contrat est accordé à l'autre côté.

Entame hors de tour : Par un adversaire, l'enchérisseur réussit son contrat. Par l'enchérisseur, il n'y a pas de pénalité, mais le joueur qui aurait dû entamer peut l'accepter comme entame normale.

Réclamation ou concession : Si l'un ou l'autre côté prétend avoir la victoire, le jeu cesse et toutes les cartes non encore jouées, plus la dernière levée, vont à l'autre côté. Si l'un ou l'autre des côtés concède la défaite, la concession compte; sauf qu'un adversaire peut suggérer à son partenaire qu'ils concèdent et, si les partenaires ne sont pas d'accord, le jeu continue.

Erreur de compte ou de combinaison : Si l'enchérisseur a exposé ses cartes sur la table et que l'on ait convenu d'un nombre incorrect de points, l'erreur pourra être corrigée n'importe quand avant que le règlement soit terminé.

Exemple : Le contrat de l'enchérisseur est de 350. L'enchérisseur montre en Pique : As-Roi-Dame-Valet-10-9 et en Carreau : le Roi, la Dame et le Valet. La valeur convenue est 210; l'enchérisseur joue et prend 134 points. Puis il se souvient que les combinaisons qu'il a étendues auraient dû lui donner 220. S'il n'a pas encore payé les autres joueurs, il est censé avoir réussi son contrat.

PROBABILITÉS DE TROUVER LA CARTE VOULUE DANS LA VEUVE

Places à remplir	Probabilités	Avantages approximatifs
1	961 sur 5456	5 à 1 contre
2	1802 sur 5456	2 à 1 contre
3	2531 sur 5456	égalité
4	3156 sur 5456	3 à 2 pour
5	3685 sur 5456	2 à 1 pour

Il faut se souvenir qu'il y a deux cartes de chaque couleur et de chaque dénomination. En ayant un As de Carreau en main, les chances sont 10 contre 1 que l'on trouve l'autre As de Carreau dans la veuve.

PRINCIPALES CONVENTIONS DU PINOCHLE AUX ENCHÈRES

En général, les adversaires devraient employer les méthodes suivantes, comme il est toujours entendu que le jeu normal n'a pas cours quand il y a moyen de compter davantage de points en jouant différemment.

1) « *Un As appelle un As* ». Lorsque l'adversaire à la gauche de l'enchérisseur entame un As, on s'attend à ce que l'autre adversaire joue l'autre As de la même couleur dans la même levée s'il l'a en mains.

2) « *Beurrer les levées du partenaire* » (en anglais : smear - barbouiller, en allemand : schmier - engraisser). Ceci signifie jouer une carte de haute valeur sur une levée qui appartient à son partenaire, réservant les basses cartes aux levées remportées par l'enchérisseur.

3) « *Entame pour vider une main faible en atout* ». L'adversaire à la droite de l'enchérisseur devrait souvent entamer atout lorsque l'enchérisseur semble avoir une main faible en cette couleur. Ceci, toutefois, n'est pas une « règle ».

ÉTIQUETTE DU PINOCHLE AUX ENCHÈRES

Les joueurs actifs ne devraient jamais briser volontairement les lois du jeu (comme par exemple en faisant une déclaration hors de tour par plaisanterie, ou en déclarant ayant précédemment passé), même s'il n'y a pas de pénalité à encourir.

Aucun joueur ne devrait observer ou laisser entendre qu'une certaine carte de la veuve aurait aidé (ou n'aurait pas aidé) sa main.

PINOCHLE AUX ENCHÈRES POUR 1,000 POINTS

Se joue à trois ou quatre; lorsqu'il y a quatre joueurs, le donneur ne reçoit pas de cartes. La donne et les enchères se font selon la

description en page 148, sauf que la déclaration la plus basse
est de 100. L'enchérisseur prend la veuve, la montre et l'ajoute à
sa main; ensuite il désigne l'atout et tous les joueurs étendent les
combinaisons qu'ils peuvent. L'enchérisseur met de côté trois cartes
qui ne doivent pas comprendre aucune des cartes de combinaisons
étendues par lui, puis il entame la première levée; il n'est
pas tenu d'entamer atout. Chacun joue pour soi, et compte les
points qu'il obtient par combinaisons étendues et par les cartes
prises, pourvu qu'il remporte au moins une levée pour que ces
combinaisons soient valables. Si l'enchérisseur n'obtient pas les
points de sa déclaration, il doit déduire de ses points le chiffre de
son enchère; mais l'enchérisseur n'est pas tenu d'emporter une levée
pour compter ses points de combinaisons, puisque les cartes qu'il
a mises de côté comptent pour une levée en sa faveur. Le premier
joueur à atteindre 1,000 points gagne la partie. On compte les points
de l'enchérisseur en premier.

LE BÉSIGUE

L'authentique Bésigue est l'ancêtre du Pinochle américain (page 137) lequel, comme d'autres variantes du Bésigue, tels que le Bésigue Rubicon et le Bésigue à Six Paquets sont devenus plus populaires que le jeu qui leur avait donné le jour.

Nombre de joueurs — Deux. Pour le Bésigue à trois ou quatre joueurs, voir page 157.

Le paquet — 64 cartes: deux paquets de 32 cartes mêlés ensemble.

Ordre des cartes — As (haute), 10, Roi, Dame, Valet, 9, 8, 7.

La mêlée et la coupe — Après une mêlée préliminaire par l'un des joueurs, chacun d'eux soulève une partie du paquet et montre la carte d'en dessous. La première donne appartient à celui qui montre la carte la plus basse. Si des joueurs montrent des cartes de valeurs égales, les joueurs coupent à nouveau. Chaque joueur peut alors mêler, le donneur en dernier. Celui qui ne donne pas coupe environ la moitié du paquet et le donneur complète la coupe.

La donne — Huit cartes à chaque joueur, données par 3, 2, 3, celui qui ne donne pas recevant les cartes le premier. La carte suivante est retournée et donne la couleur de l'atout. Les cartes non données restent face fermées recouvrant en partie la carte d'atout. Ces cartes constituent le talon.

But du jeu — Etendre et compter pour certaines *déclarations* et remporter des levées contenant des As et des Dix appelés *brisques*.

Le pointage — Si le donneur retourne un **7** comme carte d'atout, il compte 10. Par la suite, chacun des joueurs peut quand il remporte une levée échanger un 7 d'atout pour une carte d'atout (retourne) ou tout simplement déclarer un 7 d'atout et compter 10. Les autres déclarations sont :

Mariage (Roi-Dame, de la même couleur) en atout	40
en toute autre couleur	20
Quinte en atout (As, Roi, Dame, Valet, Dix)	250
Bésigue (Dame de Pique, Valet de Carreau)	40
Bésigue double	500
4 As, n'importe lesquels	100
4 Rois, n'importe lesquels	80
4 Dames, n'importe lesquelles	60
4 Valets, n'importe lesquels	40

Chaque brisque remportée donne 10 et le fait de remporter la dernière levée donne 10.

Tous les points remportés, excepté ceux de la brisque, sont comptés à mesure par un moyen spécial ou au moyen de chips. A la fin de la partie on compte les points des brisques et ceux de la dernière levée.

Le jeu — Le joueur qui ne donne pas commence à jouer. Par la suite, celui qui remporte la levée joue le premier. N'importe quelle carte peut être entamée. La carte d'entame remporte la levée à moins qu'une carte plus forte en cette couleur ne soit jouée ou à moins qu'elle ne soit coupée.

Après avoir remporté une levée, un joueur peut faire n'importe quelle déclaration en étendant des cartes sur la table devant lui et les y laissant jusqu'à ce qu'il lui plaise de les jouer, ce qu'il peut faire en tout temps. Après avoir fait sa déclaration, s'il en fait, celui qui remporte une levée pige une carte du talon et son adversaire pige la suivante afin que chaque joueur en ait 8 dans les mains.

Un joueur peut étendre ou faire plus d'une déclaration à la fois mais ne peut compter que pour l'une d'elles par tour. Il ne compte les autres qu'une à la fois lorsqu'il vient de remporter une levée. Il en est de même pour toute nouvelle déclaration également.

Une carte ne peut pas servir deux fois dans une même déclaration, mais peut être employée dans des déclarations différentes. *Exemple* : Le Pique étant atout — La Dame de Pique peut être employée dans un mariage, une séquence (quinte), un bésigue et 4 dames. Mais après une déclaration de 4 Dames, si l'une d'elles a été jouée, on ne peut pas en ajouter une autre à celles qui restent sur la table et compter 60 autres points. Il faudrait 4 autres Dames pour compter de nouveaux points.

Le Roi et la Dame d'atout peuvent être déclarés comme 40, et l'As-Valet-10 être ajoutés plus tard pour compter 250. Si l'on déclare immédiatement toute la quinte, le Roi et la Dame ne peuvent plus être déclarés comme 40.

Un Bésigue peut être déclaré comme 40 et un second Bésigue comme 500, mais un Bésigue double déclaré en une fois ne compte que comme 500.

Quand le talon ne contient plus qu'une carte face fermée le vainqueur de la levée précédente peut la prendre mais ne peut pas faire de déclaration. Son adversaire prend la retourne. Chaque joueur prend n'importe quelle carte exposée sur la table. Le gagnant entame et pour jouer les huit dernières cartes chaque joueur doit fournir la couleur d'entame, si possible et remporter la levée s'il en est capable.

La partie — 1,500 points. Si deux joueurs atteignent 1,500 à la même main le plus haut pointage des deux gagne. Pour certains, la partie se fait en 1,000 points; pour d'autres chaque main représente une partie.

Irrégularités — Les plus récentes lois du Bésigue sont celles du Bésigue à Six paquets (jeux) en page 157. Elles peuvent aussi bien s'appliquer au Bésigue ordinaire.

LE BÉSIGUE SANS RETOURNE

Ce jeu est le même que le Bésigue ordinaire sauf qu'on ne retourne pas de carte d'atout; le premier mariage annoncé détermine la couleur d'atout, et le 7 d'atout ne compte pas.

LE BÉSIGUE À TROIS (Trifouille)

On emploie un paquet de 96 cartes (trois jeux de 32 cartes mêlés ensemble). Le joueur à la gauche du donneur entame à la première levée, et par la suite, le gagnant de chaque levée entame à la suivante. Les trois joueurs jouent sur chaque levée, à tour de rôle, dans le sens des aiguilles d'une montre. Seul le gagnant de la levée peut faire une déclaration. Le triple bésigue compte 1,500 points; un joueur qui a compté 500 pour le double bésigue peut y ajouter le troisième et compter 1,500.

La partie est généralement de 2,000 points.

LE BÉSIGUE À QUATRE

On emploie un paquet de 128 cartes (4 jeux de 32 cartes mêlés ensemble). Chacun joue pour soi, ou on peut jouer deux contre deux en équipes, les partenaires étant assis l'un en face de l'autre. Les quatre joueurs jouent sur chaque levée, à tour de rôle, dans le sens des aiguilles d'une montre.

Lorsqu'on joue en équipes, le gagnant de chaque levée peut faire une déclaration ou peut transmettre ce privilège à son partenaire (et, dans ce cas, si le partenaire ne peut rien déclarer, le gagnant de la levée ne le peut plus non plus). Les partenaires ne peuvent pas se consulter pour savoir lequel doit déclarer. Un joueur peut étendre des cartes de son propre jeu pour déclarer des combinaisons en les joignant aux cartes précédemment déclarées par son partenaire et encore exposées; mais il ne peut pas déclarer une combinaison que son partenaire ne pourrait pas lui-même déclarer légalement (page 156). C'est-à-dire, si un des partenaires a déclaré une séquence, l'autre partenaire ne peut pas y ajouter un Roi à la Dame de la séquence et compter un mariage.

Lorsque la dernière carte du talon a été pigée, chaque joueur à son tour doit battre la plus haute carte jouée sur une levée, même s'il s'agit de la carte de son partenaire.

Le double bésigue compte 500 points et le triple bésigue 1,500; mais seulement si toutes les cartes viennent de la main du même joueur.

La partie est généralement de 2,000 points.

LE BÉSIGUE À SIX PAQUETS

(Aussi appelé Bésigue chinois; voir Bésigue Rubicon, page 162).

Le jeu préféré de Winston Churchill (jeu auquel il fut l'un des premiers experts), le Bésigue à six paquets est l'un des jeux les plus populaires dans les cercles mondains. C'est un jeu rapide, à haut pointage, palpitant.

Nombre de joueurs — Deux.

Le paquet — Six (6) jeux de 32 cartes, tous mêlés ensemble. Qu'ils soient de motifs ou de couleurs différents au verso, cela n'a pas d'importance.

Ordre des cartes — As (haute), 10, Roi, Dame, Valet, 9, 8, 7, de chaque couleur.

La mêlée — Les deux joueurs peuvent mêler, s'échangeant des portions de paquets, jusqu'à ce que les six jeux soient bien mélangés.

La coupe — Chaque joueur soulève une portion du paquet et montre la carte du dessous. Le joueur qui a coupé la plus haute carte a le choix des places et de donner ou non. Si les joueurs coupent des cartes de même valeur, quelle que soit la couleur, ils coupent de nouveau.

Le donneur soulève alors une portion du paquet; si cette portion renferme exactement 24 cartes, le donneur compte 250 points. L'adversaire du donneur évalue alors le nombre de cartes soulevées par le donneur; si son chiffre est exact, il compte 150 points. Le reste du paquet est étalé en pente, face fermée, au bord de la table, afin que l'on puisse facilement faire glisser la carte du dessus — c'est le *talon*.

La donne — Prenant la portion qu'il a soulevée du paquet, le donneur donne une carte à la fois à chaque joueur, en commençant par son adversaire, jusqu'à ce qu'ils aient chacun 12 cartes. Les cartes non utilisées sont remises sur le dessus du talon; s'il n'y pas assez de cartes pour que chaque joueur en reçoive douze, on prend ce qu'il manque pour compléter la donne sur le dessus du paquet.

But du jeu — Compter des points en étendant certaines combinaisons quelques fois appelées « melds », comme au Pinochle, et en remportant la dernière levée.

Déclarations — Les combinaisons suivantes valent des points:

Quinte (séquence) (As-Roi-Dame-Valet-10) d'atout	250
de n'importe quelle autre couleur	150
Mariage (Roi-Dame) d'atout	40
de n'importe quelle autre couleur	20
Bésigue : Dame de Pique, Valet de Carreau (Pique atout)	40
Dame de Carreau, Valet de Pique (Carreau atout)	40
Dame de Cœur, Valet de Trèfle (Cœur atout)	40
Dame de Trèfle, Valet de Cœur (Trèfle atout)	40
Double Bésigue :	
(Deux dames et deux valets comme ci-haut)	500
Triple Bésigue :	
(Trois dames et trois valets comme ci-haut)	1,500
Quadruple Bésigue :	
(Quatre Dames et quatre valets comme ci-haut)	4,500
Quatre As (n'importe lesquels)	100
Quatre Rois (n'importe lesquels)	80
Quatre Dames (n'importe lesquelles)	60
Quatre Valets (n'importe lesquels)	40
Quatre As d'atout	1000
Quatre Dix d'atout	900
Quatre Rois d'atout	800
Quatre Dames d'atout	600

Quatre Valets d'atout 400
Pour avoir remporté la dernière levée 250

Carte blanche. — N'avoir ni roi, ni dame, ni valet dans les 12 cartes reçues dans la donne s'appelle avoir « carte blanche » et vaut 250 points. Il faut montrer tout le jeu. Par la suite, chaque fois que le joueur pige une carte, il peut la montrer avant de l'ajouter à sa main, et s'il ne s'agit pas d'une figure, il compte encore 250 points; mais aussitôt qu'il pige une figure, ou qu'il place une carte dans sa main sans la montrer, il ne peut plus compter de points de « carte blanche ».

Dans plusieurs cercles la « carte blanche » *ne compte pas.*

Variante. — Tout d'abord, *dame de pique* et *valet de carreau* comptaient comme bésigue, quelle qu'ait été la couleur d'atout, et aucune autre combinaison de Dame-Valet ne comptait comme bésigue; bien des joueurs suivent encore cette règle en jouant au Bésigue à six paquets.

Le jeu — La donne terminée, le joueur qui n'a pas donné entame n'importe quelle carte. Le donneur peut jouer n'importe quelle carte sur la levée (il n'est pas nécessaire de fournir la couleur d'entame). La carte d'entame remporte la levée à moins qu'une carte plus forte de même couleur ait été jouée, ou qu'un atout ait été joué sur une entame en une autre couleur.

Il n'y a pas de points pour les cartes remportées avec les levées; on ne ramasse donc pas les levées, mais on les laisse exposées en pile.

Le gagnant de chaque levée peut montrer et compter n'importe quelle déclaration, mais une seule; puis, chaque joueur pige une carte du dessus du talon pour rétablir sa main à 12 cartes; le gagnant de la levée précédente pige le premier. Le gagnant entame ensuite à la levée suivante.

La couleur d'atout — La couleur du premier mariage déclaré devient l'atout. Si l'on déclare une quinte (séquence) avant un mariage, la couleur de la quinte devient l'atout. La même couleur ne peut pas être atout dans deux mains consécutives. On peut déclarer un mariage de la couleur de la main précédente avant d'établir le nouvel atout, et compter 20. (*Variante* : Lorsqu'il a été décidé que la Dame de Pique et le Valet de Carreau seraient le Bésigue, quel que soit l'atout, la même couleur peut être atout dans deux mains successives ou plus).

Méthode de déclaration — Un joueur fait une déclaration en plaçant les cartes qui comptent, exposées sur la table devant lui et en les y laissant; cependant chacune des cartes ainsi étendues est à la disposition du joueur pour jouer comme si elles étaient encore dans sa main.

On compte les points de chaque déclaration dès qu'elle est faite. Comme le pointage est rapide, d'ordinaire on fait le compte des points de chaque joueur par des moyens distincts, ou bien on emploie une pile de jetons (chips) d'au moins trois couleurs, pour représenter respectivement 10, 100 ou 1,000 points. Au fur et à mesure qu'ils font des points les joueurs prennent les jetons convenus de la pile.

On peut compter la même carte plus d'une fois dans une déclaration. *Par exemple* : Un joueur étend As de Pique, As de Cœur, deux As de Carreau et compte 100. Il joue un As. S'il remporte une levée, ou la prochaine fois qu'il remporte une levée, le joueur peut déposer un autre As et de nouveau compter 100.

Cependant, il ne faut pas qu'il y ait en même temps sur la table plus que les cartes nécessaires à une seule déclaration. *Exemple* : un joueur déclare quatre dames d'atout et compte 600. Il a en mains une autre dame d'atout mais il ne peut pas l'ajouter aux quatre qui sont sur la table et compter de nouveau 600. Il doit d'abord jouer une des dames étendues sur la table; puis, s'il remporte une levée ou la prochaine fois qu'il remporte une levée, il peut étendre la dame qu'il a dans sa main.

On peut déclarer un mariage, puis y ajouter As-Valet-10 de la même couleur et compter une quinte (séquence); mais si l'on compte d'abord toute la quinte on ne peut plus compter le mariage.

Si l'on déclare un double bésigue en une fois, le compte est de 500; mais, si l'on compte d'abord un bésigue simple il vaut 40, et que l'on y ajoute un second bésigue (les deux cartes du premier demeurant tout de même sur la table), on compte de même 500, obtenant ainsi un total pour les deux de 540. On peut également en ajouter un troisième et compter 1,500, pourvu que les cartes du double bésigue soient encore sur la table. Un quatrième bésigue peut encore y être ajouté pour compter 4,500 points, du moment que les cartes du triple bésigue sont encore sur la table.

On ne peut compter qu'une seule déclaration par tour, mais on peut en annoncer plus d'une. *Par exemple* : Cœur atout — un joueur qui a le Roi de Cœur sur la table, y ajoute la Dame de Cœur et le Valet de Trèfle, déclarant « 40 (de bésigue) et 40 (de mariage) à compter ». A la prochaine levée qu'il remporte il peut marquer les 40 points qu'il n'a pas comptés la première fois. Un joueur peut avoir en même temps plusieurs déclarations d'annoncées attendant d'être remarquées. Il peut choisir l'ordre dans lequel il désire les marquer et il n'est pas tenu de compter une combinaison à moins que cela ne lui convienne, que les cartes nécessaires soient sur la table ou non.

Le joueur qui a une déclaration en suspens doit le rappeler après chaque levée, que ce soit lui qui l'ait remportée ou non.

Le jeu final — On ne peut plus compter de déclarations après que les deux dernières cartes du talon ont été pigées. Chaque joueur prend n'importe quelle carte qu'il a étendue sur la table et celui qui a remporté la dernière levée entame. Lorsqu'on joue les douze dernières cartes, le joueur qui n'a pas entamé doit, s'il le peut, fournir à la couleur d'entame et remporter la levée.

La partie — Chaque main représente une partie, et le joueur qui a le plus de points gagne. Le vainqueur ajoute 1,000 points à son compte. Si le perdant n'a pas atteint 3,000 points, c'est un « rubicon » et le gagnant compte tous les points obtenus par les deux joueurs, même si son propre compte n'était pas de 3,000. *Exemple* : Le gagnant obtient 2,700 points; le perdant en obtient 2,600. Le gagnant compte donc pour le partie: 2,700, plus 2,600, plus 1,000 (pour la partie) — un total de 6,300 points. Dans le calcul final des points on omet généralement de compter les fractions de 100.

Irrégularités — *Maldonne* : Peut être corrigée par accord mutuel, mais l'un ou l'autre des joueurs peut exiger une nouvelle donne. Il doit y avoir nouvelle donne s'il est constaté avant qu'une carte soit jouée que l'un ou l'autre des joueurs a reçu trop de cartes.

Main inexacte : Si l'on constate à un moment donné que les deux joueurs ont plus de douze (12) cartes, il faut une nouvelle donne. Si l'on constate, après que chacun des joueurs a pigé du talon, que l'un d'eux a moins de 12 cartes le jeu continue et celui des joueurs qui a le moins de cartes ne peut pas remporter la dernière levée. Si un joueur a trop de cartes et que son adversaire en ait le bon nombre cela devient un « rubicon » mais le coupable ne peut pas compter plus de 2,900 points. Si le jeu est interrompu, il n'y a pas de points pour la dernière levée.

Carte exposée : Le joueur qui n'a pas donné peut exiger une nouvelle donne si l'une de ses cartes a été exposée pendant la donne. Il faut une nouvelle donne si l'on découvre une carte à l'endroit dans le paquet avant que le jeu ne soit commencé; si on ne la découvre que par la suite, la carte est remise dans le talon qui est remêlé.

Pige illégale : En pigeant, si un joueur voit une carte à laquelle il n'a pas droit, l'adversaire à son prochain tour de pige peut regarder les deux cartes sur le dessus du talon et en choisir une.

Entame hors de tour : A la demande de l'adversaire, la carte d'entame devra être retirée, mais elle ne doit pas l'être sans autorisation.

Nombre impair de cartes au talon : La dernière carte est morte.

Déclaration fautive : Si un joueur étend des cartes et compte des points pour une combinaison autre que celle qu'il a déclarée, les points demeurent à moins que l'adversaire n'exige qu'ils soient corrigés avant de jouer pour la levée suivante.

Pointage erroné : Peut être corrigé n'importe quand avant qu'il soit convenu de faire le compte final des points de la main.

Renonce : Si un joueur ne joue pas selon les règlements, une fois le talon épuisé, la dernière levée va à son adversaire.

Paquet imparfait : Si l'on constate l'imperfection avant le compte final des points, la main est nulle; sauf si l'imperfection provient d'un manque de cartes que l'on trouve sur le plancher ou dans les environs de la table, alors la main compte, mais ces cartes sont mortes.

Regarder des cartes déjà jouées : Il est permis de le faire. On peut également compter les cartes du talon pour voir combien il en reste.

LE BÉSIGUE À HUIT PAQUETS

En certains cercles, le Bésigue joué avec Huit (8) paquets de 32 cartes supplante le jeu à Six (6) paquets.

A huit paquets, le jeu est exactement le même qu'à six paquets tel que nous le décrivons aux pages précédentes, sauf que le nombre des cartes est augmenté et que cela donne lieu aux différences suivantes :

Chaque joueur reçoit 15 cartes à la donne.

Le Bésigue Simple vaut 50 points, le Double Bésigue en vaut 500, le Triple Bésigue - 1,500; le Quadruple Bésigue - 4,500 et le Quintuple - 9,000.

Cinq (5) As d'atout valent 2,000 points; cinq dix d'atout - 1,800; Cinq rois d'atout - 1,600; 5 dames d'atout - 1,200 et 5 valets d'atout - 800.

Il y a « rubicon » si le perdant n'atteint pas 5,000 points.

LE BÉSIGUE « RUBICON »

Ce jeu est l'ancêtre du jeu à six ou huit paquets.

Il y a deux joueurs qui emploient quatre paquets de 32 cartes mêlés ensemble, 128 cartes en tout. On donne 9 cartes à chaque joueur. Il n'y a pas de retourne pour désigner l'atout, c'est le premier mariage déclaré qui en décide.

Une quinte (séquence) d'une couleur qui n'est pas l'atout (appelée « porte arrière ») vaut 150 points. Le Triple Bésigue vaut 1,500; le Quadruple 4,500 et la dernière levée vaut 50 points. Le 7 d'atout ne compte pas.

On compte « carte blanche » comme au Bésigue à six paquets décrit en page 157 mais cela ne vaut que 50 points chaque fois.

Les mêmes cartes peuvent servir à plusieurs déclarations, voir les explications fournies pour le Bésigue à six paquets; mais quatre cartes d'atout identiques ne donnent pas de points supplémentaires.

Chaque joueur ramasse ses levées à mesure qu'il les gagne, mais on ne compte pas les brisques à moins qu'il y ait égalité ou qu'il s'agisse d'éviter le « rubicon » à un joueur. Si l'un des joueurs compte les brisques, les deux doivent les compter.

Chaque main est une partie, le joueur qui a le plus de points ajoute 500 points (de queue) à son compte. Les fractions de 100 points ne comptent pas, à moins que cela ne soit nécessaire pour désigner le vainqueur. Si le perdant a moins de 1,000 points incluant ses brisques, il est « Rubicon ». Le gagnant reçoit un boni de 1,000 points (de queue) au lieu de 500; plus ses propres points, plus tous les points du perdant, plus 320 pour toutes les brisques.

Les irrégularités sont traitées de la même manière qu'au Bésigue à Six paquets.

LA CHOUETTE

Trois joueurs ou plus jouent au « Rubicon », ou Bésigue à Six ou à Huit Paquets, de la manière suivante : Les trois coupent, la plus haute carte est « dans la boîte » et a le choix des places; la carte suivante désigne le « capitaine » qui joue contre celui qui est « dans la boîte »; la troisième carte et les autres joueurs sont les partenaires du « capitaine » et peuvent le consulter ou le conseiller, mais c'est lui qui prend les décisions finales.

Si le joueur « dans la boîte » gagne la partie, il encaisse toute la valeur de son gain de chacun de ses adversaires et reste « dans la boîte ». Le « capitaine » se retire et le joueur suivant par ordre de préséance le remplace.

Lorsque le joueur « dans la boîte » perd une partie, il doit régler son compte en entier avec chacun des adversaires, il se retire et prend la dernière place dans l'ordre des préséances. L'ancien « capitaine » est maintenant « dans la boîte » et le joueur qui l'aurait remplacé, s'il avait perdu, devient « capitaine ».

LE SKAT

Le jeu le plus populaire d'Allemagne, il fut apporté dans d'autres pays par les émigrants allemands qui ne tardèrent pas à lui gagner de nombreux adeptes. Beaucoup le considèrent comme un jeu des plus scientifiques.

Nombre de joueurs — Trois, quatre ou cinq, mais seulement trois à la fois participent au jeu.

Le paquet — 32 cartes (As-Roi-Dame-Valet-10-9-8-7 de chaque couleur).

Ordre des cartes — En atout, les quatre Valets sont toujours les quatre atouts les plus forts, se plaçant dans l'ordre suivant indépendamment de la couleur d'atout : Valet de Trèfle (haute), Valet de Pique, Valet de Cœur et Valet de Carreau. Le reste des atouts, comme d'ailleurs les autres couleurs se classent ainsi : As (haute), 10, Roi, Dame, 9, 8, 7.

Sans atout, les cartes de chaque couleur se classent ainsi : As-Roi-Dame-Valet-10-9-8-7.

Le tirage — En famille, les places à table se tirent au sort de n'importe quelle manière convenue. En tournois, c'est le Skatmeister (arbitre) qui désigne à chacun sa place.

La mêlée et la coupe — Le donneur mêle en dernier, et le joueur à sa droite coupe le paquet.

La donne — D'un commun accord on désigne un joueur qui inscrira les points. Le joueur à sa gauche donne en premier. Le tour de donne passe d'un joueur à l'autre dans le sens des aiguilles d'une montre. Il est préférable de ne finir la partie que lorsque tous les joueurs auront donné les cartes un même nombre de fois.

On ne donne de cartes qu'à trois joueurs. Lorsqu'il y a quatre joueurs à la table, le donneur ne prend pas de cartes. Lorsqu'il y a cinq joueurs, le donneur ne prend pas de cartes et n'en donne pas non plus au troisième joueur à sa gauche. De toute manière, le premier à recevoir des cartes est le joueur assis à la gauche immédiate du donneur.

La donne se fait dans l'ordre suivant : 3-skat-4-3. Soit, un tour de trois cartes à la fois; puis on dépose deux cartes, face fermée, au centre de la table, c'est le « Skat » ou veuve. Ensuite, un tour de quatre cartes à la fois et de nouveau un tour de trois cartes à la fois.

Désignation des joueurs — Le voisin de gauche du donneur s'appelle le joueur d'« avant » ou « chef », les deux autres joueurs sont respectivement le joueur du « milieu » et le joueur d'« arrière » (ou du bout). Celui à qui revient finalement le droit de désigner l'atout s'appelle ensuite le « Joueur » et les deux autres deviennent les « adversaires »

Enchères — Le « chef » a généralement le privilège de désigner l'atout, à moins qu'un autre joueur fasse une enchère que le « chef » ne consent pas à tenir. Le « chef » ne dit pas jusqu'à combien il consent enchérir. Le joueur du « milieu » commence les enchères

Si le « chef » consent à faire la même enchère, il dit « Je tiens » ou « Oui ». Pour gagner le droit de désigner l'atout, le « milieu » doit augmenter son enchère jusqu'à un montant que le « chef » ne consent pas à tenir. Lorsqu'un joueur désire se retirer des enchères, il dit « Je passe » ou « Non ». Une fois que l'on sait lequel, du « chef » ou du « milieu » a survécu, le joueur d'« arrière » peut vouloir tenter d'acheter le privilège de désigner l'atout, par le même procédé d'enchères avec le « survivant ».

Si le « milieu » et l'« arrière » passent sans enchérir, le « chef » peut choisir « son jeu » (sans déclarer de nombre particulier de points) ou il peut passer. Dans ce dernier cas, on jouera la main au Ramsch.

Chaque enchère ne donne qu'un certain nombre de points, sans mentionner l'atout ou le jeu visé. La plus petite enchère est 10. On monte généralement les enchères par 2, ainsi : 10, 12, 14 et ainsi de suite.

Les enchères terminées, le vainqueur, maintenant devenu le « Joueur » doit déclarer « son jeu ».

Les jeux — Voici une liste de quinze jeux parmi lesquels le « Joueur » peut choisir, et la valeur de base de chacun.

JEU	Valeur de base
TOURNEE	
avec Carreau atout	5
avec Cœur atout	6
avec Pique atout	7
avec Trèfle atout	8
SOLO	
avec Carreau atout	9
avec Cœur atout	10
avec Pique atout	11
avec Trèfle atout	12
GRAND	
tournée	12
guckser	16
solo	20
ouvert	24
ramsch	10
NULL	
simple	20
ouvert	40

Solo. — En déclarant Solo, le joueur doit également désigner la couleur d'atout. On laisse les deux cartes du Skat (veuve) face fermée et on joue les cartes telles que reçues.

Tournée. — En déclarant Tournée, le joueur prend la carte de dessus du Skat. Il peut l'accepter pour désigner la couleur d'atout, et dans ce cas il doit la montrer aux autres, ou bien il peut la rejeter sans la montrer (on appelle ce privilège « Passt mir nicht » — « Cela ne me convient pas »). La première carte du « Skat » étant rejetée, on retourne la seconde pour désigner l'atout. La partie devient alors une « seconde retourne ».

Si la carte retournée est un Valet, le joueur peut choisir comme atout : la couleur du Valet, ou bien il peut décider que seuls les Valets seront atouts, dans ce cas le jeu devient une « Grande Tournée ».

Que l'atout ait été déterminé par la première ou la seconde carte, le joueur a le droit de placer les deux cartes du Skat dans sa main, puis, d'écarter deux cartes de son choix, face fermée.

Grand. — Dans tous les jeux appelés « Grands », seuls les Valets sont atouts. On joue au Grand Solo, sans l'aide du Skat. Lorsque le joueur annonce Guckser, il prend les deux cartes du « Skat » sans les montrer, les place dans son jeu, puis écarte deux cartes, face fermée, pour rétablir son jeu à dix cartes. Le « Grand Ouvert » est un contrat de faire toutes les levées; le joueur expose son jeu sur la table avant la première entame. La « Grande Tournée » ne se produit que lorsqu'un Valet se trouve dans le « Skat », après que l'on a annoncé « Tournée ». Le joueur peut alors décider que seuls les Valets seront l'atout et le jeu deviendra une « Grande Tournée ».

Ramsch. — Ne se joue que lorsque les trois joueurs refusent d'enchérir ou de désigner un autre jeu. Le Ramsch est de la famille des « Grands » où seuls les Valets sont l'atout. Chacun joue pour soi et tente de compter le moins de points possibles.

Null. — Il n'y a pas d'atout au « Null », les cartes de chaque couleur se classent ainsi : As (haute), Roi, Dame, Valet, 10, 9, 8, 7. En annonçant « Null » on s'engage à ne prendre aucune levée. Les cartes du « Skat » sont laissées de côté et ne servent pas. Au « Null Ouvert », le joueur doit exposer tout son jeu sur la table avant la première entame.

Le « Skat » — Les deux cartes qui ne servent pas au jeu, qu'elles aient été déposées sur la table à la donne ou qu'elles aient été écartées par le joueur, sont ajoutées à ses levées à la fin de la partie. S'il y a des cartes qui ont une valeur dans le « Skat » on en tient compte en calculant les points du joueur. Au Ramsch on donne le « Skat » au gagnant de la dernière levée.

Valeur des Jeux — Pour le pointage, comme du reste pour les enchères, il faut tenir compte de la valeur de chaque jeu. La valeur en points des jeux « Null » est invariable, c'est celle donnée dans le tableau en page 172. On trouve la valeur en points de chacun des autres jeux en multipliant sa valeur de base, donnée dans le même tableau, par le total des multiplicateurs s'y rapportant.

Voici la liste des multiplicateurs possibles :

Matadors (chacun)	1
Partie	1
Schneider	1
Schneider (annoncé)	1
Schwarz	1
Schwarz (annoncé)	1

Matadors. — Avoir en main une séquence consécutive d'atouts supérieurs, du Valet de Trèfle en descendant, constitue un Matador. Une main qui renferme le Valet de Trèfle est décrite comme étant « avec » un certain nombre de Matadors. Une main qui ne renferme pas le Valet de Trèfle est décrite comme étant « contre » autant de Matadors qu'il y a d'atouts supérieurs au plus haut qu'elle contient. *Par exemple* : Une série d'atouts ayant en tête le Valet de Trèfle, le Valet de Pique, le Valet de Carreau est dite « avec deux » parce qu'il manque le Valet de Cœur. Une série d'atouts ayant en tête le Valet de Carreau, l'As et le 10, est « contre trois ».

La première chose à considérer lorsqu'on fait le total des multiplicateurs se rapportant à une déclaration d'atout, c'est le nombre de Matadors que l'on compte « avec » ou « contre » la main. Les cartes du « Skat », que l'on s'en serve ou non dans le jeu, sont comptées comme faisant partie de la main du joueur pour le calcul des Matadors. Si elle est « avec », le « Skat » ne pourra qu'augmenter et non diminuer la valeur de la main du joueur. Mais, si elle est « contre », un Matador trouvé dans le « Skat » peut en diminuer la valeur. *Exemple* : Le joueur a fait une enchère de 30, et déclare « Cœur Solo ». En tête de ses atouts il a le Valet de Cœur. Il est donc « contre deux », et s'attend à faire le contrat au moyen de « Matadors 2, partie 1, un total de 3 multiplicateurs; donc 3 fois 10 égale 30 ». Mais il trouve le Valet de Trèfle dans le « Skat ». La main devient donc « avec un », les multiplicateurs sont diminués d'un et le joueur sera donc défait à moins qu'il ne réussisse à faire « Schneider ».

Partie. — En déclarant la « partie » en n'importe quel atout, le joueur s'engage à remporter en levées (plus ce qu'il y a dans le « Skat ») au moins la majeure partie des 120 points du paquet, calculés selon ce barème.

Chaque As compte	11
Chaque Dix compte	10
Chaque Roi compte	4
Chaque Dame compte	3
Chaque Valet compte	2

(Les cartes plus basses ne comptent pas).

Pour avoir remporté en levées des cartes dont la valeur totale est de **61** ou plus, le joueur gagne un multiplicateur, appelé le point de *partie*.

Schneider. — Le joueur tente d'atteindre 61 points de cartes, tandis que les adversaires essaient d'atteindre 60. Si l'un ou l'autre côté n'atteint pas le mi-total: soit 31 pour le joueur et 30 pour les adversaires, cela représente un Schneider et ajoute un multiplicateur.

Le joueur peut ajouter un autre multiplicateur, si, avant la première entame, il prédit qu'il fera Schneider; c'est-à-dire qu'il prendra au moins 91 points de cartes. On ne permet ce genre d'annonce que dans les jeux où les cartes du « Skat » restent de côté sans servir.

Schwarz. — Si un côté remporte dix levées, il fait « Schwarz », ce qui ajoute un multiplicateur. Le joueur peut annoncer un Schwarz avant la première entame i.e. il peut s'engager à prendre toutes les levées et à gagner ainsi un autre multiplicateur. On ne peut ainsi annoncer « schwarz » que dans les jeux où le « Skat » ne sert pas.

Calcul de la partie — Le tableau des multiplicateurs qui précède, indique l'ordre dans lequel le total doit être calculé, car tous les points après les « Matadors » sont cumulatifs. Ainsi, s'il a gagné un ou plusieurs des multiplicateurs subséquents, le joueur a droit à tous ceux qui précèdent. *Exemple*: S'il gagne le point de Schwarz, le joueur obtient aussi les points de Schneider et de Schneider annoncé.

Il n'est pas permis au joueur d'annoncer une partie qui ne lui donnera sûrement pas la valeur de son enchère. Ceci veut dire qu'il ne peut pas déclarer « Null » si l'enchère est de plus de 20, ni « Null Ouvert » si l'enchère est de plus de 40.

Le Jeu — Invariablement, le Joueur à la gauche du donneur fait la première entame. Le « chef » peut entamer n'importe quelle carte qu'il a en main. S'il le peut, chacun des autres joueurs doit fournir la couleur d'entame, se souvenant que quel que soit l'atout, les quatre Valets sont de l'atout. S'il ne peut pas fournir, il peut couper ou écarter une carte quelconque de son choix. Il n'est pas obligatoire d'essayer de remporter des levées de n'importe quelle couleur, si on est en mesure de le faire. Si elle contient de l'atout, la levée est remportée par la plus haute carte d'atout qu'elle renferme, autrement c'est la plus haute carte de la couleur d'entame qui l'emporte. Le gagnant d'une levée entame pour la levée suivante.

But du jeu — Lorsqu'il y a des déclarations d'atout, le premier but du jeu est de remporter des cartes qui comptent pour atteindre un total de 61, les buts secondaires sont de gagner 91 points ou de remporter toutes les levées. S'il s'agit d'un jeu de « Null » ou de « Schwarz annoncé », le but du joueur est de perdre ou de gagner toutes les levées. Au Ramsch le but est de ramasser le moins possible de cartes qui comptent.

Nous devons insister sur le fait que le joueur ne comptera rien du tout, mais perdra la valeur de sa partie, s'il ne prend pas dans les levées le nombre minimum de points requis à ce jeu — 61, 91, toutes les levées ou aucune levée, selon le cas.

Le pointage — La feuille de pointage comporte une colonne pour chacun des participants. A la fin de chaque main on calcule la valeur de la partie, telle que décrite précédemment. Cette valeur est inscrite à l'avantage du joueur, pourvu qu'elle soit au moins égale à l'enchère qui lui a valu d'être le joueur, et pourvu qu'il ait remporté le compte minimum de points ou de levées requis pour le jeu de son choix. Si le joueur échoue sur un plan ou sur l'autre, la valeur de sa main est inscrite en moins (sous zéro) dans sa colonne. Mais ce déficit est doublé au Guckser ou au Tournée avec « seconde retourne ».

Pour déterminer la valeur de la partie, les multiplicateurs de partie, Schneider, Schwarz, sont dûment comptés; même lorsque le joueur n'a pas atteint 61 points. Dans ce cas, les multiplicateurs sont censés s'accumuler pour les adversaires. Donc, les adversaires ne doivent pas cesser de jouer dès qu'ils atteignent 60, mais ils peuvent exiger de continuer pour tenter d'obtenir des multiplicateurs de Schneider ou de Schwarz.

La valeur de la partie n'atteindra peut-être pas celle de l'enchère à cause d'un « Skat » malchanceux alors que le joueur était « contre ». Mais le montant de sa perte doit être au moins égal à son enchère. Dans ce cas, sa perte est le plus petit multiple de la valeur de base du jeu choisi, qui égale ou dépasse son enchère. *Exemple* : L'enchère d'un joueur était de 24, et il annonça Pique Solo. D'abord il était « contre deux », mais il trouva le Valet de Pique dans le « Skat ». Bien qu'il ait compté 61 points de cartes, son jeu ne valait que que 2 x 11 = 22. Sa perte fut donc de 33, le plus petit multiple de la valeur de base 11, qui dépasse 24.

Pointage au Ramsch — Le Ramsch est le seul jeu où chacun joue pour soi. Le joueur qui ramasse le moins de points dans ses levées reçoit un crédit de 10 points pour avoir gagné la partie, ou de 20 s'il ne ramasse aucune levée, les autres ne comptent rien. Si les points pris dans les levées des trois joueurs sont égaux, on suppose que c'est le « chef » qui a gagné et on lui accorde 10 points. Si un joueur remporte toutes les levées, on considère qu'il a perdu la partie et l'on soustrait 30 points de son compte.

Règlements de comptes — Dans la colonne de pointage on inscrit le total courant des points comptés ou perdus par chacun des joueurs. Lorsque le jeu cesse et que l'on doit procéder au règlements, chacun des participants paie ou reçoit selon le montant par lequel son pointage final se place au-dessous ou au-dessus de la moyenne de tous les pointages.

Exemple : Pointage final :

W	X	Y	Z
28	—75	137	82

Il est plus commode d'éliminer d'abord les signes de moins, en ajoutant à tous les points la valeur numérique du plus gros compte sous zéro. Donc, ajouter 75 à chacun des pointages ci-haut :

W	X	Y	Z
103	0	212	157

Le total des points est maintenant de 472. Diviser par 4, le nombre de joueurs, pour trouver la moyenne — 118. Les différences avec la moyenne sont donc les suivantes :

W	X	Y	Z
—15	—118	94	39

En fin de partie les plus et les moins doivent s'équilibrer.
Irrégularités — Voir règlements officiels, page 171.

RÄUBER SKAT

Dans cette variante on supprime le jeu de Tournée, et le joueur a le choix entre jouer sa main — sans toucher le « Skat » — ou ramasser le « Skat » pour ensuite choisir son jeu. D'une manière ou de l'autre il le peut, soit désigner une couleur d'atout, soit prendre les Valets seuls comme atout.

On emploie de plus en plus le « Skat », ce qui donne plus d'animation aux enchères et rend les parties plus spectaculaires. Supposons que l'« avant » gagne les enchères, prenne le « Skat », et qu'il ait alors :

> Trèfle ....
> Pique - As - 9 - 8 - 7
> Cœur - As - 10 - 8 - 7
> Carreau - As - 10 - 8 - 7

S'il veut tenter sa chance de trouver un vide dans la main d'un adversaire, le joueur peut tenter le pointage maximum en déclarant Trèfle atout. Il écarte les deux As rouges, entame l'As qui lui reste et ensuite les deux 10. S'il peut remporter ces trois levées, il lui faut prendre au moins 7 points supplémentaires en Pique, et 3 dans chacune des couleurs rouges. Les adversaires ne font que 54 points. Le joueur étant « contre 11 », compte 12 x 12, soit 144 points.

PROBABILITÉ DE TROUVER DES CARTES AVANTAGEUSES DANS LE « SKAT »

Le tableau suivant illustre la probabilité que l'enchérisseur a de trouver au moins *une* carte utile dans le « Skat » :

A Trouver	Probabil. en faveur	Pourcent. en faveur	Avantages approximatifs
Une carte quelconque	1/11	9%	10 à 1 contre
L'une de deux cartes	41/231	18%	5 à 1 contre
l'une de trois cartes	20/77	26%	3 à 1 contre
l'une de quatre cartes	26/77	34%	2 à 1 contre
l'une de cinq cartes	95/231	41%	3 à 2 contre
l'une de six cartes	37/77	48%	égalité
l'une de sept cartes	6/11	55%	6 à 5 pour
l'une de huit cartes	20/33	60%	3 à 2 pour
l'une de neuf cartes	153/231	66%	2 à 1 pour

RÈGLES OFFICIELLES
de la Ligue de Skat Nord-Américaine

(Edition du 1er janvier, 1945, réimpression autorisée. Les notes et commentaires insérés entre parenthèses dans les règles sont de Joseph-P. Wergin, de Madison, Wis.)

Ces règles sont destinées aux parties de tournois et supposent certaines coutumes quant à la manière d'enregistrer le pointage (par exemple : deux colonnes, une « gagnant », l'autre « perdant » pour chaque joueur, et l'encerclement de certains pointages de pénalité) qu'on ne suit pas habituellement lorsqu'on joue en famille ou au cercle.

1.—Classes et Valeurs des Jeux. *Section* 1. *Les « solos ».* — Le joueur désigne n'importe quelle couleur ou les Valets comme atout, sans prendre le « Skat ».

Multiplicateurs

Chaque Matador	1
Partie	1
Schneider	1
Schneider annoncé (Solo seulement)	1
Schwarz	1
Schwarz annoncé (Solo seulement)	1

Valeurs de base au Solo

Carreaux	9 points
Cœurs	10 points
Piques	11 points
Trèfles	12 points
Grand	20 points
Grand Ouvert	24 points

Section 2. *Tournée et Guckser.*

Multiplicateurs

Chaque Matador	1
Partie	1
Schneider	1
Schwarz	1

Section 3. *Tournée* : Le joueur retourne une carte du « Skat » et désigne ainsi la couleur de cette carte comme atout, sauf s'il s'agit d'un Valet, car alors il peut soit désigner la couleur du Valet comme atout, soit décider de faire une « Grande Tournée ». De toute façon, il doit régler ce point avant de voir la seconde carte du « Skat ».

Valeurs de base au Tournée

Carreaux	5 points
Cœurs	6 points
Piques	7 points
Trèfles	8 points
Grand	12 points

Section 4. « *Seconde retourne* » *au Tournée*. Le joueur a le droit de regarder une carte du « Skat », si elle ne lui convient pas, il doit montrer la seconde qui devient la carte d'atout. Si la seconde carte est un Valet, le joueur peut désigner comme atout la couleur du Valet ou faire une partie « Grand », avec les 4 Valets comme atouts. Si la partie est gagnée on compte les points comme au Tournée, mais si la partie est perdue, la seconde carte ayant été retournée, le déficit compte en double. Le joueur n'est pas tenu de montrer la première carte, s'il choisit de retourner la seconde, mais il doit montrer la seconde carte avant de la placer dans sa main avec ses autres cartes, autrement il sera mis à l'amende pour une partie perdue, soit de 100 points.

Section 5. *Guckser*. Le joueur prend les deux cartes du « Skat » et désigne ainsi les seuls Valets comme atouts. S'il gagne, la valeur est de 16; s'il perd, de 32. Chaque Matador (« avec » ou « contre ») compte 16 de plus, ou perdant, 32.

Tout joueur qui tente de faire un Guckser doit l'annoncer avant de prendre les cartes du « Skat ».

(*Règlement approuvé* : Au Guckser, lorsque le joueur a fait une enchère de 33, ayant le Matador de Cœur, et qu'il trouve un Matador noir dans le « Skat », s'il continue de jouer la main et n'obtient pas un Schneider, il perd 96 points. Ce principe s'applique également à une main en Tournée.)

2. — Null: 20 points — Le joueur qui annonce un « Null » gagne sa main en ne prenant aucune levée.

3. — Null Ouvert: 4 points. *Section* 1. — Le joueur qui annonce Null Ouvert doit exposer ses cartes et les jouer à découvert. Il gagne sa main s'il ne remporte pas une seule levée.

Section 2. Il faut déclarer « Null Ouvert » et « Grand Ouvert », et les cartes du joueur doivent être exposées, avant qu'une seule carte ne soit jouée.

(*Règlement approuvé*: Aucun joueur ne peut annoncer un « Null » après avoir fait une enchère de plus de 20, ni un « Null Ouvert » après une enchère de plus de 40.)

4. — Ramsch. *Section* 1. — Lorsque tous ont passé, le « chef » (ou l'« avant ») a la faculté d'annoncer et de jouer un Ramsch.

Section 2. Le Ramsch est gagné par le joueur qui obtient le moins de points.

Section 3. Il faut jouer un Ramsch lorsque tous les participants ont passé ou qu'ils n'ont pas fait d'enchères.

Section 4. Le joueur qui obtient le moins de points compte 10 comme partie gagnée. S'il n'a pas pris une seule levée, il compte 20 comme partie gagnée.

Section 5. En cas d'égalité entre les trois joueurs, c'est le « chef » qui a annoncé le jeu qui gagne 10 points.

Section 6. Si deux joueurs sont à égalité pour les points les plus bas, celui qui n'a pas pris la dernière levée des deux gagne la partie et compte 10 points.

Section 7. Si un joueur prend toutes les levées, c'est une partie perdue et ce joueur perd 30 points.

Section 8. Le « Skat », ou les deux cartes généralement appelées la veuve, compte pour le joueur qui prend la dernière levée.

Section 9. Au Ramsch, tout joueur qui fait une entame fautive ou une renonce sera retiré du pointage, et la partie devra continuer comme s'il n'y avait pas eu d'erreur. Le coupable de l'erreur aura ses points encerclés et inscrits dans la colonne « perdant ».

5. — La donne. *Section* 1. — Après qu'elles ont été convenablement mêlées par le donneur, les cartes devront être coupées une fois (par le joueur à la droite du donneur, qui en prendra trois ou plus afin d'en laisser au moins trois dans chaque portion du paquet). Elles seront données dans l'ordre suivant : 3-skat-4-3. Il faut prendre et tenir tout le paquet de 32 cartes pour donner.

Section 2. Toutes les cartes ayant été données et les enchères étant commencées, il faut jouer la partie en entier même si la donne était hors de tour. Dans ce cas, c'est le joueur qui aurait dû donner qui donnera au prochain tour, et l'on continuera comme s'il n'y avait pas eu maldonne. Toutefois, on sautera par-dessus celui qui a donné hors de tour de façon à ce que chacun ait son tour.

Section 3. Si une carte est retournée, il faut une nouvelle donne.

Section 4. S'il y a maldonne, ou si le donneur retourne une carte il faut une nouvelle donne. Si l'on constate dans le courant du jeu que les cartes avaient été mal données, c'est-à-dire qu'un joueur avait trop ou pas assez de cartes, le joueur perd sa partie s'il n'avait pas le bon nombre de cartes, même si l'un des adversaires était dans le même cas que lui. Mais, si le joueur avait le bon nombre de cartes, et qu'un ou les deux adversaires avaient trop ou pas assez de cartes, le joueur gagne, même s'il aurait normalement dû perdre la partie. Avant de commencer une main chaque joueur devrait s'assurer qu'il a bien 10 cartes, ni plus ni moins. (On n'impose plus une amende de 10 points au donneur lorsqu'il y a maldonne).

Section 5. Le donneur a le droit de signaler toute erreur dans le jeu, et c'est son devoir de le faire.

6. — Enchères. *Section* 1 — Les enchères ne se font qu'en chiffres dont la valeur se présente dans un des jeux possibles.

Section 2. Celui qui fait une enchère et qui obtient le choix des jeux doit en prendre un qui lui permette de compter la valeur de son enchère ou davantage.

7. — Enchère excessive. *Section* 1. — Si un Joueur a fait une enchère trop forte pour sa main, on calcule et compte contre le joueur le nombre de points immédiatement supérieurs à son enchère, sauf s'il s'agit d'une « seconde retourne » ou de Guckser, car alors le chiffre est doublé.

La Règle no-7, en parlant du nombre de points supérieurs suivant dans le cas d'une enchère excessive, veut dire que si un joueur fait une enchère plus haute que le multiple, comme par exemple 40, ayant le Valet de Carreau dans un Cœur Solo, et qu'il fait 61 points ou plus, il ne perd que 40 points s'il y a un Valet noir dans le « Skat » ou la veuve.

Section 2. Si le joueur a fait une enchère excessive et que l'un des adversaires fait une erreur, il gagne la valeur du jeu, ce montant étant celui qu'il aurait pu perdre s'il n'y avait pas eu d'erreur de commise, et la même valeur sera inscrite contre l'adversaire qui a commis l'erreur. Les deux pointages seront encerclés.

8. — Le « Skat ». *Section* 1. — S'il est constaté, avant d'annoncer un jeu, qu'une ou les deux cartes du « Skat » sont dans la main ou parmi les cartes d'un des participants, le donneur pigera dans le jeu de ce joueur assez de cartes pour ne lui en laisser que dix, après quoi les enchères se poursuivront comme s'il n'y avait pas eu d'irrégularité. Toutefois, on imposera une amende de 25 points au joueur qui en fut la cause, de plus il lui sera interdit de participer aux enchères ou à aucun jeu au cours de cette main.

Section 2. Si un joueur, par erreur, a regardé l'une ou l'autre des cartes du « Skat », il lui sera interdit de jouer et on lui imposera une amende de 10 points. Si le donneur a montré une ou les deux cartes du « Skat » à un autre joueur, il doit mélanger ces cartes, et, s'il joue au « Tournée », il doit retourner la carte de dessus (la seconde ne sera pas retournée), ou alors il peut jouer à n'importe quel autre jeu.

Section 3. Le donneur qui regarde le « Skat » pendant le jeu se voit imposer une amende de 100 points (encerclés). La raison de la pénalité sera inscrite dans la colonne des « observations ».

Section 4. Si un joueur, en retournant la première carte du « Skat », voit accidentellement la seconde carte sans avoir annoncé une « seconde retourne », il est obligé de retourner la carte de dessus et perd le droit de jouer une seconde retourne » ou un Grand.

Section 5. Aucun des participants ne doit regarder le « Skat » avant la fin de la partie, sauf le joueur lorsqu'il joue un jeu où il lui faut l'aide du « Skat »; ces deux cartes resteront près du donneur jusqu'à la fin de la partie, alors qu'elles seront retournées à l'endroit sur la table.

Section 6. Si un joueur qui joue au Solo regarde le « Skat », il perd sa partie, mais les adversaires peuvent insister pour que le jeu continue, ce qui augmentera sa perte.

Section 7. Si l'un ou l'autre des adversaires examine le « Skat », le Joueur gagne. Il jouit des mêmes privilèges que mentionnés dans la Section 6, et celui qui a vu le « Skat » perd le nombre de points que le Joueur gagne.

Section 8. Quiconque écarte plus ou moins de deux cartes perd sa partie.

9. — Les levées. *Section* 1. — Tous les participants doivent conserver leurs levées dans l'ordre où les cartes furent jouées, de sorte qu'en fin de partie on puisse retracer chaque levée.

Section 2. Après la première levée, le Joueur peut déposer son jeu et réclamer un Schneider. Il perd ce droit si deux cartes de la seconde levée sont déjà sur la table.

Section 3. Les participants ont le droit d'examiner la dernière levée remportée. Cela doit se faire, cependant, avant que ne soit jouée la carte suivante.

Section 4. Il est interdit d'examiner les levées remportées, à part la dernière, ou de recompter. Si cela se produit, le côté adverse peut réclamer la partie.

Section 5. Si un joueur dépose ses cartes et déclare qu'il a gagné, il ne peut plus réclamer de levées.

10.—Schneider et Schwarz. *Section* 1. — Pour gagner une partie le Joueur doit avoir au moins 61; pour faire un Schneider il lui faut au moins 91; et pour un Schwarz il doit prendre toutes les levées.

Section 2. Pour sortir du Schneider, il faut que le Joueur ait au moins 31 points, les adversaires 30.

Section 3. On ne peut pas annoncer de Schneider ni de Schwarz dans un jeu où il a fallu prendre le « Skat ».

Section 4. Le joueur qui annonce un Solo a le privilège, avant qu'une seule carte soit jouée, d'augmenter le Solo ou d'annoncer un Grand, Schneider ou Schwarz.

11.—Renonces et Erreurs de Jeu. *Section* 1. — Si le Joueur fait une fausse entame ou s'il ne fournit pas la couleur d'entame, il perd la partie, même s'il a déjà 61 points ou plus d'accumulés. Toutefois, l'un ou l'autre des adversaires a le privilège de faire rectifier l'erreur et continuer le jeu jusqu'à la fin de la partie afin d'augmenter les pertes du Joueur. Alors, si l'un des adversaires se rend coupable d'une de ces erreurs, le Joueur gagne la partie et l'on inscrit en perte encerclée dans la colonne de l'adversaire coupable la pleine valeur des points du Joueur.

Section 2. Si l'un ou l'autre des adversaires entame à faux, joue hors de tour, ou néglige de fournir la couleur d'entame l'erreur doit être corrigée immédiatement, si possible. Le jeu se poursuit alors jusqu'à la fin. Si le Joueur alors commet l'une des erreurs susmentionnées, il perd la partie et la première erreur est entièrement pardonnée. Si l'un ou l'autre des adversaires insiste pour que le jeu continue et que l'un des adversaires se rende encore coupable de l'une de ces erreurs, toutes les erreurs passées sont pardonnées. Le joueur doit obtenir 61 points ou plus pour remporter authentiquement la partie. (Ceci veut dire qu'aucun joueur ne peut franchement ou authentiquement gagner une partie grâce à l'erreur d'un adversaire. En de tels cas, il faut jouer la main jusqu'au bout pour déterminer si le Joueur pouvait gagner sa partie, ou s'il avait seulement une chance de le faire si l'adversaire n'avait pas commis d'erreur. Il faudra que le Skatmeister (arbitre) décide si le Joueur avait la possibilité de gagner. Si oui, il doit alors le décréter. Si le Joueur gagne, le Skameister doit approuver cette victoire. Si le Skatmeister décrète que le Joueur ne pouvait pas gagner, on lui compte quand même ses points, mais encerclés. Celui qui a commis l'erreur perd la pleine valeur de la main, inscrite aussi dans un cercle.)

Section 3. Si, pendant le jeu, le Joueur dépose ses cartes sur la table ou les expose, on en déduira qu'il déclare que les levées qui restent sont à lui, et s'il ne les remporte pas toutes, il perd la pleine valeur de la partie, à moins qu'il n'ait déjà 61 points d'accumulés.

Section 4. Si, pendant le jeu, un des adversaires dépose ses cartes sur la table ou les expose, on en déduira qu'il prétend avoir battu le Joueur; toutes les cartes qui restent appartiennent alors au Joueur et si cela lui donne 61 points ou plus, il **gagne**. L'adversaire qui s'est trompé voit alors la pleine valeur de la partie inscrite contre lui dans un cercle.

Section 5. Tables à trois. A trois joueurs, et pour la première carte seulement, le fait pour un joueur d'entamer s'il pense que c'est son tour, ne sera pas considéré comme une erreur. Les participants qui joueraient hors de tour pour la dernière levée ne subiront pas non plus de pénalité.

LE PIQUET

Nombre de joueur — Deux.

Le paquet — 32 cartes, deux paquets sont employés alternativement.

Valeur des cartes — As (haute), Roi, Dame, Valet, 10, 9, 8, 7.

Le tirage — La carte la plus basse a le choix des places et donne en premier. Dans le cas de tirage de cartes d'égales valeurs, on procède à un nouveau tirage.

La mêlée et la coupe — Chaque joueur mêle le paquet qu'il donnera lui-même, habituellement pendant que son adversaire donne les cartes. La coupe revient à celui qui n'a pas mêlé le paquet. Le coupeur doit laisser au moins deux cartes dans chaque portion du paquet.

La donne — Chaque joueur reçoit 12 cartes, données deux par deux. Les huit cartes qui restent sont étalées, face fermée, formant un talon. (Autrefois, les cinq premières cartes du talon étaient étalées séparément des trois autres, mais cette coutume est maintenant abandonnée.)

Ecart — Après avoir ramassé sa main, l'adversaire du donneur doit écarter au moins une carte et peut en écarter jusqu'à cinq et prendre du dessus du talon autant de cartes qu'il en a écartées. S'il en laisse des cinq premières, il peut les regarder sans les montrer au donneur.

Le donneur a le droit de prendre tout le reste du talon laissé par son adversaire après avoir d'abord écarté un nombre égal de cartes. Le donneur n'est pas obligé de prendre de cartes du talon. S'il décide d'en laisser, il doit aussi décider si les cartes restantes du talon doivent être retournées à la vue des deux joueurs ou mises de côté et tenues cachées.

Le but de l'écart est de former certaines combinaisons de points comme il est indiqué plus bas.

Carte blanche — Une main sans Roi, Dame ou Valet est « carte blanche ». L'adversaire du donneur qui reçoit une telle main peut étaler sa main avant d'écarter et compte 10 points. Le donneur qui reçoit « carte blanche » peut attendre que son adversaire ait écarté pour étaler son jeu et compter 10 points. (Les règlements anglais exigent que l'un ou l'autre joueur ayant « carte blanche » l'annonce avant que l'adversaire du donneur écarte.)

Point — Le plus grand nombre de cartes en une couleur fait le « point », on compte autant de points qu'il y a de cartes de cette couleur. Dans le cas de mains ayant des couleurs d'égales longueurs, c'est la main ayant la plus haute valeur nominale qui l'emporte; l'As comptant pour 11, le Roi, la Dame, le Valet et le 10 pour 10, et les autres à leur valeur, le 9 pour 9 etc. A nombre égal de points, les joueurs ne comptent pas.

Séquence — Une séquence ou suite de trois cartes sans interruption dans une couleur (tierce) vaut 3 points. La séquence de 4 (la quatrième) vaut 4; une séquence de cinq (la quinte) ou une séquence plus forte vaut 10 points plus un point par carte formant la séquence. Seul le joueur ayant la plus forte séquence peut compter des points pour la séquence. Après avoir établi qu'il a la plus haute séquence, il peut ensuite compter aussi les points des autres séquences qu'il a en mains. La longueur d'une séquence détermine sa valeur. Entre deux séquences de même longueur, celle qui compte le plus de points l'emporte. Si les joueurs arrivent à égalité dans la valeur des séquences, les joueurs ne comptent pas les points de séquence.

Brelans — Ce sont des combinaisons de 3 (brelan) ou 4 (brelan carré) cartes pareilles, plus hautes que le 9. Le joueur possédant la meilleure combinaison compte cette combinaison et toute autre qu'il a en main. Quatre cartes pareilles valant 14 points, l'emportent sur 3 cartes pareilles valant 3 points. Dans le cas de combinaisons de même nombre de cartes, celles comportant les plus hautes l'emporte.

Déclaration — Une fois l'écart terminé, les joueurs déclarent dans l'ordre : les points, les séquences et les combinaisons pour déterminer la valeur de leur main. Mais le joueur qui ne compte pas de points dans une catégorie donnée, n'a pas à donner de renseignements plus qu'il n'est nécessaire de le faire pour établir sa supériorité dans une autre. La déclaration doit donc se faire comme suit (l'adversaire du donneur doit déclarer le premier pour chacune des catégories) :

L'adversaire du donneur. Quatre (donnant la longueur de sa couleur pour en déterminer la valeur en points).

Le donneur. Combien ? (Avec cinq cartes ou plus dans une couleur, le donneur doit indiquer « 5 », etc. Avec une série en couleur inférieure à 4, le donneur dit « Bonne »).

L'adversaire. 37.

Le donneur. Pas bonne, 39. (Le donneur compte 4 pour le « point »).

L'adversaire. Séquence de trois (ou tierce).

Le donneur. Quelle valeur ? (Il détient aussi une tierce.)

L'adversaire. As.

Le donneur. Bonne.

L'adversaire. Et une autre tierce, je compte 6. J'ai trois rois.

Le donneur. Pas bonne, j'ai 14 de dix. Je commence avec 18.

L'adversaire. Je commence avec 6.

La preuve — Un joueur doit montrer sur demande toute combinaison pour laquelle il a réclamé des points. Habituellement la justification des points n'est pas nécessaire puisque l'adversaire peut se rendre compte du bien fondé des réclamations de l'adversaire, etc.

Abandon — Un joueur n'est pas obligé de déclarer une combinaison quelle qu'elle soit. *Exemple* : L'adversaire du donneur peut déclarer « Pas de combinaisons » bien qu'il ait 3 dames en mains et qu'il croit que l'adversaire ait 3 rois. Un joueur qui a ainsi refusé de déclarer une combinaison ne peut y revenir et la déclarer par la suite en s'apercevant qu'elle était maîtresse.

Le jeu — La déclaration terminée, l'adversaire du donneur entame à la première levée. L'autre doit fournir en couleur s'il en est capable.

La levée est gagnée par la plus haute carte en couleur demandée. Celui qui remporte une levée entame la levée suivante.

Le joueur compte un point pour chaque carte plus haute qu'un 9 avec laquelle il entame et un point pour chaque carte plus haute qu'un 9 avec laquelle il l'emporte sur l'entame de son adversaire. Le vainqueur de la dernière levée compte un point.

(En Amérique, c'est la coutume de compter un point pour chaque entame, et un pour chaque levée remportée, sans tenir compte de la valeur des cartes.)

Chacun des joueurs annonce son pointage cumulatif à mesure qu'il joue ses cartes, y compris le compte initial de ses combinaisons. Pour continuer l'exemple donné précédemment : l'adversaire du donneur compte 6 pour deux séquences. A sa première entame (un as), il annonce « 7 ». Le donneur compte 18 pour ses combinaisons en remportant sa première levée (avec un Roi) il dit : « 19 ».

Levées — Celui qui remporte sept (7) levées ou davantage des 12 levées compte 10. Si les levées sont divisées 6 - 6, aucun des joueurs ne compte. Si un joueur remporte les 12 levées, il compte 40 pour le Capot (il n'y a pas de points additionnels pour la majorité ou pour la dernière levée.)

Pic et repic — Un joueur qui atteint 30 ou plus dans ses déclarations, avant que son adversaire ne compte quoi que ce soit et avant qu'une carte ne soit jouée, ajoute 60 pour repic. Un joueur qui atteint 30 ou davantage dans ses déclarations et joue, avant que son adversaire ne compte quoi que ce soit, ajoute 30 pour pic.

La partie — La partie comprend 6 donnes. (*Variante*. La partie est de quatre donnes et les pointages de la première et de la dernière donnes sont doublés). Le joueur qui atteint le plus grand nombre de points cumulatifs à la fin de la partie, gagne par la *différence* des totaux plus 100 pour la partie pourvu que le perdant ait au moins 100. Si le perdant n'a pas atteint 100, il est « rubicon » et le gagnant compte la somme des totaux, plus 100 pour la partie. (Le perdant est « rubicon » même si le gagnant n'atteint pas 100).

Irrégularités — *Nouvelle donne* (par le même donneur). Elle est obligatoire si une carte est exposée durant la donne, elle est au choix de l'adversaire du donneur si l'un ou l'autre des joueurs reçoit un nombre erroné de cartes.

Ecart erroné. Si un joueur écarte trop ou moins de cartes qu'il n'en avait l'intention, il ne peut changer son écart après avoir touché le talon. S'il ne se trouve pas assez de cartes dans le talon pour remplacer ses cartes écartées, il joue avec une main courte.

Pige erronée du talon. Si un joueur pige trop de cartes du talon il peut y remettre les cartes prises en trop, à condition qu'il ne les ait pas regardées et qu'il puisse les remettre dans l'ordre où elles étaient. Dans le cas contraire, les règles suivantes s'appliquent. Si l'adversaire du donneur pige plus de cinq cartes du talon, il perd la partie. S'il en pige moins, il doit le déclarer, s'il manque de le faire le donneur a le droit de piger toutes les cartes qui restent même si le donneur écarte trois cartes et touche le talon. Si le donneur pige une carte du talon avant que son adversaire ait pigé, le donneur perd la partie.

Concession. Une fois qu'un joueur concède à son adversaire une combinaison comme étant « bonne », il ne peut en déclarer une meilleure.

Fausse déclaration. Si un joueur annonce et compte les points pour une combinaison qu'il n'a pas, il peut corriger son erreur avant de jouer une carte et le pointage de cette catégorie est rectifié. Advenant le cas où il joue une carte avant de signaler cette erreur il ne peut pas compter du tout à cette donne; et son adversaire peut annoncer et compter pour toutes les combinaisons qu'il détient en sa main, même si elles sont inférieures, et peut compter toutes les levées qu'il remporte à cette donne.

Nombre fautif de cartes. Si, après l'entame initiale, on s'aperçoit qu'une main détient un nombre fautif de cartes, le jeu continue. Une main ayant trop de cartes ne peut compter pour le jeu à cette donne. Une main ayant un nombre insuffisant de cartes peut compter pour le jeu, mais ne peut remporter la dernière levée. Si les deux mains sont fautives, la donne est abandonnée et il y a nouvelle donne par le même donneur.

KLABERJASS

(Kalabrias, Klob, Klab, Clob, Clabber, Clobber, Clubby)

Voici le célèbre jeu à deux joué par les personnages du Broadway décrits dans les revues et histoires du cinéma de Damon Runyon. Sous ces différents noms il jouit d'une grande popularité dans tous les Etats-Unis.

Nombre de joueurs — Deux.

Le paquet — 32 cartes.

Ordre des cartes — En atout: Valet, 9, As, 10, Roi, Dame, 8 et 7. Les autres couleurs : As, 10, Roi, Dame, Valet, 9, 8, 7.

Le tirage — On coupe pour la donne, la basse carte donnant. Les tours de donne alternent.

La mêlée et la coupe — Les deux joueurs peuvent mêler, le donneur en dernier. L'adversaire du donneur coupe, laissant au moins trois cartes dans chaque portion du paquet.

La donne — Six cartes à chaque joueur, trois à la fois, en commençant par celui qui ne donne pas. La carte suivante est retournée et le reste du paquet est placé, face fermée, de manière à recouvrir partiellement la retourne.

Les enchères — Il peut y avoir un ou deux tours d'enchères. Celui qui n'a pas donné parle le premier. Il peut « *prendre* » (accepter la couleur de la retourne comme atout); ou *passer* (refuser cette couleur); ou dire « *schmeiss* » (offrir au gré de l'adversaire, soit de jouer l'atout de la retourne, soit d'abandonner la main). Si l'adversaire dit « Oui » en réponse à « Schmeiss », alors, il y a nouvelle donne; s'il dit « non », alors la couleur retournée devient atout.

Si le joueur qui n'a pas donné passe, le donneur peut « *prendre* » « *passer* » ou dire « *schmeiss* ».

Si les deux joueurs passent, il y a un second tour d'enchères. Le joueur qui n'a pas donné, peut désigner l'une des trois autres couleurs comme atout; ou bien il peut faire « schmeiss » (offrant au donneur d'accepter la couleur qu'il nommera (le non-donneur) ou d'abandonner la main, à sa guise); ou bien il peut passer encore. S'il passe encore, le donneur a le dernier tour et peut ou désigner l'une des trois couleurs comme atout, ou faire une nouvelle donne.

Dès que l'un ou l'autre des joueurs accepte ou désigne une couleur d'atout, les enchères cessent. Le joueur qui accepte ou désigne l'atout devient « le faiseur ».

Donne supplémentaire — Le donneur donne maintenant trois cartes de plus à chaque joueur, une à la fois, afin que chacun ait neuf cartes en main. Le donneur retourne alors la carte du dessous du paquet et la place sur le dessus; elle ne sert qu'à renseigner les joueurs et ne sert pas au jeu.

Tout joueur ayant le 7 d'atout peut l'échanger pour la première carte retournée, mais cela ne lui vaut pas de points particuliers.

Combinaisons étendues — On ne peut étendre que des séquences. Pour former ces séquences l'ordre des cartes est le suivant : **As**,

Roi, Dame, Valet, 10, 9, 8, 7; et l'As ne peut servir que dans la
séquence As-Roi-Dame. Une séquence de quatre cartes ou plus vaut
50 points, une de trois cartes en vaut 20.

L'adversaire du donneur commence en annonçant la valeur en
points de sa meilleure séquence, ainsi, avec Cœur, Dame-Valet-10,
il dira 20. Si le donneur n'a pas de séquence aussi bonne que celle-
ci, il dit « Bonne ». S'il a une séquence plus forte, il dit « Pas bonne ».
D'une façon ou de l'autre les joueurs cessent d'étendre des combinaisons et l'adversaire du donneur entame à la première levée.

Lorsque le donneur a une séquence de même longueur que celle
de son adversaire, il répond « A quel niveau ? ». Le joueur doit
alors nommer la carte qu'il a en tête de sa séquence; encore une
fois le donneur répond « c'est bon » ou ce « n'est pas bon », ou
qu'il a une séquence débutant par la même carte. Dans ce dernier
cas, une séquence en atout sera plus forte qu'une en une autre
couleur. Si les deux ne sont pas de la couleur d'atout, aucune ne
compte. (Variante. Si les séquences sont identiques sous tous rapports, le joueur qui n'a pas donné compte.)

Le jeu — L'adversaire du donneur entame toujours le premier; il
peut le faire avec n'importe quelle carte. Il est nécessaire de fournir
la couleur d'entame, si possible; de couper, si l'on ne peut pas
fournir mais que l'on a de l'atout, et de battre une entame en
atout si possible. Le plus haut atout joué remporte une levée où
il y a de l'atout, et la plus haute carte de la couleur d'entame remporte toute autre levée. Le gagnant de chaque levée entame pour
la suivante.

Après que les deux joueurs ont joué sur la première levée, le
joueur qui a la plus haute combinaison montre et compte toutes
les séquences qu'il a en mains, alors que son adversaire ne peut en
compter aucune.

Le joueur qui a le Roi et la Dame d'atout peut compter 20 points
s'il annonce « Bella » au moment où il joue le second membre de
la paire sur une levée. S'il à Roi-Dame-Valet d'atout, il peut
compter et la séquence et « Bella ».

Le pointage — Chaque joueur compte pour les cartes prises dans
les levées :

Valet d'atout (jasz)	20
9 d'atout (menel)	14
Chacun des autres Valets	2
Chaque Dame	3
Chaque Roi	4
Chaque Dix	10
Chaque As	11
Dernière levée	10

Il faut que le « faiseur » compte en combinaisons et en cartes
plus que son adversaire ne compte en combinaisons et en cartes.
S'il le fait, chaque joueur inscrit les points qu'il fait; si le « faiseur »
est à égalité avec l'adversaire, il ne compte rien, tandis que l'adversaire compte les points qu'il a obtenus; si le « faiseur » a le moins

de points, il fait la *bête* et son adversaire compte tous les points qu'ils ont obtenus tous les deux.

La partie — Le premier joueur à atteindre 500 points, gagne la partie. Si les deux joueurs dépassent 500 dans la même main, le plus haut pointage des deux gagne. *(Variante.* On compte d'abord les points du « faiseur » et lorsqu'il atteint 500, il gagne.)

Irrégularités — (Voir aussi les lois générales, en page 5).

Maldonne. Avant les enchères, l'adversaire du donneur peut exiger une nouvelle donne ou une rectification si une ou plusieurs de ses cartes ont été exposées pendant la donne, s'il y a une carte d'exposée dans le paquet, ou si l'un ou l'autre des joueurs n'a pas le bon compte de cartes. Aux fins de correction, le joueur qui a trop de cartes présente son jeu à l'adversaire, face fermée, et ce dernier pige le surplus; s'il manque des cartes, on en prend sur le dessus du paquet.

Main inexacte. Si l'inexactitude est constatée après le début des enchères, il faut la rectifier.

Une *renonce*, c'est ne pas fournir la couleur d'entame, ne pas couper, ou ne pas forcer une entame en atout lorsque la loi l'exige et qu'on est en mesure de le faire; l'annonce d'une combinaison que l'on ne possède pas (comme par exemple dire « A quel niveau? » alors que l'on n'a pas une séquence de valeur égale à celle de l'adversaire); avoir trop ou pas assez de cartes après avoir entamé ou joué sur la première levée. Le joueur non coupable reçoit tous les points de combinaisons et de cartes de cette main.

Un joueur ne peut pas échanger le « Dix » (7 d'atout) avec la retourne après avoir joué sur la première levée, ni compter 20 pour la paire Roi-Dame d'atout s'il n'annonce pas « Bella ».

JEUX SEMBLABLES AU KLABERJASS

Dans chacun de ces jeux, les règles sont les mêmes qu'au Klaberjass, excepté pour les points suivants:

La Belotte — Ce jeu à deux est celui qui est le plus populaire en France. Il est identique au Klaberjass, sauf que « schmeiss » est appelé « la valse ». Les combinaisons les plus fortes sont les brelans carrés (4 cartes semblables) qui valent 200 pour quatre Valets, et 100 pour quatre neuf, quatre As, quatre Dix, quatre Rois, quatre Dames, l'importance des groupes s'établissant dans l'ordre où nous les nommons. Une quinte vaut 50, une quatrième (séquence de 4 cartes) vaut 40 et une tierce (séquence de trois cartes) vaut 20 points. Le joueur qui a le plus haut brelan compte tous les brelans qu'il a en mains, le joueur qui a la plus haute séquence compte toutes les séquences qu'il a en mains. Si le « faiseur » ne compte pas plus de points que son adversaire, il perd ses propres points, mais son adversaire ne les ajoute pas aux siens.

Darda — Se joue à deux, trois ou quatre. A quatre le donneur compte contre le « faiseur ». En atout l'ordre des cartes est : Dame, 9, As, 10, Roi, Valet, 8, 7; et la Dame vaut 20 (non le Valet comme au Klaberjass), le Valet ne vaut que 2. Dans les autres couleurs que l'atout l'ordre est : As, 10, Roi, Dame, Valet, 9, 8, 7. Il n'y a pas de « schmeiss ».

L'atout étant désigné et les trois cartes supplémentaires données, à chaque joueur, on place les cartes qui restent, face exposée, en un paquet bien égalisé de façon a ce qu'on ne puisse voir que la carte du dessus, c'est la veuve. Un joueur peut échanger le 7 d'atout avec la retourne (on peut échanger le 8 d'atout lorsque le 7 est la retourne), ensuite il peut prendre successivement chaque carte exposée sur le dessus de la veuve pourvu que ce soit un atout et qu'il écarte une carte de sa main chaque fois.

Le « faiseur » entame. Chaque joueur annonce ses combinaisons à son premier tour de jouer. Par la suite elles ne comptent plus, y compris la paire Roi-Dame d'atout (bele). La première levée terminée, les joueurs qui ont des combinaisons de même longueur se questionnent afin de savoir laquelle est la plus haute.

Le pointage. — Le « faiseur » réussit si aucun des adversaire n'a autant de points que lui. S'il réussit, il compte 1, s'il a moins de 100 points; 2 s'il a entre 100 et 149; 3, entre 150 et 199; 4, 200 ou plus. La partie se fait en 10.

Quatre cartes semblables (brelan carré). — Lorsqu'il y a un brelan carré on ne joue pas; le plus haut brelan carré gagne la main et compte 4 points pour quatre dames, 3 pour quatre neufs, 2 pour quatre As, quatre Rois, quatre Valets ou quatre dix.

Irrégularités. — En présence d'une irrégularité, le jeu cesse et chaque joueur à part le coupable compte 2 points.

LE CRIBBAGE

Le Cribbage est l'un des meilleurs jeux à deux. Il allie en des proportions agréables les hasards de la donne et les occasions de démontrer son adresse en écartant et en jouant.

Nombre de joueurs — Deux ou trois, ou quatre en partenaires. Le jeu à deux est le meilleur.

Le paquet — 52 cartes.

Ordre des cartes — Roi (haute), Dame, Valet, 10, 9, 8, 7, 6, 5, 4, 3, 2, As.

Le tirage — La plus basse carte donne. Les joueurs qui pigent des cartes de même rang doivent piger de nouveau.

La mêlée et la coupe — Le donneur a le droit de mêler le paquet en dernier. Le joueur à sa droite coupe. En coupant, il faut qu'il reste au moins quatre cartes dans chaque portion du paquet.

La donne — (A deux) — Chaque joueur reçoit six cartes, données une à la fois. Les tours de donner alternent. Celui qui a perdu une partie donne le premier pour la partie suivante.

La Huche (crib) — Chaque joueur regarde ses six cartes et en met deux *de côté* pour réduire sa main à quatre cartes. Les quatre cartes *mises* de côté constituent la « huche » qui appartient au donneur mais qui n'est exposée ou employée qu'après le jeu.

La carte de départ (starter) — Une fois la « huche » mise de côté, le joueur qui n'a pas donné coupe le paquet et le donneur retourne la carte du dessus du paquet inférieur. On pose cette carte à l'endroit au paquet, c'est « la carte de départ ». Si la carte de « départ » est un Valet (appelé « ses talons » (his heels), le donneur compte 2 points à l'instant. La carte de « départ » ne sert pas au jeu.

Le jeu — Une fois la « carte de départ » retournée, l'adversaire du donneur expose une de ses cartes, sur la table. Le donneur expose également une de ses cartes, de nouveau l'adversaire du donneur, et ainsi de suite — les jeux sont ainsi exposés carte par carte alternativement, sauf quand l'un des joueurs dit » go « (avancez) tel que décrit plus loin. Chaque joueur tient ses cartes séparées de celles de l'adversaire.

A mesure qu'il joue chacun annonce le nombre de points atteints en ajoutant la carte qu'il dépose à celles qui étaient déjà sur la table. (*exemple* : l'adversaire du donneur commence par un 4, il dit « Quatre », le donneur joue un 9, disant « Treize »). Les Rois, les Dames, les Valets comptent pour 10 chacun; les autres conservent leur valeur nominale. L'As compte pour 1.

« Go » (Avancez) — Pendant le jeu, le total cumulatif des cartes ne doit jamais dépasser 31. Si un joueur ne peut pas ajouter une autre sans dépasser 31, il dit « go » (avancez) et son adversaire compte un point avec une fiche. Le joueur qui bénéficie du « Go » doit cependant d'abord déposer les cartes qu'il peut sans dépasser le total de 31. En plus du point de « Go » il a droit à tous les points supplémentaires qu'il peut obtenir par paires et séquences (runs). Si un joueur atteint exactement 31, il marque deux points avec la fiche au lieu d'un point pour le « Go ».

Le joueur qui a dit « Go » doit entamer pour commencer la série suivante, le compte reprenant à zéro. On ne peut pas joindre la carte d'entame à d'autres cartes déjà jouées pour former des combinaisons qui comptent, le « Go » ayant interrompu la série.

Celui qui joue la dernière carte de toutes marque un point avec une fiche pour compter un « Go »; conséquemment le donneur est sûr de compter au moins un point.

La marque — Le but du jeu est de compter des points en les marquant au moyen de fiches sur une planchette trouée. En plus du « Go », un joueur peut compter des points pour les combinaisons suivantes:

Quinze: En ajoutant une carte qui porte le total à 15, on marque 2 points.

Paire: En ajoutant une carte de même rang que celle qui vient d'être déposée, on marque 2 points. (N.B. les figures ne forment de paires qu'avec une autre figure semblable, Valet avec Valet, mais jamais Valet avec Dame).

Triplés: (Aussi appelés les Trois ou la Paire Royale). En ajoutant la troisième carte de même rang, on marque 6.

Quatre: (aussi appelé « Double Paire » ou « Double Paire Royale »): En ajoutant la quatrième carte de même rang, on marque 12.

Séquence (run): En ajoutant une carte qui forme avec les dernières cartes déposées une séquence de trois ou plus, on marque un point pour chaque carte de la séquence (Les séquences « runs » ne tiennent pas compte des couleurs, mais rigoureusement du rang, *exemple*: 9-10-Valet est une séquence, 9-10-Dame ne l'est pas.)

Il est important de bien suivre l'ordre des cartes afin de s'assurer qu'il n'y a pas de cartes étrangères qui viennent interrompre ce qui semble être une séquence. (*exemple*: Les cartes sont jouées dans cet ordre 8-7-7-6.) Le donneur marque 2 pour le Quinze, et l'adversaire marque 2 points pour une paire, mais le donneur ne peut pas ensuite marquer des points pour la séquence, car le second 7 intervient. Ou encore, les cartes étant jouées dans cet ordre 9-6-8-7, le donneur marque 2 pour le « Quinze » à son premier tour, puis marque 4 pour une séquence à son second tour. Les cartes ne sont pas en ordre de séquence mais aucune carte étrangère n'intervient entre elles.

Calcul des mains — A la fin du jeu, on compte les trois mains successivement dans cet ordre: l'adversaire du donneur (en premier), le donneur, puis la huche (crib). Cet ordre est important car vers la fin de la partie, l'adversaire du donneur peut « compter pour finir » et gagner avant que le donneur ait l'occasion de compter, même si le total du donneur devait dépasser celui de l'adversaire.

La « carte de départ » est considérée comme faisant partie de chaque main, de sorte que chaque main renferme 5 cartes pour le compte final. Suivent les différentes formations de base ayant une **valeur de pointage :**

Quinze, chaque combinaison de cartes qui donne un total de quinze, compte 2

Paire, chaque paire de cartes de même rang, vaut 2

Séquence, trois cartes ou plus en séquence, valent .. 1 point pour chaque carte de la séquence.

Flush (quatre cartes de même couleur en main (non dans la « huche »), valent) 4

quatre cartes en main, ou dans la « huche » de la même couleur que la carte de départ 5

quatre cartes de même couleur, mais non de la couleur de la carte de « départ », ne comptent pas dans la « huche »

His Nobs (la caboche) Valet de la même couleur que la « carte de départ », vaut 1

Combinaisons — Dans le tableau précédent, le mot combinaison a strictement un sens technique. Chacune des combinaisons de deux cartes qui font une paire, de deux cartes ou plus qui font 15, de trois cartes ou plus qui font une séquence, compte séparément. Par *exemple* : une main (avec carte de départ) composée de 8-7-7-6-2 compte 8 points pour quatre combinaisons de 15 : le 8 avec un 7, puis avec l'autre 7, le 6 et le 2 avec chacun des 7 tour à tour. Elle compte 2 points de paire, et 6 points pour 2 séquences de 3-8-7-6, en employant les deux 7 à tour de rôle. Le total est 16. Un joueur expérimenté calcule la main ainsi : « Quinze - 2, Quinze - 4, Quinze - 6, Quinze - 8, et 8 de double séquence, égalent 16 ».

Il est bon d'apprendre de mémoire certaines formations de base pour faciliter le calcul. Les paires et les séquences seulement donnent :

Un « Triplé » vaut 6.

Quatre cartes semblables - **12.**

Une séquence de 3, avec une carte répétée (double séquence) - 8.

Une séquence de 4, avec une carte répétée - 10.

Une séquence de 3, avec la même carte trois fois (triple séquence) - 15.

Une séquence de 3, avec deux cartes répétées - 16.

Voici une liste des mains qu'un commençant peut avoir de la difficulté à calculer :

POINTAGE AU « CRIBBAGE »

1 — 1 —	2 —	2 —	3 = 16	
1 — 2 —	3 —	3 —	3 = 15	
1 — 4 —	4 —	4 —	10 = 12	
2 — 3 —	4 —	4 —	4 = 17	
2 — 2 —	3 —	3 —	4 = 16	
2 — 3 —	3 —	3 —	4 = 17	
3 — 3 —	4 —	4 —	5 = 20	
3 — 4 —	4 —	4 —	5 = 17	
3 — 4 —	4 —	5 —	5 = 16	
3 — 6 —	6 —	6 —	6 = 24	
4 — 4 —	5 —	6 —	6 = 24	
4 — 5 —	5 —	6 —	6 = 24	
4 — 5 —	6 —	6 —	6 = 21	
4 — N —	5 —	5 —	5 = 29	
5 — 5 —	5 —	5 —	10 = 28	
5 — 5 —	10 —	V —	D = 17	
6 — 6 —	9 —	9 —	9 = 20	
6 — 9 —	9 —	9 —	9 = 20	
6 — 6 —	7 —	7 —	8 = 20	
7 — 7 —	7 —	8 —	9 = 21	
7 — 7 —	7 —	8 —	8 = 20	
7 — 8 —	8 —	8 —	8 = 20	
7 — 7 —	8 —	8 —	9 = 24	
7 — 8 —	8 —	9 —	9 = 20	

5 — 5 —	N —	V —	V = 21	
2 — 6 —	7 —	7 —	8 = 16	
6 — 7 —	8 —	9 —	9 = 16	
3 — 3 —	6 —	6 —	6 = 20	
3 — 3 —	3 —	4 —	5 = 21	
1 — 1 —	7 —	7 —	8 = 12	
3 — 3 —	3 —	6 —	6 = 18	
3 — 3 —	6 —	6 —	9 = 14	
5 — 5 —	5 —	N —	V = 23	
5 — 5 —	5 —	10 —	10 = 22	
1 — 4 —	4 —	N —	4 = 13	
5 — 5 —	10 —	N —	D = 18	
3 — 3 —	3 —	3 —	9 = 24	
4 — 4 —	4 —	4 —	7 = 24	
1 — 7 —	7 —	7 —	7 = 24	
4 — 4 —	4 —	7 —	7 = 20	
4 — 4 —	7 —	7 —	7 = 14	
3 — 3 —	4 —	5 —	5 = 20	
1 — 1 —	6 —	7 —	7 = 12	
2 — 6 —	6 —	7 —	7 = 12	
7 — 7 —	7 —	1 —	1 = 20	
3 — 4 —	4 —	4 —	4 = 20	
5 — 5 —	5 —	4 —	6 = 23	
1 — 1 —	6 —	7 —	8 = 13	

Aucune main ne peut compter 19, 25, 26 ou 27   N = veut dire « His Nobs ».

Muggins *(facultatif)* — Chaque joueur doit calculer sa main et la « huche » à haute voix et annoncer le total. S'il oublie des points, son adversaire peut dire « Muggins » et prendre à son compte les points oubliés.

La partie — La partie peut se faire en 61 ou 121 points. Le jeu prend fin au moment où l'un des joueurs atteint le total convenu, soit en marquant, soit en comptant ses cartes. Si l'adversaire du donneur « sort » par le calcul de ses seuls points de cartes, le donneur ne peut compter ni ses cartes ni celles de la « huche » (crib) dans l'espoir d'éviter le « pétrin » (lurch).

Chaque partie vaut un point au gagnant, mais si les points du perdant ne dépassent pas la moitié du total (31 si la partie est en 61 et 61 si elle est en 121) il est dans le « pétrin » *(Lurch)* et le gagnant compte deux parties.

La planchette de Cribbage — Il est peu pratique de calculer les points par écrit au Cribbage, aussi emploie-t-on un moyen spécial pour le faire, la planchette de cribbage (voir vignette). Il s'agit d'une planchette ou d'une tablette en composition plastique, munie de quatre rangées de 30 trous chacune, divisées en deux par un panneau central (2 rangées de chaque côté). Habituellement, il y a quatre ou deux trous supplémentaires près d'une extrémité, ce sont les « trous de partie » *(game holes)*. La planchette est accompagnée de quatre fiches, généralement deux sont de couleur contrastante avec les autres.

On place la planchette entre les deux joueurs et chacun prend deux fiches (de la même couleur). Les trous spéciaux à une extrémité de la tablette servent à poser les fiches avant le début de la partie. Chaque fois qu'un joueur compte un point il le marque en déplaçant la fiche dans la rangée la plus près de lui. On avance d'un trou par point. On emploie deux fiches de façon à ce que la plus éloignée puisse passer par-dessus la plus avancée, la distance entre la première et la seconde marque l'augmentatation dans le pointage. D'habitude on « descend » (en s'éloignant des « trous de partie ») le long des rangées extérieures, et l'on « remonte » le long des rangées du centre. Pour la partie de 61 on fait une fois le tour, pour celle de 121 on le fait deux fois.

Si l'on ne dispose pas d'une planchette spéciale chaque joueur peut employer une feuille de papier ou un morceau de carton marqué ainsi :

Unités.....	1	2	3	4	5	6	7	8	9	10
Dizaines....	1		2		3		4		5	6

On prend ensuite deux petits marqueurs (boutons ou petites pièces de monnaie) pour compter le long de chaque rangée.

Irrégularités *Maldonne* — Il faut une nouvelle donne, par le même joueur, si l'on n'a pas distribué les cartes une à une, si une main n'a pas le bon compte de cartes, s'il y a une carte à l'endroit dans le paquet, si une carte est exposée pendant la donne, ou si le paquet est imparfait.

Mauvais compte de cartes — Si, après avoir mis la « huche » de côté, on constate qu'une main (pas la « huche ») n'a pas le bon nombre de cartes, l'autre main et la « huche » l'ayant, l'adversaire peut soit exiger une nouvelle donne, soit marquer 2 points et corriger sa main en retirant les cartes de surplus, s'il y en a, ou en donnant des cartes supplémentaires prises dans le paquet pour remplacer celles qui manquent. Si la « huche » n'a pas le bon nombre de cartes et que les deux mains l'aient, l'adversaire du donneur marque 2 points et l'on corrige la « huche » en retirant les cartes supplémentaires ou en ajoutant celles qui manquent, en les prenant dans le paquet. Si plus d'une main (et la « huche ») sont inexactes il faut une nouvelle donne et si l'un ou l'autre des joueurs avait le bon nombre de cartes en main il marque 2.

Erreur d'annonce — Il n'y a pas de pénalité si l'on annonce un total fautif ou s'il y a une erreur de compte, mais l'erreur doit être corrigée sur demande. Si une erreur faite en annonçant un total n'est pas remarquée avant que la carte suivante soit jouée, on ne la corrige pas. Si une erreur faite en calculant une main n'est pas remarquée avant que l'adversaire commence à compter, ou avant que les cartes aient été coupées pour la prochaine donne, on ne la corrige pas.

Aucun joueur ne doit recevoir d'aide d'un autre joueur ou d'un spectateur pour calculer sa main. Les points oubliés ne seront inscrits au compte de l'adversaire que s'il a été convenu au préalable d'user du privilège de « Muggins ».

Erreur de jeu — Le joueur qui dit « go » (avancez) alors qu'il pourrait jouer, ne peut pas corriger son erreur après que la carte suivante a été jouée. Le joueur qui bénéficie d'un « Go » et qui n'en profite pas pour jouer des cartes supplémentaires alors qu'il pourrait le faire, ne peut pas corriger son erreur après que la carte suivante a été jouée. De toute manière, la ou les cartes(s) ainsi conservée(s) par erreur est(sont) morte(s) dès que l'adversaire la(les) voit, et le coupable ne peut pas la(les) jouer ni s'en servir pour marquer. L'adversaire du coupable marque 2 points pour cette erreur.

Erreur de marque — Si, en marquant, un joueur compte moins de points que ceux auxquels il a droit, il ne peut pas corriger son erreur après avoir joué la carte suivante ou après la coupe pour la prochaine donne. S'il marque plus que le pointage annoncé, il faut que l'erreur soit rectifiée sur demande n'importe quand avant la coupe pour la prochaine donne. L'adversaire marque 2 points.

CRIBBAGE À TROIS

On tire au sort la première donne. Par la suite, le tour de donne va vers la gauche.

Chaque joueur reçoit cinq cartes, une à la fois et le donneur dépose une carte pour la « huche ». Chaque joueur met de côté une carte pour la « huche », qui revient au donneur. L'aîné coupe pour la « carte de départ » (retourné).

Lorsqu'un joueur dit « Go » (avancez) le joueur suivant continue de jouer s'il le peut, et dans ce cas, le joueur qui reste doit aussi jouer s'il en est capable. Si le premier joueur après le « go » ne peut pas jouer, le joueur suivant ne joue pas non plus. De toute façon le point du « go » va au joueur qui a joué la dernière carte.

Toutes les autres règles de jeu et de pointage sont identiques à celles du « Cribbage » à deux. On compte les points en commençant par ceux de l'aîné, puis en allant vers la gauche et en finissant par la « huche ». La partie est habituellement de 61.

CRIBBAGE À QUATRE

On tire au sort les partenaires et la donne. Le donneur donne cinq cartes à chaque joueur, une à la fois. Chaque joueur met de côté une carte pour la « huche », qui revient au donneur. Les règles sont les mêmes que pour le « Cribbage » à trois.

On combine les points des partenaires en un seul total cumulatif. On devrait désigner un joueur de chaque côté pour marquer et faire le pointage. La partie est de 121.

CASSINO

Nombre de joueurs — Deux, trois ou quatre. A quatre, on joue habituellement par partenaires, deux contre deux, les partenaires l'un en face de l'autre.

Le paquet — 52 cartes.

Valeur des cartes — Les figures n'ont pas de valeur numérique. Un As compte pour 1 et toutes les autres cartes valent leur valeur nominale.

Le tirage — Les joueurs tirent ou coupent pour déterminer la première donne. La donne revient à la carte la plus basse. Quand on joue à deux, la donne appartient à celui qui remporte la main. Quand on joue à trois ou à quatre la donne passe au joueur de gauche.

La mêlée et la coupe — Le donneur mêle et le joueur à sa droite coupe.

La donne — En commençant par son plus proche adversaire de gauche, le donneur donne deux cartes à la fois, face fermées, à chacun des adversaires; il place ensuite deux cartes exposées en face de lui et deux cartes face fermée pour lui. Il recommence ensuite de façon à ce que chaque joueur ait quatre cartes et qu'il y ait 4 cartes retournées sur la table, ce qui complète la première tournée de la donne. Le reste du paquet est mis de côté pour compléter la donne une par la suite. Le donneur a le choix de donner les cartes une à la fois.

But du jeu — Remporter des cartes, dont voici la valeur en points:

Le plus grand nombre de cartes remportées	3
Le plus grand nombre de piques remportés	1
Le gros Cassino (10 de Carreau)	2
Le petit Cassino (2 de Pique)	1
Chaque As	1
Chaque balayage (sweep) (n'est pas toujours joué lorsque le jeu est à deux)	1

Le balayage consiste à ramasser toutes les cartes sur la table.

Dans le jeu par partenaires les cartes, les Piques et les cartes valant des points remportés par les partenaires sont comptés ensemble.

Quand il y a égalité dans les cartes ou les Piques, les points ne comptent pas. *Exemple*: Si chacun des côtés a 26 cartes, les 3 points ne comptent pas. Si on joue à trois joueurs, et que deux joueurs ont chacun 5 Piques, le point pour les piques n'est pas compté.

Le jeu — Chaque joueur à son tour, en commençant par l'aîné, doit jouer une carte. Il a le choix suivant de jeux:

Remporter — Un joueur peut remporter et empiler devant lui, face fermée, la carte qu'il joue et toute carte ou combinaison de cartes de la table qui correspond à sa carte. *Exemple*:

Avec un six, il remporte n'importe quel six sur la table, ou un quatre et un deux, ou un six et un quatre et un deux, ou deux ou trois six, ec.

Bâtissage — Un joueur peut ajouter une carte de sa main à une carte sur la table pour composer une combinaison qu'il pourra remporter au prochain tour. Il doit annoncer qu'il bâtit. *Exemple*: Ayant un six et un deux dans sa main, il peut ajouter son deux à un quatre sur la table et annoncer: « je bâtis six ». Avec deux quatre dans sa main et un quatre sur la table, il peut placer un quatre de sa main sur le quatre sur la table et annoncer: « je bâtis quatre ». Les bâtisses doivent être laissées retournées à l'endroit sur la table et peuvent être remportées par n'importe quel joueur ayant la carte appropriée dans la main.

Les figures ne peuvent être combinées de quelque façon que ce soit. S'il y a deux Valets sur la table, un joueur qui en a un dans la main peut en remporter un, mais non les deux. Il ne peut bâtir les Valets, les Dames, ni les Rois.

Augmenter une bâtisse: Un joueur peut ajouter une carte de sa main à une bâtisse existant déjà sur la table pourvu qu'il ait dans la main la carte lui permettant de remporter la bâtisse augmentée, au tour suivant. *Exemple*: L'adversaire a bâti avec un six et un As. Un joueur ayant un Neuf et un Deux peut placer le deux sur la bâtisse de sept (As et six) et bâtir Neuf; l'adversaire à son tour peut placer un As pour augmenter la bâtisse à Dix. Un joueur peut augmenter sa bâtisse aussi bien que celle de ses adversaires ou de son partenaire.

Une combinaison simple peut être augmentée, non une combinaison multiple. *Exemple*: Quand un joueur a bâti des quatres avec un quatre, un trois et un As, la bâtisse ne peut être augmentée à neuf par l'addition d'un As. Cette bâtisse ne peut être remportée que par un quatre.

Une bâtisse ne peut être augmentée qu'avec une carte de la main et non avec une carte sur la table. S'il y a une bâtisse de 5 et un deux sur la table et que le joueur ait dans sa main un As et un huit, il ne peut pas se servir de son As, du Deux sur la table et de la bâtisse pour augmenter la bâtisse à huit.

Addition à une bâtisse. Un joueur peut ajouter une carte de sa main à une bâtisse déjà faite sur la table et combiner une carte de sa main avec une carte de la table pour ajouter à une bâtisse sur la table. *Exemple*: Il y a une bâtisse de Neuf sur la table et un Six; un joueur ayant un Trois dans la main peut se servir de ce Trois et du Six sur la table pour ajouter à la bâtisse de neuf. Si la bâtisse est faite par un autre joueur, il n'a pas besoin d'avoir un neuf dans la main. C'est-à-dire, au jeu par équipes, il peut ajouter à la bâtisse de son partenaire sans être capable de remporter la bâtisse.

Au moment de remporter une bâtisse, le joueur peut aussi remporter toutes combinaisons de cartes ou toutes cartes correspondant à sa carte. Par exemple, il remporte une bâtisse de sept et à ce moment il se trouve un quatre et un trois sur la table, il peut les prendre, même si ces cartes ne font pas partie de la bâtisse.

Une carte remportée ne peut être examinée par le joueur ou le côté qui l'a remportée et ne peut être examinée par un adversaire que pendant le temps qui s'écoule avant que ce dernier n'ait joué sa prochaine carte.

Piste. Un joueur qui ne veut pas jouer autrement doit « laisser une piste » en mettant une carte retournée sur la table. Il n'est cependant pas permis de « laisse de piste » au joueur qui a une bâtisse sur la table.

Nouvelle donne — Quand chaque joueur a joué les quatre cartes de sa main, le donneur prend ce qui reste du paquet et redonne quatre cartes à chacun, mais n'en sert pas au milieu de la table. Cette main jouée, il redistribue de la même façon quatre cartes à chacun des joueurs jusqu'à ce que tout le paquet ait été donné. Avant de servir la dernière donne du paquet, le donneur doit prévenir que c'est là la dernière. Le fait de ne pas faire cette déclaration encourt une pénalité (voir le paragraphe des Irrégularités).

Les cartes qui n'ont pas été remportées à la fin d'une tournée de donne restent sur la table. Quand tout le paquet a été distribué le joueur qui remporte le dernier, remporte aussi toutes les cartes restant sur la table. Ceci ne constitue pas un balayage à moins que toutes les cartes restant sur la table puissent se rattacher à la dernière carte jouée.

La partie — Quand le jeu est terminé chaque joueur ou chaque côté retourne les cartes qu'il a remportées et compte les points qu'elles lui valent. Un balayage est signalé au moment où il est remporté en laissant une carte à l'endroit dans la pile, de sorte que les cartes représentant des balayages soient à l'inverse des autres cartes de la pile et faciles à identifier et à compter.

Il existe plusieurs moyens de déterminer qui a gagné la partie:

(a) Dans une partie à deux joueurs, une donne complétée représente habituellement une partie. Les balayages ne comptent pas et celui qui remporte la grosse part des 11 points est le vainqueur (sauf si la partie finit à égalité chaque joueur comptant 4 points et chacun remportant 26 cartes).

(b) 11 points représentent la partie. Si un joueur ou un côté compte 11 points en deux donnes son pointage est doublé, et si le pointage est de 11 en une seule donne il est multiplié par quatre. Dans tous les cas, on déduit le pointage du perdant de celui du vainqueur pour déterminer la marge du gain. Si les deux côtés atteignent 11 points à la même donne, le plus haut compteur gagne la partie et si le pointage est égal, la partie est nulle.

(c) 21 points représentent une partie. Si les deux côtés atteignent 21 à la même donne, les points sont comptés dans cet ordre pour déterminer le gagnant: les cartes, les Piques, le gros Cassino, le petit Cassino, l'As de Pique, l'As de Trèfle, l'As de Cœur, l'As de Carreau et les balayages.

Irrégularités — (Voir aussi les Lois générales, en page 5).

Dans une partie à deux joueurs, quand chaque main constitue une partie, toute irrégularité coûte la partie au responsable.

Maldonne Si le donneur donne les cartes d'un paquet qui n'a pas été mêlé ou coupé, son adversaire peut déclarer qu'il y a maldonne avant de jouer sa première carte et peut décider si le donneur peut conserver ou perdre la donne. Si le donneur omet d'annoncer le dernier tour de donne, son adversaire a la latitude de réclamer ou non une nouvelle donne.

Irrégularités dans la donne. Si le donneur ne donne pas assez de carte à n'importe quel joueur il doit combler la différence du dessus du paquet. Si une carte est retournée au cours de la donne, avant que les quatre cartes soient retournées sur la table, la carte exposée va sur la table et est remplacée, dans la main du joueur à qui elle allait, par une carte du dessus du paquet. Si une carte est retournée au cours de la donne après que les quatre cartes ont été étendues sur la table, le donneur doit prendre cette carte pour lui et la remplacer, dans la main du joueur à qui elle allait, par une carte du dessus du paquet. Si le donneur a déjà vu ses quatre cartes dans sa main, il donne au joueur une carte du dessus du paquet, la carte retournée va sur la table et au prochain tour le donneur joue avec moins de cartes que l'adversaire. Si le donneur sert trop de cartes à un joueur et que la chose soit signalée avant que le joueur ait regardé ses cartes, la ou les carte(s) en trop est (sont) retirée(s) de la main et remise(s) sur le dessus du paquet. Si le joueur a regardé sa main, il peut remettre sur la table les cartes en trop choisissant celles qu'il veut écarter, et au tour suivant le donneur joue avec moins de cartes que son adversaire.

Si, au tour final, il n'y a pas assez de cartes pour en donner quatre à chaque joueur, le donneur reçoit moins de cartes que ses adversaires (à moins qu'il ne soit prouvé que le paquet était imparfait, en ce cas la donne entière est déclarée nulle).

Remporter les mauvaises cartes. Si un joueur remporte une carte à laquelle il n'a pas droit, il doit la remettre sur la table sur demande, avant qu'un adversaire ait joué une carte; après, l'erreur ne peut pas être corrigée.

Compter ou revoir les cartes. Si un joueur compte ou regarde les cartes remportées, sauf celles qu'il a remportées au dernier tour, son adversaire peut ou ajouter un point à son pointage ou déduire un point du pointage du coupable.

Ne pas remporter des bâtisses. Si un joueur « laisse une piste » alors qu'il a une bâtisse sur la table, il doit la ramasser sur demande, mais la carte qu'il avait « laissée comme piste » doit rester sur la table et il ne joue pas au tour suivant. Si un joueur n'a pas la carte voulue pour remporter une bâtisse qu'il a faite, son adversaire peut compter un point ou en déduire un du pointage du coupable.

Jouer avant son tour. Une carte jouée avant son tour doit rester sur la table, comme si le joueur avait « laissé une piste », le coupable ne joue pas au tour suivant. Au jeu en équipes, le partenaire du coupable ne peut pas remporter cette carte.

Carte exposée. Il n'y a pas de pénalité si on joue à deux ou à trois. Au jeu par équipes, la carte exposée est immédiatement placée sur la table et le coupable ne joue pas au tour suivant. Son partenaire ne peut pas remporter la carte exposée.

CASSINO ROYAL

Les Valets comptent pour 11, les Dames pour 12, les Rois pour 13, et les As pour 14 ou 1 comme le désire celui qui les a en mains. Il n'y a pas de restriction quant aux combinaisons ou à l'assemblage des figures. Le jeu est identique au Cassino ordinaire et la partie est de 21 points. On peut le jouer aussi avec un jeu de 60 cartes comprenant les 11 et les 12. (voir page 5).

CASSINO À LA PIGE

Après la première tournée de donne, les cartes qui restent sont placées sur la table pour faire un talon. Chaque joueur après avoir joué, pige une carte pour reformer sa main de quatre cartes. Autrement, les règles du Cassino ordinaire ou du Cassino Royal prévalent, comme le désirent les joueurs.

CASSINO AUX PIQUES

On le joue comme le Cassino ordinaire ou le Cassino Royal avec cette variante qu'au compte des cartes, des Piques, du Gros Cassino, et des As, on ajoute 2 points chacun pour l'As, le Valet et le 2 de Pique, et 1 point pour chacun des autres Piques. Il y a une possibilité de 26 points à chaque donne à part des balayages. La partie est de 61 points et la marge de victoire est la différence entre les pointages victorieux et perdant. La marge de victoire est doublée si le pointage perdant est inférieur à 31. On peut fort bien tenir le compte des points du Cassino aux Piques, en se servant d'une planchette à « Cribbage » (voir page 189) en y indiquant les points à mesure que l'on remporte des cartes.

LA FAMILLE DES STOPS

MICHIGAN

(BOODLE, NEWMARKET, CHICAGO, SARATOGA, STOPS)

Le Michigan, un membre de la famille de jeux de cartes appelée « Stops », est le jeu idéal pour un groupe dont tous les membres ne connaissent pas les mêmes jeux, car un débutant peut jouer après une brève explication.

Nombre de joueurs — De trois à huit.

Le paquet — 52 cartes, plus les quatre cartes du tableau (voir plus bas) qui viennent d'un autre paquet.

Ordre des cartes — Dans chaque couleur, l'ordre des cartes est: As (haute), Roi, Dame, Valet, 10, 9, 8, 7, 6, 5, 4, 3, 2.

Le tirage — Les joueurs prennent place au hasard. N'importe quel joueur donne les cartes une à la fois tout autour de la table, le joueur qui reçoit le premier Valet donne en premier.

Le tableau — Dans un autre paquet de cartes on prend l'As de Cœur, le Roi de Trèfle, la Dame de Carreau, le Valet de Pique. Ces quatre cartes forment le tableau de « cartes payantes » (boodles), on les place au centre de la table et elles y restent tout le temps de la partie.

La mise initiale (ante) — Avant la donne, chaque joueur, à part le donneur, met un jeton sur chacune des cartes du tableau; le donneur en met deux. *(Variante)* Chaque joueur fait une mise initiale d'un nombre de jetons fixé d'avance; il les place où il veut sur le tableau.

La mêlée et la coupe — Le donneur a le droit de mêler en dernier. Le joueur à sa droite coupe. En coupant, il doit laisser au moins cinq cartes dans chaque portion du paquet.

La donne — On donne les cartes une à la fois, en allant vers la gauche. On donne un jeu de plus que le nombre de joueurs, ce jeu supplémentaire est placé immédiatement à la gauche du donneur. On donne toutes les cartes tant qu'il y en a, même si tous les joueurs ne reçoivent pas le même nombre de cartes. *(Variante.* Le donneur peut, soit échanger son jeu pour le jeu supplémentaire, soit vendre ce dernier au plus haut enchérisseur.) Aucun joueur ne peut voir le jeu supplémentaire sauf celui, s'il y en a, qui l'échange contre son jeu.

Le jeu — Aussitôt qu'il joue une carte, le joueur la place devant lui à l'endroit, et séparée des autres jeux; il annonce son rang et sa couleur.

L'aîné joue le premier. Il peut jouer n'importe quelle couleur, mais il lui faut commencer par la carte la plus basse qu'il a de cette couleur. Le joueur qui détient la carte suivante en ordre consécutif et de la même couleur la joue, et ainsi de suite, la séquence continuant dans cette couleur tant qu'elle n'est pas arrêtée (stopped) par une carte se trouvant dans la main morte ou par l'As. Le dernier joueur à jouer avant l'arrêt (stop) joue la carte suivante; il doit changer de couleur en commençant par sa plus basse carte dans cette couleur. S'il n'a pas d'autre couleur, le tour de jouer passe à sa gauche. *(Variante.* A certains jeux on permet de continuer dans la même couleur quand le joueur n'en n'a pas d'autre dans sa main.)

Chaque fois qu'un joueur peut jouer une carte identique à l'une des cartes payantes du tableau, il ramasse tous les jetons qui se trouvent sur cette dernière. Les jetons qui restent sur le tableau une fois le jeu terminé restent là pour être gagnés à une prochaine main.

Buts du jeu — Il y en a deux: (1) se débarrasser de toutes ses cartes, (2) jouer une carte payante pour ramasser les jetons qui s'y trouvent.

Le règlement de comptes — Le jeu prend fin lorsqu'un des joueurs joue sa dernière carte. Il encaisse un jeton de chacun des autres joueurs pour chacune des cartes qui restent dans la main de ce joueur. *(Variante.* A certains jeux il faut toujours que la couleur soit changée, et, si aucun joueur ne peut changer de couleur après un arrêt, le jeu cesse et personne ne paie pour cette main.)

Irrégularités — Si un joueur commence une couleur par une autre carte que la plus basse qu'il a en mains dans cette couleur, il doit donner un jeton à chacun des autres joueurs et il ne lui est pas permis de ramasser les jetons des cartes payantes qu'il pourrait jouer par la suite.

Si un joueur provoque un arrêt en ne jouant pas une carte alors qu'il est en mesure de le faire, le jeu continue comme à l'ordinaire, même si la carte retenue permet plus tard au responsable de provoquer un arrêt. Toutefois, le coupable ne pourra pas ramasser les jetons des cartes payantes qu'il pourrait jouer après son erreur; si, à la fin de la main, les jetons sont toujours sur la carte payante de la couleur de la carte retenue par erreur, le coupable doit remettre autant de jetons qu'il y en a sur la carte, au joueur (s'il en est un) qui avait le duplicata de cette carte; si le coupable est le premier à se débarrasser de ses cartes, il ne reçoit pas de jetons des autres joueurs et le jeu continue pour déterminr le gagnant.

FAN TAN

(PARLEMENT, SEPTS, DOMINOS AUX CARTES, STOPS)

Nombre de joueurs — De trois à huit.

Le Paquet — 52 cartes.

Ordre des cartes — Dans chaque couleur l'ordre des cartes est: Roi (haute), Dame, Valet, 10, 9, 8, 7, 6, 5, 4, 3, 2, As.

Le tirage — Les joueurs se placent au hasard, n'importe lequel d'entre eux distribue les cartes, une à la fois, tout autour de la table. Celui qui reçoit le premier Valet donne le premier.

La mêlée et la coupe — Le donneur a le droit de mêler le dernier. Le joueur à sa droite coupe. En coupant, il doit laisser au
moins cinq cartes dans chaque portion du paquet.
La mise initiale (ante) — Chaque joueur dépose un chip (jeton)
dans la poule avant chaque donne.

La donne — On donne les cartes, une à la fois, en allant vers la
gauche. On donne toutes les cartes de sorte que certains joueurs
peuvent en recevoir moins que d'autres. D'ordinaire, chaque joueur
qui reçoit moins de cartes dépose un chip de plus dans la poule.

Le jeu — A tour de rôle, en commençant par l'aîné, chaque joueur
doit jouer une carte s'il le peut. Voici ce que l'on peut jouer:
(1) n'importe quel sept; (2) n'importe quelle carte de la couleur
et suivant immédiatement dans l'ordre consécutif une carte déjà
jouée. A mesure que l'on joue les 7, ils sont placés en rang au
centre de la table. Les six forment un autre rang d'un côté, et les
huits de l'autre côté des sept de leurs couleurs respectives. On
empile sur les six, les cinqs et autres cartes plus basses en ordre
consécutif, alors qu'on empile les neufs et autres cartes plus hautes
en ordre consécutif sur les huits.

Sur chaque huit on monte : neuf, dix, Valet, Dame, Roi, de la même couleur.	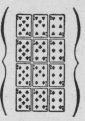	Sur chaque six on descend : cinq, quatre, trois, deux et As, de la même couleur.

Chaque joueur joue à tour de rôle, si possible; s'il ne peut pas il
dépose un jeton dans la poule et le tour passe à son voisin de
gauche.

But du jeu — Se débarrasser de toutes les cartes en mains. Lorsqu'un joueur y parvient, le jeu cesse. Chacun des autres joueurs
dépose dans la poule autant de jetons qu'il lui reste de cartes;
puis, le gagnant prend la poule.

Irrégularités — Si un joueur passe alors qu'il peut jouer, il doit
déposer trois jetons dans la poule. S'il a passé alors qu'il pouvait
jouer un 7, il doit de plus donner cinq jetons aux joueurs qui
détiennent le six et le huit de la même couleur.

VARIANTES DU FAN TAN

Cinq ou Neuf. Le premier joueur qui puisse jouer a le choix
entre un cinq ou un neuf. Quelque soit son choix il établit la
dénomination des fondations de bâtisses qui monteront d'un côté
et descendront de l'autre, comme au Fan Tan.

Snip Snap Snorem (Comte de Coventry). Le premier joueur peut jouer n'importe quelle carte. Quelle que soit sa carte, elle réclame les trois autres cartes de même rang. Le tour de jouer passe à gauche. Le joueur qui dépose la quatrième carte joue ensuite n'importe quelle carte pour commencer l'autre série. Chaque fois qu'il passe, un joueur doit verser un chip à la poule. Si un joueur néglige de jouer alors qu'il le peut, on corrigera l'erreur sans pénalité.

Joue ou paie. Le premier joueur peut jouer n'importe quelle carte. Il faut monter la couleur en séquence jusqu'à ce que les treize cartes soient jouées. La séquence d'une couleur est continue : Valet, Dame, Roi, As, 2, et ainsi de suite. Le tour de jouer passe à gauche, et si un joueur est incapable de jouer à son tour, il doit mettre un jeton dans la poule. Celui qui joue la treizième carte d'une couleur, peut jouer n'importe quelle carte pour commencer la séquence suivante. Le premier à se débarrasser de toutes ses cartes, ramasse la poule.

LES HUITS

(Les huits fous, les Valets ou Rummy suédois)

Le jeu des huits est celui de la famille des Stops qui offre le plus d'occasions de surmonter de mauvaises cartes par un jeu habile.

Nombre de joueurs — De deux à huit; de préférence deux, trois ou quatre, en équipes.

Le paquet — 52 cartes. Avec six joueurs ou plus, employer deux paquets mêlés ensemble.

Le tirage — Les joueurs se placent d'abord au hasard. N'importe quel joueur distribue les cartes une à la fois autour de la table; le premier à recevoir un pique, donne.

La mêlée et la coupe — Le donneur a le droit de mêler en dernier. Le joueur à sa droite coupe, laissant au moins cinq cartes dans chaque portion du paquet.

La donne — On donne les cartes une à la fois, en allant vers la gauche et en commençant par l'aîné. A deux, on donne sept cartes à chaque joueur. Plus nombreux, on en donne cinq. Le reste du paquet placé en face fermée au milieu de la table, forme le talon. Après avoir terminé la donne, le donneur retourne la carte supérieure du talon et la place à côté. Cette carte est la « carte de départ ». Si on retourne un huit, il faut le cacher dans le milieu du paquet et tourner la carte suivante.

Le jeu — En commençant par l'aîné, chaque joueur doit à son tour poser une carte, face exposée, sur la carte de départ. Si un joueur ne peut pas jouer, il doit piger sur le dessus du talon jusqu'à ce qu'il puisse le faire, ou jusqu'à ce que le talon soit épuisé. S'il ne peut pas jouer, une fois le talon épuisé, le joueur passe. Un joueur peut piger du talon s'il le désire, même s'il peut jouer.

Chaque carte jouée (à part les 8) doit correspondre à la carte supérieure de la pile de départ, soit par sa couleur, soit par son rang. Ainsi, on peut jouer n'importe quel trèfle sur un trèfle, n'importe quelle dame sur une dame. Les 8 sont frimés; cela veut dire qu'on peut jouer un 8 en tout temps à son tour et le joueur peut alors demander une couleur à son gré (jamais une dénomination). Le joueur suivant doit jouer, soit une carte de la couleur requise, soit un 8. (Certains préfèrent que les Valets ou toute autre carte soient frimés).

But du jeu — Se débarrasser de toutes ses cartes. Le premier joueur à réussir gagne et perçoit de chacun des autres joueurs la valeur des cartes qui lui restent, calculée selon ce barème:

Chaque huit 50
Chaque Roi, Dame, Valet ou Dix 10
Chaque As 1
Chacune des autres cartes selon sa valeur nominale.

Si le jeu est bloqué parce que personne ne peut jouer et que le talon est épuisé, celui des joueurs à qui il reste le moins de cartes encaisse de chacun des autres joueurs la différence des points de ce dernier avec les siens. En cas d'égalité, les joueurs partagent le gain.

A quatre joueurs, en équipes, le jeu ne prend fin que lorsque les deux partenaires du même côté sortent. Quand le premier joueur sort, les trois autres continuent de jouer. Si le jeu est bloqué on compare les totaux des deux côtés pour déterminer le gagnant.

Irrégularités — Si le donneur donne plus que le bon nombre de cartes à un joueur, n'importe quel autre joueur pige des cartes de surplus de cette main et les remet au centre du paquet. Si le donneur ne donne pas suffisamment de cartes à un joueur, ce dernier devra piger le nombre de cartes voulu du dessus du talon. Une fois le talon épuisé, un joueur qui passe alors qu'il est en mesure de jouer peut être obligé de jouer si un autre joueur l'exige. Si les joueurs se sont accordés sur le pointage d'une partie se terminant par un blocage, ce pointage est valable même si l'on constate qu'un joueur aurait pu continuer de jouer.

LES HUITS « HOLLYWOOD »

Cette variante est un jeu de Huits à deux, dont le pointage se calcule comme au Gin Rummy. Valeur des cartes: chaque 8 - 20; l'As - 15; figures - 10; autres cartes à leurs valeurs nominales. Le joueur qui le premier accumule 100 points, gagne la partie. On établit la feuille de pointage pour trois parties simultanées. On inscrit la première main remportée par chaque joueur dans la colonne de la première partie. La seconde est inscrite dans les colonnes des parties 1 et 2, et la troisième et toutes les autres subséquentes sont inscrites pour les trois parties. Lorsqu'une de ces colonnes est terminée, on peut en ouvrir une quatrième et ainsi de suite.

LE CHIEN ROUGE

(POULE À LA HAUTE CARTE)

Nombre de joueurs — De deux à dix.

Le paquet — 52 cartes. Des chips (jetons) de Poker ou tout autre objet permettant un compte facile.

Ordre des Cartes — As (haute), Roi, Dame, Valet, 10, 9, 8, 7, 6, 5, 4, 3, 2.

La mise initiale (ante) — On constitue une « poule » par mise d'un chip par chacun des joueurs.

Le tirage — N'importe quel joueur donne les cartes, une à la fois, à l'endroit, à chacun des joueurs à tour de rôle jusqu'à ce qu'un Valet vienne désigner le premier à donner.

La mêlée et la coupe — Tout joueur peut mêler, le donneur en dernier. Le joueur à la droite du donneur coupe les cartes, laissant au moins quatre cartes dans chacune des deux portions du paquet.

La donne — Le donneur donne cinq cartes, à chaque joueur à tour de rôle, une à la fois, face fermée, en commençant par le joueur à sa gauche. (*Variante*: Certains ne donnent que 4 cartes à chaque joueur. Cette manière de faire devient nécessaire avec plus de huit joueurs dans la partie.)

Le pari — Le joueur à la gauche du donneur, après avoir regardé sa main peut parier n'importe quelle partie de la poule à la fois. Un joueur qui ne désire pas parier peut verser un chip à la poule. Cependant, il peut, s'il le désire, parier un chip contre la poule. Aucun pari ne peut être plus élevé que le nombre de chips qui se trouvent dans la poule.

Quand le joueur a placé son pari, le donneur retourne la carte supérieure du talon. Si le parieur a une carte de la même couleur et de plus haute valeur, il montre cette carte et retire de la poule le montant de son pari, plus une somme égale à son pari. S'il ne détient pas de carte supérieure à celle retournée, le joueur doit montrer toute sa main et son pari est versé dans la poule. Le joueur suivant place à son tour son pari, une autre carte est retournée et on reprend la même procédure que pour le premier joueur, jusqu'à ce que tous les joueurs aient parié, y compris le donneur.

Si, à un moment donné, la poule est vide (parce qu'un joueur a parié la poule et qu'il l'a remportée), chaque joueur reforme la poule en misant un chip.

Lorsque chaque joueur a eu l'occasion de parier, la donne passe au joueur à la gauche du donneur.

(*Variante*. Dans certaines parties, le donneur ne retourne pas la première carte du paquet, il retire cette carte ou il la « brûle », face fermée, et retourne la prochaine carte. Si on donne cinq cartes à chaque joueur, cette manière de faire n'est possible que si sept joueurs ou moins participent au jeu.)

Irrégularités — Si un joueur ne reçoit pas assez de cartes, il n'est pas obligé de jouer, s'il ne le désire pas, mais il peut parier s'il le veut. Si un joueur ne reçoit aucune carte pour une main, il ne joue pas cette main et le donneur n'encourt aucune pénalité. Un joueur qui reçoit trop de cartes ne joue pas cette main et le donneur n'encourt aucune pénalité.

Une fois que l'argent est déposé dans le pot (la poule) on ne peut plus l'en retirer.

Le pari d'un joueur est définitif quand il a parié à son tour.

BLACK JACK
(LE VALET NOIR)

(Vingt-et-un)

Le Black Jack (Valet Noir) est le rival traditionnel du Poker dans l'armée américaine et c'est certainement l'un des jeux les plus populaires aussi bien dans les foyers que dans les clubs. Il y a deux sortes principales de « Black Jack ». 1) Le « Black Jack à banque permanente » : le même joueur a toujours la donne et tous les paris sont contre lui; 2) le « Black Jack à banque mobile », chaque joueur dans la partie a l'occasion de donner les cartes. Cette dernière sorte est celle le plus souvent jouée dans les foyers.

LE BLACK JACK À BANQUE PERMANENTE

Nombre de joueurs — Autant de joueurs que la table le permette. On se limite habituellement à sept ou huit joueurs, à part le donneur.

Le Paquet — 104 cartes (2 paquets de 52 cartes mêlés ensemble). En plus, le donneur se sert d'un Joker ou d'une carte blanche, qui n'est jamais mêlée. Il la place retournée à l'endroit sous le paquet pour indiquer la fin des cartes mêlées.

La mêlée et la coupe — Le donneur ou tout autre joueur qui le désire peut mêler une partie du paquet jusqu'à ce que toutes les cartes soient bien mêlées. N'importe quel joueur peut demander à couper. La carte supplémentaire est placée retournée à la fin du paquet.

Le pari — Avant la donne, chaque joueur parie, avec des chips qu'il place devant lui sur la table. On détermine habituellement un pari minimum et un maximum, de façon, par exemple, qu'un joueur ne puisse pas parier moins d'un chip ou plus de dix.

La donne — Quand tous les joueurs ont parié, le donneur donne une carte, face cachée, à tous les autres joueurs à tour de rôle, et se donne une carte retournée et ensuite une autre carte cachée à tous les joueurs, lui compris. De sorte que chaque joueur reçoit deux cartes cachées, sauf lui qui en a une de cachée et une de retournée.

But du jeu — En comptant tous les As pour 1 ou 11, comme il le désire, et les figures pour 10 et toutes autres cartes à leurs valeurs nominales, chaque joueur tente d'atteindre 21 ou aussi près que possible de ce pointage sans le dépasser.

Cartes naturelles — Si un joueur a comme deux premières cartes un As et une figure faisant le compte de 21 en deux cartes, il a un « naturel » ou un « Black Jack ». Si un joueur a un naturel et que le donneur n'en n'a pas, le donneur paie immédiatement au détenteur du « Black Jack » une fois et demie la somme que ce joueur a parié.

Si le donneur a un naturel, il perçoit immédiatement les paris des joueurs qui n'en n'ont pas. Aucun joueur n'est cependant tenu de débourser plus qu'il n'a parié. Si le donneur et un joueur ont des naturels, le joueur reprend ses jetons et aucun des deux ne paie ni ne perçoit.

Si la carte retournée du donneur est un 10, une figure ou un As, celui-ci peut regarder sa carte cachée pour voir s'il a un naturel. Dans le cas contraire, il ne peut regarder sa carte cachée avant la pige.

La prise de cartes (pige) — Si le donneur n'a pas de naturel, après avoir réglé tous les naturels des joueurs, il se tourne vers le premier joueur de gauche. Ce joueur peut s'en tenir aux deux cartes qui lui ont d'abord été servies ou il peut réclamer des cartes additionnelles, une à la fois jusqu'à ce qu'il arrête à une carte parce qu'elle fait le compte de 21 ou moins; ou qu'il « crève » (dépasse 21). Dans ce cas il paie le montant de son pari au donneur. Le donneur passe ensuite au joueur suivant de gauche et ainsi à tour de rôle.

Quand le donneur a passé ainsi tous les joueurs, à tour de rôle, il retourne sa carte cachée. Si le total de ses cartes est de 17 ou plus, il doit s'y tenir, si le total est de 16 ou moins, il doit prendre des cartes jusqu'à ce que son total soit plus élevé que 17. Rendu à ce point, il doit arrêter. Si le donneur a un As, et qu'en le comptant pour 11, il atteigne le compte de 17 ou plus (mais non plus de 21), il prend 11 comme valeur de l'As et arrête.

Règlement de comptes — Un pari payé et perçu n'est jamais remboursé. Si le total du donneur dépasse 21, il paie à chaque joueur qui s'est arrêté, le montant parié par le joueur. Si le donneur a 21 ou moins, il paie les paris de tous les joueurs ayant dépassé son total, il perçoit le pari de chaque joueur ayant un total inférieur et reste au status quo avec tout joueur ayant un compte égal au sien.

Remêle — Quand le pari de chaque joueur a été réglé, le donneur ramasse les cartes du joueur en question et les place face exposée en dessous du paquet. Le donneur continue d'employer le paquet précédemment mêlé jusqu'à ce qu'il atteigne la carte blanche à l'endroit qui lui indique la fin du paquet mêlé. Il interrompt alors la donne, mêle toutes les cartes qui ne servent pas actuellement au jeu, fait couper le paquet par un ou plusieurs joueurs, replace la carte blanche face en haut en dessous du paquet et reprend la donne. Avant chaque donne, si le donneur pense qu'il n'aura pas assez de cartes pour finir le prochain tour, il peut ramasser toutes les cartes pour les remêler et les faire couper.

Division de paires — Si les deux premières cartes d'un joueur sont de la même dénomination — comme deux Valets, ou deux Six — il peut, s'il le désire, les considérer comme deux jeux différents. Le montant de son pari original se porte alors sur une des cartes et il lui faut placer une autre mise analogue sur l'autre carte. Quand vient le tour de ce joueur de piger le donneur lui donne d'abord une carte à l'endroit pour chacune de ses deux cartes. Ensuite, le joueur peut exiger du donneur qu'il lui remette une ou plusieurs cartes supplémentaires, pour l'une ou l'autre main, dans l'ordre qu'il désire, jusqu'à ce qu'il ait arrêté. Les deux jeux sont traités séparément, le donneur réglant le cas de chacun selon sa propre valeur.

Irrégularités — Comme toutes les cartes sont données à découvert, il n'y a pas de pénalité d'irrégularité, mais une irrégularité constatée doit être corrigée avant que le pari soit réglé; après le règlement du pari, il n'y a plus de correction possible. Si le donneur a une « naturelle » ,mais qu'il ne l'annonce pas avant de donner une carte supplémentaire, sa main compte 21, mais peut être à égalité avec celle de tout autre joueur dont le total est 21 pour trois cartes ou plus.

BLACK JACK AVEC CHANGEMENT DE BANQUE

Nombre de joueurs — De deux à quatorze.

Le paquet — 52 cartes.

Valeur des cartes — As 1 ou 11 (selon le gré du détenteur); toute figure vaut 10, toute autre carte a sa valeur nominale.

Désignation du premier banquier — N'importe quel joueur prend le paquet et donne les cartes à l'endroit, à tour de rôle jusqu'à ce que le Valet Noir (Pique ou Trèfle) échoit à un joueur. Ce joueur est le premier à donner.

La mêlée et la coupe — Le donneur mêle les cartes et n'importe quel autre joueur peut les couper. Le donneur retourne alors la carte supérieure du paquet, la montre à tous les joueurs, et la pose à l'endroit en dessous du paquet, c'est ce qui s'appelle « brûler » la carte. Lorsque l'on atteint cette carte « brûlée » pendant la donne, cela signifie qu'il faut remêler et recouper avant de continuer de la manière décrite en page 204.

Premier tour de donne — Le donneur donne une carte, face fermée, à chaque joueur à tour de rôle, y compris à lui-même.

Les enjeux — Après avoir regardé sa carte, chaque joueur fait un pari ou une mise, qui ne peut pas être de moins d'un chip, ni plus que la limite fixée pour le jeu. Après que tous les autres joueurs que le donneur ont parié, le donneur peut exiger que tous les paris soient doublés. Tout joueur peut alors *redoubler* son pari. *Exemple*: Un joueur mise deux chips, le donneur demande de doubler, il faut donc que ce joueur mette deux autres chips. Le joueur redouble, engageant quatre chips de plus, ce qui porte sa mise totale à huit chips.

Terminaison de la donne — Le donneur donne alors une carte à l'endroit à chaque joueur, à tour de rôle, ainsi qu'à lui-même.

Naturelles — Si le donneur a une naturelle (As et figure ou Dix) chaque joueur lui paie le double de son enjeu, sauf qu'un autre joueur ayant aussi une « naturelle » ne paie au donneur que

le montant de son enjeu. Si un autre joueur a une « naturelle »
et que le donneur n'en ait pas, le donneur doit verser à ce joueur
le double de son enjeu.

Prise de cartes (pige) — Si le donneur n'a pas de « naturelle »,
il commence par son voisin de gauche et donne à chaque joueur,
à tour de rôle, autant de cartes que le joueur lui demande, une
à la fois, jusqu'à ce que ce joueur dépasse 21 (crève) et paie,
ou arrête.

Lorsque tous les joueurs ont « crevé » ou arrêté, le donneur
retourne sa carte cachée et peut piger des cartes jusqu'à ce
qu'il décide d'arrêter. Le donneur n'est tenu par aucun règlement
d'arrêter ou de piger jusqu'à un total donné. Si le donneur dépasse
21, il paie tous les joueurs qui ont arrêté; si le donneur se tient à
un total de 21 ou moins, il paie tous les joueurs qui ont arrêté
avec un total plus élevé et perçoit de tous les joueurs qui ont arrêté
au même total ou moins. « L'égalité paie le donneur ».

Un adversaire du donneur peut diviser une paire. (Voir page 204)

Paiement de boni — Tout joueur qui forme une des combinaisons
suivantes se fait immédiatement payer par le donneur et ne peut
pas, par la suite, perdre sa mise, même si le donneur a un plus
haut total que le sien :

Si un joueur a cinq cartes et que son total soit de 21 ou moins,
il perçoit le double de son enjeu; avec six cartes et un total de
21 ou moins, il reçoit quatre fois son enjeu; et ainsi de suite en
doublant le montant pour chaque carte supplémentaire.

Le joueur qui fait 21 avec trois septs, reçoit trois fois le montant
de son enjeu.

Le joueur qui fait 21 avec 8, 7 et 6 reçoit le double de son
enjeu.

Le donneur ne reçoit pas plus que le montant des enjeux des
joueurs lorsqu'il obtient l'une de ces combinaisons et il ne gagne
pas forcément s'il a cinq cartes ou plus et un total de moins de
21.

Changement de banque — Le donneur continue son rôle tant
qu'un autre joueur n'a pas reçu de « naturelle », alors que le donneur n'en a pas; dans ce cas, une fois réglés tous les paris de la
donne en cours, le joueur qui avait la « naturelle » devient donneur.
Si deux joueurs ou plus ont des « naturelles », alors que le donneur n'en a pas, celui des deux qui est le plus près de la gauche
du donneur devient le donneur suivant. Celui dont c'est le tour de
donner peut vendre ce privilège à un autre joueur.

Irrégularités — Si le donneur ne « brûle » pas de carte, il doit sur
demande mêler le reste du paquet et « brûler » une carte avant de
continuer à donner.

Si le donneur ne donne pas de carte à un joueur au premier
tour de donne, il doit sur demande fournir à ce joueur une carte
du dessus du paquet, à moins que l'erreur ne soit portée à l'attention du donneur après qu'il a commencé le second tour de donne,
dans ce cas le joueur qui n'a pas de carte ne joue pas jusqu'au tour
suivant.

Si le donneur donne sa première carte à découvert à un joueur, celui-ci doit toujours faire son enjeu, mais le donneur doit lui donner sa prochaine carte fermée. Si le donneur ne le fait pas, le joueur peut retirer son enjeu et sortir du jeu pour ce tour.

Tout joueur qui arrête doit exposer sa carte cachée dès que le donneur a arrêté ou a « crevé ». Si ce joueur a de fait un total de plus de 21, il doit payer au donneur le double de son enjeu même si le donneur a « crevé ».

Si le donneur remet deux cartes à un joueur au premier tour, ce joueur peut choisir laquelle des deux il désire garder et laquelle il va écarter; ou bien il peut garder les deux cartes, jouer deux jeux en misant sur chacun. Il ne peut pas, toutefois, garder les deux cartes comme faisant partie de la même main.

Si le donneur donne deux cartes à un joueur, au second tour, le joueur peut choisir celle qu'il gardera.

Si l'on trouve une carte à l'endroit dans le paquet, le joueur à qui elle doit aller peut l'accepter ou la refuser.

Si le donneur donne une carte à un joueur qui ne l'a pas demandée, le joueur peut la garder s'il le désire, ou la refuser. Dans ce dernier cas, elle devient un écart et doit être placée à l'endroit sous le paquet. Le joueur suivant ne peut pas la réclamer.

LE CHEMIN DE FER

Le Chemin de Fer est une variante du Baccara, l'un des jeux de prédilection des habitués des célèbres casinos de la Riviera française. On l'appelle aussi Chemmy ou Shimmy ou autres diminutifs du même genre.

Nombre de joueurs — N'importe quel nombre, de deux à trente ou plus.

Le paquet — Six jeux de 52 cartes mêlés ensemble et placés dans une boîte spéciale appelée « sabot » qui les distribue une à la fois, face fermée.

La mêlée et la coupe — N'importe quel joueur prend une portion des six paquets et la mêle, il l'offre ensuite à n'importe quel joueur à couper. On place les cartes ainsi mêlées et coupées dans le « sabot » jusqu'à ce que les 6 paquets y soient.

La donne — Il y a généralement un croupier qui ne participe pas au jeu, sauf pour aider les joueurs à faire et à régler leurs mises, les conseiller quant à la bonne conduite du jeu et leur rappeler le calcul des probabilités dans les décisions à prendre. Lorsqu'il y a un croupier on met à l'enchère le droit de donner le premier; le joueur qui mise le plus grand nombre de chips (jetons) pour sa banque devient le premier donneur ou banquier.

Avant de donner, le donneur doit annoncer le montant de sa banque, c'est-à-dire le nombre de chips qu'il avance comme enjeu. Les autres joueurs, par ordre de primauté en allant vers la gauche, peuvent alors parier contre lui une partie ou toute la valeur de sa banque, mais le donneur n'est jamais responsable du règlement de paris dépassant la valeur de sa banque.

Si un joueur dit: « Banco », cela signifie qu'il prend comme pari la valeur totale de la banque, et tous les autres petits paris doivent être retirés. Si deux ou plusieurs joueurs disent « Banco », c'est le plus près de la gauche du donneur qui fait le pari.

Lorsque tous les joueurs ont parié ou lorsque le montant de tous les paris réunis égale la banque entière, le donneur donne une carte, face fermée, au joueur qui fait le plus haut pari contre lui; puis, il prend lui-même une carte, face fermée, il en donne une autre face fermée à son adversaire, ensuite une autre toujours face fermée à lui-même.

But du jeu — Former avec deux ou trois cartes une combinaison qui donne le plus près possible du compte de 9. Les figures et les dix comptent pour 10 (ou zéro), les as 1, les autres cartes ont leurs valeurs nominales, mais on ne compte pas les dix au total. Ainsi, un cinq et un six qui donnent 11, ne comptent que pour 1.

Si l'un ou l'autre des joueurs a un total de 8 ou 9 avec ses deux premières cartes, il a ce que l'on appelle une main « naturelle » et doit montrer ses cartes immédiatement. Si seul le donneur a une « naturelle », il remporte tous les paris. Si seul l'adversaire a une « naturelle », le donneur paie à ce joueur. Un 9 naturel bat un 8 naturel. Deux « naturelles » de même valeur s'annulent, on jette les cartes et on retire les mises. Les joueurs placent d'autres enjeux pour la donne suivante (le coup suivant).

Si ni le donneur ni son adversaire n'ont de «naturelle», l'adversaire peut demander une prise de carte, qui lui est faite à l'endroit. Le donneur peut alors, s'il le désire piger une carte à l'endroit. L'un ou l'autre peut, s'il le préfère, s'arrêter à ses deux cartes originales.

Lorsque les deux s'arrêtent ou ont pigé, on montre toutes les cartes; si le donneur est plus près de 9 que le ponte, il remporte leurs mises; si le ponte est le plus près de 9, le banquier (ou donneur), paie les enjeux. S'ils ont le même total, les enjeux sont immobilisés et retirés.

Règles de la prise de carte — Les règles de la plupart des jeux de «Chemin de Fer» veulent que chaque joueur décide d'arrêter ou de prendre des cartes selon le calcul des probabilités mis en évidence par les principes suivants:

Le ponte doit prendre carte s'il a 4 ou moins; il doit s'arrêter s'il a 6 ou 7; et il a le choix de prendre ou s'arrêter avec 5.

Si le ponte s'arrête, le donneur doit s'arrêter à 6 ou 7, et prendre carte à 5 ou moins. Si le ponte prend carte, et que ce soit un As, une figure ou un dix, le banquier doit s'arrêter avec 4, et doit prendre carte s'il a moins. Si l'adversaire pige un 9, le donneur s'arrête à 4, a le choix à 3, et doit prendre avec un total plus bas. S'il prend un 8, le donneur s'arrête à 3, doit piger avec n'importe quoi de plus bas. Si l'adversaire prend un 6 ou 7, le donneur doit s'arrêter à 7 et doit prendre avec un total plus bas; si l'adversaire prend un cinq ou un quatre le donneur s'arrête avec 6, doit prendre s'il a un total plus bas. Si l'adversaire prend un 3 ou un 2, le donneur s'arrête à 5 et doit prendre avec un total plus bas.

(*Variante*: à certains jeux, il est permis au donneur et à tout joueur qui fait «Banco», de décider par lui-même s'il doit prendre carte ou non, sans tenir compte de probabilités mathématiques.)

Changement de banque — Le banquier conserve sa place tant qu'il gagne ou fait égalité avec un joueur. Lorsqu'il perd une main le joueur suivant à gauche le remplace comme banquier.

Le nouveau banquier annonce le montant de sa banque, les enjeux sont faits et la donne continue comme avant; on ne retire pas les cartes du «sabot» pour les remêler tant que l'on a pas donné au moins les cinq-sixièmes de la quantité originale de cartes. Généralement, on donne jusqu'à ce qu'il ne reste que quelques cartes dans le paquet.

BACCARA

Ce jeu est identique au Chemin de Fer sauf que:

Le banquier reste à son poste tant que le montant total de sa banque n'a pas été perdu, à moins qu'il ne se retire de son plein gré.

A chaque coup, le donneur donne 3 mains — une à droite, une à gauche et la dernière à lui-même. Les joueurs peuvent miser sur la gauche ou la droite contre le banquier; ou miser à cheval, ce qui veut dire qu'ils ne gagnent que si le donneur perd aux deux mains et qu'ils ne perdent que si le donneur bat les deux mains. Le banquier joue contre chaque jeu séparément comme au Chemin de Fer, le but du jeu étant d'atteindre 9 d'aussi près que possible.

STUSS, FARO

Les principes de base du Stuss sont les mêmes que ceux du Pharaon qui fut un temps le plus populaire des jeux à un seul banquier joués aux Etats-Unis, mais depuis il y a presque complètement disparu.

Nombre de joueurs — N'importe quel nombre de personnes peut participer à ce jeu. Tous les enjeux sont misés contre le donneur (banquier). On procède habituellement par enchères pour désigner le donneur, celui qui fait la plus grosse mise pour sa banque étant choisi.

Le paquet — 52 cartes.

Le tableau — Tous les piques au complet sont collés à une planchette ou laqués sur un feutre que l'on pose sur la table; les joueurs parient en plaçant leurs mises sur une des cartes du tableau. C'est arbitrairement que nous avons choisi les piques; de fait, toutes les couleurs sont égales puisque seule compte la dénomination des cartes.

La donne — Un ou plusieurs joueurs mêlent et n'importe lequel coupe. Une fois que les enjeux sont faits (voir plus bas), le donneur ou banquier retourne la carte supérieure du paquet et la pose à sa gauche; on appelle cette carte « soda », elle n'a aucun rapport avec les paris. Le donneur place alors la seconde carte du paquet, face exposée, à sa droite. Puis, il retourne la carte suivante et la pose sur le « soda », à sa gauche. Lorsque le donneur a placé ces deux cartes, cela constitue un tour.

Les enjeux — Le première carte retournée à chaque tour (sauf le « soda ») perd toujours; la seconde carte gagne. Avant chaque tour les joueurs peuvent poser des enjeux sur les cartes du tableau; si un joueur pose des chips (jetons) sur une carte cela signifie qu'il pense que cette carte va gagner, à moins qu'il ne place un sou (en cuivre, ou autre rond métallique) par-dessus les chips et cela signifie alors qu'il joue « perdant ». On règle un tel pari la prochaine fois qu'une carte de la même dénomination est retournée. *Exemple*: Un joueur pose un jeton sur le 6 de pique du tableau. Le banquier retourne deux cartes qui ne sont ni l'une ni l'autre un 6. La mise du joueur reste sur la carte, pour règlement ultérieur; mais au tour suivant le banquier retourne comme première carte le 6 de Cœur; cela veut dire que le 6 perd et le banquier prend la mise du joueur. Si ce dernier avait posé « un sou » sur son jeton, il aurait joué perdant et se serait fait payer par le banquier. Ou encore, si le 6 avait été la seconde carte retournée au lieu de la première, le joueur aurait gagné son pari et le banquier l'aurait payé.

Après chaque tour, on perçoit et l'on paie tous les paris de ce tour. Les autres mises restent sur les cartes du tableau. On peut en ajouter de nouvelles ou retirer celles qui sont en suspens.

A mesure que la partie avance, toutes les cartes gagnantes forment une pile et les perdantes une autre pile.

Dédoublements — Si deux cartes de même dénomination sont retournées au même tour, de sorte qu'un pari sur cette carte gagne et perd à la fois, le banquier prend tous les enjeux sur cette carte (c'est son seul avantage de la partie). Les mises sur les autres cartes ne sont pas affectées.

Annoncer le tour — On tient compte de toutes les cartes retournées, de sorte que l'on connaît toujours celles qui ne l'ont pas encore été. Lorsqu'il ne reste plus que trois cartes, un joueur peut miser sur l'ordre dans lequel elles seront retournées, et s'il gagne le banquier lui paie quatre pour un le montant de son pari (cela s'appelle « annoncer le tour »). Si deux de ces trois dernières cartes forment une paire, cela s'appelle « cathop » et le banquier ne paie que deux pour 1. Comme il n'y a pas de distinction entre les couleurs, si, par exemple, les Valets de Pique et de Carreau restent, le joueur n'est pas tenu d'indiquer leur ordre exact en « annonçant le tour ».

FARO (Pharaon)

Ce jeu, parfois appelé Faro, mais à l'origine Pharaon, se joue avec un banquier permanent qui se sert d'un « sabot » pour donner les cartes. Plusieurs combinaisons de paris sont permises et le banquier ne prend que la moitié des enjeux quand il y a « dédoublement ».

MONTE BANK (Banque Monte)

Nombre de joueurs — N'importe quel nombre de personnes peut participer à ce jeux, l'une d'elles étant choisi comme banquier. Le banquier dépose sur la table le plein montant qu'il veut miser sur la partie.

Le paquet — 40 cartes, on laisse de côté les 10, 9 et 8, de chaque couleur.

Le jeu — Le banquier prend le paquet et le mêle à fond; puis, il le présente aux joueurs pour la coupe. Tenant le paquet face fermée il tire deux cartes d'en dessous et les pose à l'endroit sur la table. On appelle ceci « le tableau du bas ». Ensuite, il prend deux cartes sur le dessus du paquet qu'il tient toujours face fermée, et forme le « tableau du haut ».

Les joueurs misent le montant qu'ils veulent, jusqu'à la limite de la banque, sur l'un ou l'autre des tableaux. On retourne ensuite le reste du paquet et la carte qui est ainsi rendue visible devient la « barrière » *(gate)*. Si elle est de la même couleur que l'une ou l'autre des cartes du « tableau du haut », le banquier paie tous les enjeux placés sur ce tableau. Si, dans le « tableau du bas », il y a une carte de la même couleur que la « barrière », le banquier la paie aussi. Le banquier gagne tous les enjeux placés sur des cartes qui ne sont pas de la couleur de la « barrière ».

Lorsque tous les enjeux sont réglés, on met de côté les deux tableaux, on retourne le paquet face fermée, on écarte la « barrière », puis, l'on prépare deux nouveaux tableaux et les joueurs font de nouvelles mises. Le banquier montre une nouvelle « barrière », etc., cette manière de procéder continue jusqu'à ce que tout le paquet soit épuisé.

SOLITAIRE

(PATIENCE — RÉUSSITE)

Comment se jouent les jeux de « solitaire »

On joue tous les jeux de Solitaire avec un ou plusieurs paquets de 52 cartes chacun. Pour la plupart on procède de la façon suivante :

On dispose, face exposée, sur la table en un ordre distinct quelques-unes ou toutes les cartes, pour former le tableau. Ce tableau, avec les autres cartes distribuées au début du jeu, est souvent appelé arrangement *(layout)*.

On peut modifier l'arrangement initial en construisant. Certaines cartes du tableau peuvent servir immédiatement au jeu, alors qu'il faut retirer certaines cartes-obstacles pour en utiliser d'autres.

Le premier but visé est de libérer et de placer en position certaines cartes appelées « fondations ». Le but ultime est de bâtir sur ces fondations avec tout le paquet et si l'on y réussit on a « gagné » le Solitaire.

Si l'on ne dispose pas tout le paquet sur le tableau au début, le reste du paquet forme un « stock », duquel on prend des cartes supplémentaires pour continuer le jeu selon les règles qui s'y rattachent. Les cartes du « stock » que l'on ne peut pas placer sur le tableau ou sur les fondations sont posées, face exposée, en une pile séparée appelée pile d'écarts ou « talon ».

A certains jeux l'arrangement compte un petit paquet de cartes spécial appelé « stock » ; tout ce qui reste du paquet non placé au début devient alors la « main ».

Dans bien des jeux un espace libre créé dans le tableau par le déplacement d'une ou plusieurs cartes disposées ailleurs, devient un espace et est d'une très grande importance dans l'organisation du tableau.

Ordre des cartes au Solitaire — Roi (haute), Dame, Valet, 10, 9, 8, 7, 6, 5, 4, 3, 2, As.

On joue souvent au Solitaire sur des surfaces plus restreintes qu'une table à cartes ; et, par ailleurs, certains jeux de Solitaire prendraient plus de place que n'en n'offre une table à cartes si l'on devait employer des cartes à jouer de format ordinaire. On peut se procurer pour ces jeux des cartes miniatures, dites de Patience.

Souvent, on décrit de façon humoristique les jeux de Solitaire ou de patience comme étant « les délices de l'idiot ».

ACCORDÉON

Cartes — Un jeu (ou paquet).

Tableau — Disposer les cartes une à une, à l'endroit, en une rangée de gauche à droite.

But — Placer toutes les cartes en une pile en bâtissant.

Pour bâtir — Toute carte peut être placée sur la carte qui se trouve à sa gauche, ou sur la troisième carte à sa gauche, si ces cartes sont de même couleur ou de même rang. *Exemple* : Quatre cartes de gauche à droite : Cœur 6, Cœur Valet, Trèfle 9, Cœur 9. On peut poser le 9 de Cœur soit sur le 9 de Trèfle, soit sur le 6 de Cœur.

Lorsque le déplacement d'une ou plusieurs cartes a formé une pile, on déplace toute la pile avec la carte de dessus. Dans l'exemple précédent, lorsque le 9 de Cœur est placé sur le 9 de Trèfle on peut déposer les deux cartes sur le Valet de Cœur et le tout sur le 6 de Cœur.

On peut interrompre à tout moment l'entrée de nouvelles cartes au tableau pour faire des déplacements. Il n'est pas obligatoire de faire des déplacements.

CANFIELD

Cartes — Un paquet (jeu).

L'arrangement — On compte 13 cartes, face fermée, on les égalise en un paquet, puis on les place à face exposée à gauche. C'est le « stock ». On retourne la carte suivante (14e) comme première fondation et on la place au-dessus du « stock », vers la droite. A côté du « stock » il faut étendre quatre cartes sur un rang, face exposée, en allant vers la droite pour former un tableau.

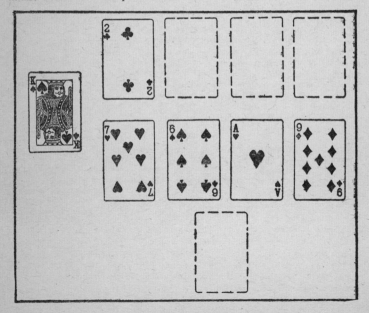

Fondations — Il faut disposer en une rangée à côté de la première fondation, les trois autres cartes du même rang, dès qu'elles sont disponibles. On bâtit sur chaque fondation, selon la couleur et l'ordre consécutif (séquence) en « tournant le coin » si nécessaire.
Exemple: Si la première fondation est une Dame, chacune des autres Dames devient une fondation sur laquelle on monte ainsi: en Carreau, Dame, Roi, As, 2, 3, etc., jusqu'au Valet.

But — Monter les quatre fondations jusqu'à la treizième carte de chacune.

Main — Le reste du paquet une fois que l'arrangement est en place, forme la main. On retourne trois cartes à la fois de la main; la carte du dessus de chacun des petits paquets ainsi formés peut servir à bâtir, et les cartes d'en dessous peuvent servir à mesure que celle du dessus est placée.

Talon — On pose chaque petit paquet de trois cartes, tel que retourné de la main, sur la pile d'écarts placée en dessous du tableau. La carte de dessus du talon peut toujours servir pour bâtir. Lorsque toute la main a passé au talon, on retourne ce dernier, face fermée, pour faire une nouvelle main, et on recommence à en retourner les cartes trois par trois jusqu'à la fin.

Pour bâtir — On déplace une pile entière du tableau comme une seule carte. (*Variante*: On peut déplacer la carte de dessus d'une pile seule.) Toute(s) carte(s) mobile(s) (du tableau, du stock ou de la main) ne peut(peuvent) être placée(s) que sur une carte du rang immédiatement au-dessus de celui de la carte d'en dessous, s'il s'agit d'une pile, et de couleur opposée.
Par exemple: Le 8 de Cœur peut aller sur le 9 de Trèfle ou de Pique.

Espaces — On doit remplir un espace libre au tableau par la carte supérieure du « stock ». Il faut que ce dernier soit toujours bien « carré » pour que l'on ne puisse reconnaître que la carte de dessus. Lorsque le « stock » est épuisé, on garnit les espaces avec des cartes de la main et du talon.

On peut repasser la main un nombre illimité de fois tant que le jeu n'est pas bloqué ou gagné.

NAPOLÉON À SAINTE-HÉLÈNE

(Le Gros Quarante, ou Quarante Voleurs)

Cartes — Deux jeux (paquets) mêlés ensemble.

Tableau — Dix piles de quatre cartes chacune, disposées en rangées, toutes face exposées. Les cartes doivent se chevaucher de façon à ce que le joueur puisse les voir toutes.

Fondations — Tous les As sont placés au-dessus du tableau à mesure qu'ils sont libérés du tableau ou retournés du « stock».

Pour bâtir — Seule la carte de dessus d'une pile peut être déplacée, son déplacement libère la carte en dessous d'elle. On ne peut placer une carte que sur une autre carte de même couleur, de rang immédiatement supérieur dans l'ordre consécutif. *Exem ple* : Le 7 de Pique ne peut aller que sur le 8 de Pique. On ne peut pas poser un Roi sur un As ; les As doivent être posés en fondation le plus vite possible. Les fondations montent en couleur et en séquence de l'As au Roi.

But — Monter les huit fondations jusqu'aux rois.

Espaces — Lorsqu'une des dix piles du tableau est entièrement vidée, on peut poser n'importe quelle carte disponible dans l'espace.

« Stock » — On retourne les cartes une à la fois du dessus du « stock », et elles peuvent être utilisées en tableau ou en fondations.

Talon — Les cartes du « stock » qui ne peuvent pas bâtir sont placées en une pile en dessous du tableau, face exposée. La carte supérieure du talon est toujours disponible pour bâtir sur le tableau ou sur les fondations. Il est préférable de faire chevaucher les cartes du talon pour que toutes soient visibles.

KLONDIKE

Cartes — Un jeu (paquet).

Tableau — Vingt-huit (28) cartes en 7 piles. La première pile : 1 carte ; la seconde - 2 ; et ainsi de suite jusqu'à sept. La carte du dessus de chaque pile est à l'endroit, toutes les autres sont à l'envers.

Distribuer les cartes de gauche à droite en rangées : première rangée, une carte à l'endroit, 6 cartes à l'envers ; deuxième rangée, une carte à l'endroit sur la seconde pile et une à l'envers sur chacune des autres piles ; et ainsi de suite.

Fondations — Les quatre As. A mesure qu'un As est disponible or le place sur un rang au-dessus du tableau. On monte les fondation' en couleurs et en séquence (ordre consécutif).

But — Monter les quatre couleurs sur les fondations en allan⁺ jusqu'aux Rois.

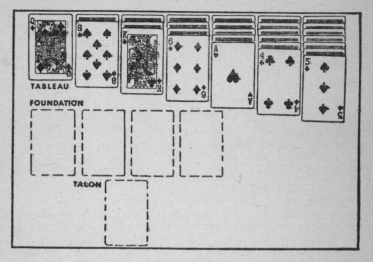

Pour bâtir — On peut poser n'importe quelle carte mobile (du tableau, du « stock » ou du talon) sur une carte de couleur opposée qui est immédiatement supérieure dans l'ordre consécutif à la carte au bas de la pile. Si plus d'une carte est à l'endroit sur une pile du tableau il faut déplacer d'un seul bloc toutes ces cartes à l'endroit. *Par exemple*: Le 3 de Carreau, le 4 de Trèfle, le 5 de Cœur peuvent être déplacés en bloc sur le 6 de Pique ou le 6 de Trèfle. Lorsqu'il n'y a plus de cartes à l'endroit sur une pile du tableau on retourne la première carte qui devient mobile.

Espaces — On ne peut remplir les espaces libres qu'avec des Rois. seulement.

« Stock » — Le reste du paquet une fois le tableau garni ou servi s'appelle le « stock ». On retourne les cartes du dessus du « stock » une à la fois, en utilisant chacune pour bâtir si possible. On ne passe les cartes du « stock » qu'une seule fois. *(Variante*: On prend les cartes du « stock » trois par trois, comme au « Canfield », sans limite.)

Talon — Déposer les cartes du « stock » qu'on ne peut utiliser, face exposée sur une pile appelée Talon. On peut toujours employer la carte de dessus du talon pour jouer, du moment que la carte suivante du « stock » n'ait pas été retournée.

L'ARAIGNÉE

Cartes — Deux paquets mêlés ensemble.

Tableau — Dix piles de cinq cartes chacune servies par rangées. On place les quatre premières cartes de chaque rangée, face fermée, celles de dessus face exposée. Tout le jeu se fait sur le tableau, il n'y a ni fondations ni talon.

Pour bâtir — On peut déplacer la carte de dessus d'une pile avec toutes les cartes en dessous d'elle qui la suivent en ordre ascendant de couleur et de séquence. On peut briser une séquence de cartes disponibles en n'importe quel endroit pour en laisser en arrière. *Par exemple*: Du haut en bas, la pile comprend en Cœur: 4-5-6, en Trèfle: le 7; la première ou les deux ou trois premières cartes peuvent être déplacées comme une seule unité, mais le 7 de Trèfle ne peut pas bouger tant que les trois cartes qui le recouvrent n'ont pas été déplacées.

Lorsque toutes les cartes exposées d'une pile, ont été déplacées, on retourne la carte suivante et elle devient disponible pour jouer.

On peut placer une unité mobile de cartes soit dans un espace, soit sur une carte de rang immédiatement supérieur à celui de la carte de fond de la pile, quelle que soit sa couleur. *Exemple*: Le Valet de Carreau peut être placé sur n'importe laquelle des quatre Dames. On ne peut placer un Roi que dans un espace libre.

But — Rassembler les treize cartes d'une couleur en ordre ascendant (de l'As au Roi) du haut en bas sur le dessus d'une pile. Lorsque toute une couleur est ainsi réunie, on la prend pour l'écarter du jeu. On gagne le Solitaire lorsque les huit couleurs sont ainsi écartées.

Espaces — On peut remplir les espaces libres avec n'importe quelle unité mobile.

« Stock » — Lorsque tous les déplacements possibles ou voulus sont arrêtés sur le tableau, il faut prendre dix autres cartes du « stock » et les disposer face exposée sur les piles du tableau. Avant de pouvoir prendre de nouvelles cartes ainsi il faut que tous les espaces libres soient garnis. Le dernier tour ne comprend que quatre cartes qui sont placées sur les quatre premières piles à partir de la gauche. (*Variante*: Les quatre cartes supplémentaires sont placées, face fermée, sur ces piles en établissant le tableau.)

RUES ET PASSAGES
(Streets and Alleys)

Cartes — Un jeu (paquet).

L'arrangement — Prendre quatre cartes et les placer en une colonne au centre gauche de la table, puis en faire une autre au centre droit en laissant asséz d'espace entre les deux pour en placer une autre. On pose toutes les cartes, face exposée. Il faut continuer de placer ainsi les cartes en colonnes de quatre alternativement à gauche et à droite, en posant les cartes d'une colonne de manière à chevaucher celles de la colonne précédente et en s'écartant du centre. On étend ainsi tout le paquet, après quoi chaque rangée vers la gauche aura sept cartes, et chaque rangée vers la droite en aura 6.

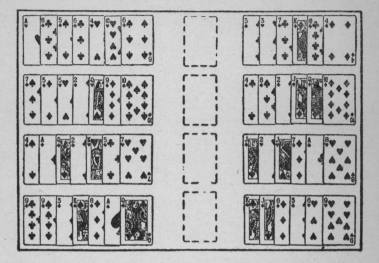

Fondations — Les quatre As. A mesure qu'un As est libéré on le place au centre entre les rangs de cartes. On bâtit des piles sur les As par couleur et ordre consécutif.

Pour bâtir — Seule la carte à l'extrémité extérieure d'une rangée est mobile. On peut mettre une carte à l'extrémité extérieure de sa rangée pour qu'elle soit en ordre descendant avec la carte qui s'y trouve, quelle qu'en soit la couleur. *Exemple*: Le 5 de Carreau peut aller sur le 6 de n'importe quelle couleur.

Espaces — Toute carte disponible peut aller dans un espace libre.

But — Utiliser toutes les cartes pour bâtir sur les fondations.

« LE CHÂTEAU ASSIÉGÉ »

De la même manière que les « Rues et Passages » sauf que l'on retire d'abord les As du paquet pour les placer dans la colonne du centre. Chaque côté du tableau se compose alors de rangs de six cartes.

POKER SOLITAIRE

Cartes — Un jeu (paquet).

Tableau — Retourner les 25 premières cartes une à une, les disposant en carré de 5 cartes de large par 5 cartes de haut. À mesure que l'on retourne les cartes, on peut les placer n'importe où par rapport à celles qui sont déjà en place, du moment que le 5 X 5 est respecté. On ne peut plus bouger une carte qui est posée.

But — Obtenir le plus grand nombre de points possible avec dix mains de Poker formées par les 5 rangées et les 5 colonnes de 5 cartes du tableau.

Pointage — Il y a plusieurs manières de compter. Les deux décrites plus bas sont les mieux connues. Le système américain suit le classement des mains de Poker, alors que le système anglais s'inspire de la difficulté même qu'il y a à former des mains de Poker. Solitaire :

Main	Pointage Américain	Anglais
Flush royale	100	30
Straight flush	75	30
Brelan carré	50	16
Main pleine	25	10
Flush	20	5
Straight	15	12
Brelan	10	6
Deux paires	5	3
Une paire	2	1

(Variante. no 1 — Il faut jouer chaque carte verticalement, latéralement ou diagonalement, près d'une carte déjà posée.)

(Variante no 2 — Etendre 25 cartes, face exposée et faire le meilleur tableau possible connaissant toutes les cartes en jeu.)

CARRÉS DE POKER

Le Poker Solitaire se prête à un concours d'adresse entre un grand nombre de joueurs :

Nombre de joueurs — N'importe lequel.

Cartes — Un jeu complet par participant.

Préliminaires — On désigne un joueur comme « annonceur » pour chaque tour. A tour de rôle, chaque joueur devient annonceur. L'annonceur mêle son paquet, chacun des autres joueurs divise son propre paquet en couleurs afin de pouvoir rapidement trouver une carte annoncée.

Le jeu — L'annonceur retourne les 25 premières cartes du dessus de son paquet, une à une, disant à haute voix la couleur et le rang de chacune. Chaque joueur, y compris l'annonceur, (à moins qu'il ne soit un arbitre isolé du jeu), prend la carte annoncée et la place sur son propre tableau.

Le pointage — Lorsque tous les tableaux sont complets on calcule chacun selon le système convenu et le plus haut pointage gagne le tour. Ou bien on peut faire un nombre déterminé de tours et le gagnant est celui qui a le plus haut pointage cumulatif. On peut adopter les barèmes du Poker Solitaire pour compter les points.

CALCULS

Cartes — Un jeu (paquet).

Fondations — Retirer du paquet et placer en rang, tout As, tout deux, tout trois et tout quatre rencontrés.

But — Monter douze (12) cartes sur chaque fondation en séquence arithmétique (quelle qu'en soit la couleur); les séquences sur les quatre piles doivent être:

> As, 2, 3, 4, 5, 6, 7, 8, 9, 10, V, D, R,
> 2, 4, 6, 8, 10, D, As, 3, 5, 7, 9, V, R,
> 3, 6, 9, D, 2, 5, 8, V, As, 4, 7, 10, R,
> 4, 8, D, 3, 7, V, 2, 6, 10, As, 5, 9, R,

« Stock » — Les quarante-huit (48) cartes qui restent dans le paquet forment le « stock ». On retourne les cartes du « Stock », une à une, et l'on pose chacune soit sur une fondation, soit sur une pile d'écarts.

Piles d'écarts — On peut poser les cartes du « Stock » sur n'importe laquelle de quatre piles d'écarts situées en-dessous des fondations. La carte supérieure d'une pile d'écarts peut toujours servir pour jouer sur une fondation, mais ne peut pas être autrement déplacée une fois posée là.

LA BANQUE RUSSE
(Crapette)

C'est l'un des plus populaires des jeux à deux joueurs. C'est au fond une forme de solitaire à deux et il suit les principes généraux donnés en page 212.

Nombre de joueurs — Deux.

Cartes — Deux paquets complets de 52 cartes chacun, avec des dos différents.

Valeur des cartes — Roi (haute), Dame, Valet, 10, 9, 8, 7, 6, 5, 4, 3, 2, As.

Le tirage — On étend un paquet face fermée et chaque joueur pige une carte. Le joueur qui pige la carte la plus basse a le choix du paquet, des places et de plus joue le premier. *(Variante*: Le joueur près duquel se trouve la plus basse carte du tableau joue le premier. Si deux cartes se valent, la première carte suivante détermine qui jouera le premier. Il n'est pas question de couleur.)

La mêlée — Chaque joueur mêle le paquet qui sera donné par l'adversaire.

L'arrangement — Chaque joueur coupe son propre paquet et donne douze cartes face fermée dans une pile à sa droite, formant un « talon ». Il donne ensuite quatre cartes retournées, dans une colonne au-dessus de son talon, cette colonne s'étendant vers l'adversaire. Les huit cartes, 4 pour chacun des adversaires, composent le tableau. On doit laisser assez de place entre les deux colonnes du tableau pour y placer deux autres colonnes de cartes. Le joueur finit par laisser le reste de son paquet, face fermée, sous la colonne du tableau à sa gauche. Ce reste de paquet sera sa main.

(*Variante*: Certains donnent 13 cartes pour la pile du « stock ».)

Fondations — Les huit As sont les fondations. Chaque As à mesure qu'il sort doit immédiatement être placé dans l'un des espaces réservés entre les colonnes du tableau. On construit les fondations en couleurs et en séquences.

Exemple: Sur l'As de Carreau, on place le deux de Carreau, le 3 de Carreau, etc., jusqu'au Roi. Une fois qu'une carte a été placée sur une fondation, on ne peut plus la déplacer.

But du jeu — Se débarrasser le premier des cartes du « stock » et de sa main.

Manière de jouer — Chaque joueur à son tour joue autant de fois qu'il le peut ou qu'il le veut suivant les règles qui suivent. Un tour est fini quand *a)* un joueur est incapable de jouer ou ne joue pas une carte de sa main; ou *b)* un joueur fair une erreur dans l'ordre du jeu, à la suite de laquelle son adversaire dit « Stop! » (Voir Ordre du jeu).

Cartes disponibles — On ne peut bouger qu'une carte à la fois. Les cartes qu'on peut déplacer sont: *a)* les cartes du dessus des piles du tableau, *b)* les cartes du dessus du « stock »; *c)* les cartes retournées de la main. (Dans les règles des jeux de « Stops », une carte n'est pas considérée déplaçable du seul fait qu'elle peut le devenir en déplaçant les cartes qui la recouvrent.)

Mouvements dans le tableau — Une carte peut être mise sur une pile du tableau où elle est en séquence descendante de la carte du dessus et de couleur opposée. *Exemple*: Le 7 de Pique peut être placé sur le 8 de Carreau ou le 8 de Cœur. Un espace libre dans le tableau peut être rempli par toute carte disponible.

Mouvements sur le « stock » et le talon de l'adversaire — Une carte peut être placée sur la pile ou sur le « stock » de l'adversaire ou sur son talon, si elle correspond à la couleur et à la séquence; la séquence peut être montante ou descendante ou les deux. *Exemple*: Si la pile de l'adversaire commence par un Valet de Pique, le joueur peut le couvrir de la Dame ou du 10 de Pique. Ce joueur peut ensuite placer le Roi de Pique ou le Valet de Pique (de l'autre jeu).

Un joueur ne peut jamais jouer à partir du tableau à sa propre pile ou à son propre « stock »; non plus à partir de la pile et du talon de son adversaire au tableau ou « fondations ».

Ordre du jeu — Sous peine d'être arrêté et de perdre son tour, un joueur doit observer les règles suivantes:

1. — *Chaque fois qu'une carte devient disponible et qu'elle peut être jouée sur une pile de fondation, elle doit l'être immédiatement.*

A son premier tour de jeu, chaque joueur doit faire tous les jeux possibles sur les « piles de fondation », ce n'est qu'après qu'il peut retourner la première carte de sa pile (stock). Mais à n'importe quel moment plus tard s'il joue de son « stock » aux fondations la dernière carte retournée, il peut retourner la prochaine carte de son « stock », même si des cartes du tableau sont susceptibles d'être jouées sur les fondations. En d'autres mots, une fois qu'il a touché à son « stock », il a toujours la latitude de voir une carte retournée de celui-ci pour guider son choix dans le jeu sur les fondations.

2. — *Avec le choix de cartes à jouer sur les fondations, les cartes du « stock » doivent être jouées avant les cartes du tableau.*

Après avoir répondu aux exigences des fondations, le joueur peut ensuite bâtir à sa guise sur le tableau. La carte du dessus de son « stock » est retournée et si elle est jouée, la suivante est retournée. Il n'y a pas d'obligation de placer une carte de son « stock » sur le tableau, mais:

3. — *Aucune carte de la main ne peut être retournée quand il existe un espace vide sur le tableau et qu'il peut être remplacé par une carte du « stock ».*

4. — *Les cartes de la main sont retournées une à une et ainsi le tour du joueur continue aussi longtemps qu'il y a des cartes qui peuvent être jouées et que le joueur les joue. Quand il retourne une carte qui ne peut être jouée, le joueur doit la placer, retournée sur un talon entre sa main et son «stock », et son tour s'arrête là.*

Quand il a placé une carte de sa main, le joueur peut compléter tout mouvement additionnel que le jeu rend possible du « stock » et dans le tableau, avant de tourner la carte suivante. Il doit prendre garde de ne pas retarder de tels mouvements additionnels, car s'il regarde la carte suivante de sa main et qu'elle ne soit pas jouable, son tour est fini.

A l'épuisement du « stock », les espaces vides du tableau peuvent être remplis par les cartes de la main.

5. — *C'est une violation des règles de l'ordre du jeu de toucher une carte disponible quand les règles exigent qu'une autre carte soit jouée avant.*

En certains milieux cette règle est moins sévère, le joueur n'est pas sujet à être arrêté avant d'avoir complété un jeu fautif en retirant sa main.

Un joueur peut toucher n'importe quelle carte dans le but d'arranger les cartes, à condition qu'il en ait signalé l'intention.

Le talon — Les cartes de la main qui ne sont pas jouées sont placées, retournées pour former un talon. Les cartes du talon ne peuvent pas être reportées ailleurs, mais l'adversaire peut y placer des cartes prises au tableau, à son « stock » ou dans sa main. Un joueur peut examiner son talon en étalant les cartes sans déranger leur ordre, en ce cas son adversaire peut les voir aussi. Mais un joueur ne peut étaler les cartes du talon de son adversaire. Quand la main est épuisée le talon est tourné face fermée et forme une nouvelle main.

Arrêts — Lorsqu'un joueur viole une règle de l'ordre du jeu, son adversaire peut dire « stop » et sur démonstration de la faute commise, peut prendre le tour de jouer. Si la faute consistait à avoir retourné une carte du « stock » ou de la main, cette carte redevient cachée. Si la faute consistait à avoir déplacé une carte, le mouvement est annulé par la remise en place.

Pointage — Le joueur qui joue toutes les cartes de sa main, de son « stock » et de son talon, sur le tableau, les fondations, etc., est le gagnant. Il compte un point pour chaque carte qui reste dans la main et le talon de l'adversaire et deux points pour chaque carte qui reste dans son « stock », plus 30 points pour la partie.

Irrégularités — Si un joueur tente une bâtisse incorrecte, comme de placer un Valet de Pique sur un Valet de Trèfle, il n'y a pas de pénalité, mais le jeu doit être corrigé à demande. Il n'est pas permis de regarder quelque carte que ce soit de la main ou du « stock » avant qu'elle ne soit dûment retournée. Si un joueur par inadvertance retourne et voit une carte avant le temps, son tour cesse aussitôt que le jeu en cours est terminé. *Exemple* : Un joueur retourne de son « stock » deux cartes ensemble. Il peut jouer la carte du dessus s'il le désire, mais il perd ensuite son tour. L'adversaire ne peut réclamer un arrêt si le joueur a pu compléter un jeu après un jeu fautif.

BANQUE RUSSE À UN PAQUET

Nombre de joueurs — Deux.

Cartes — Un paquet entier de 52 cartes.

Ordre des cartes — Séquence continue : As, 2, 3, 4, 5, 6, 7, 8, 9, 10, Valet, Dame, Roi, As, 2, etc.

La donne — Chaque joueur reçoit 26 cartes, en un tour de deux à la fois, et huit tours de trois à la fois. Le joueur égalise sa pile de cartes face fermée, à sa gauche.

Le jeu — Le premier joueur étend quatre cartes de sa main, face exposée, sur un rang. Il bâtit comme il peut suivant les règles que nous donnons plus bas. Lorsqu'il ne peut plus jouer, le second joueur étend un rang de quatre cartes, et joue ce qu'il peut. Par la suite, chaque joueur, à son tour, retourne la carte supérieure de sa main et joue comme il peut. Lorsqu'il retourne une carte qu'il ne peut pas jouer, il la pose à l'endroit dans une pile d'écarts à sa droite.

Pour bâtir — On construit par couleurs et en séquences. En bâtissant sur le tableau (les 8 cartes d'abord étendues à l'endroit), ou en chargeant le talon de l'adversaire, le joueur peut commencer une séquence ascendante ou descendante, à son gré. Par la suite, il faut continuer la séquence dans la même direction.

Espaces — Lorsqu'il crée un espace libre au tableau, le joueur peut s'en servir pour effectuer des changements de position puisque n'importe quelle carte peut être placée dans un espace. Il est permis d'employer les espaces du tableau pour renverser l'ordre des séquences dans une pile du tableau. Avant de finir son tour le joueur doit garnir tous les espaces du tableau avec des cartes prises dans sa main.

Pour charger le talon de l'adversaire — Une carte prise dans la main et retournée peut être posée sur le talon de l'adversaire, si sa couleur et son rang conviennent à la séquence, même si elle pouvait être jouée sur le tableau, mais on ne peut pas reporter une carte du tableau au talon.

Le talon — On ne peut pas prendre de cartes sur le talon pour jouer. Lorsque la main est épuisée, on retourne le talon à l'envers pour former une nouvelle main.

But du jeu — Se débarrasser de toutes les cartes de la main, et du talon au profit du tableau.

NOTA : *par comparaison avec la Banque Russe à deux jeux, il n'y a pas de pile de « stock », il n'y a pas de fondations et un joueur ne peut pas être arrêté pour un oubli.*